JFK: La confesión

Richard Greener

JFK: La confesión

Traducción de F. Javier Lorente Puchades

Licencia editorial para Bookspan por cortesía
de Ediciones Robinbook, s.l., Barcelona

Bookspan
501 Franklin Avenue
Garden City, NY 11530

Título original: *The Lacey Confession*

© 2006, Richard Greener
    Published by Midnight Ink, an imprint of Llewellyn Publications,
    St. Paul, MN 55164 USA

© 2007, Starbooks, Barcelona

Diseño y fotografía de cubierta: Opalworks
Diseño interior: La Cifra
ISBN: 978-84-935213-8-7

Para María, como siempre...

Índice

Agradecimientos

Deseo dar las gracias a quienes aceptaron leer generosamente algunas partes de *JFK: La confesión* mientras la escribía y, en especial, a Barbara y Phil Ross, y a Jeffrey Marlin. Estoy en deuda con Valerie Fischel, cuyas amables observaciones sobre ciertos errores me fueron de gran ayuda.

Cada autor necesita un agente. Tengo la suerte de contar con la mejor, Julia Lord, por lo que estoy en deuda con ella una vez más.

Prólogo

Escribí *JFK: La confesión,* desde la primera hasta la última palabra, mientras esperaba un nuevo corazón. Figuraba en la lista de trasplantes del Emory University Hospital de Atlanta, en Georgia, y por razones obvias, cuando uno aguarda algo así, no puede alejarse demasiado, ya que en cualquier momento podían llamarme. Pasaba la mayor parte del tiempo en casa o en mi acogedor despacho, desde donde contemplaba el lago Martin. La experiencia, me imagino, debió de parecerse mucho a un arresto domiciliario y, para evadirme, me puse a preparar esta novela.

Durante aquellos días, mi hija Barbi, quien habría sido capaz de cualquier cosa por su padre, convenció a sus hermanas, así como a otras personas, para ponerme en contacto con buena parte de la gente a la que admiro, respeto y con cuya compañía disfruto. Nunca supe quién se encargó de ello ni cuándo hizo las llamadas. Cada respuesta constituyó una maravillosa sorpresa. Aunque había hablado con algunos en el pasado, en su mayoría se trataba de completos desconocidos que integraban un grupo de lo más dispar y que me brindaron su más sincera atención sin que estuviesen obligados a ello. Todos se interesaron por mi inminente transplante y, sobre todo, por la acuciante espera. Algunas conversaciones duraron unos cuantos minutos; otras, pasaron del cuarto e incluso las hubo de más de media e incluso una hora. Fue un maravilloso entretenimiento.

Me gustaría dar las gracias a todas las personas que me telefonearon o escribieron, y en especial a los New York Mets, quienes me enviaron una pelota firmada por mi *pitcher* favorito, Tom Seaver, así como a los New York Jets, que me alegraron el día con un balón firmado por el gran Joe Namath.

Ojalá todos pudieran saber lo feliz que me hicieron y lo importantes que fueron a la hora de terminar este libro. Por ello, no puedo dejar de incluir aquí sus nombres:

John Lewis, Bill Cosby, Monica Kaufman, Al Franken, Leon Botstein, Hillary Clinton, Andrew Young, Robert C. Byrd, Michael Bloomberg, Tim Russert, Jackie Mason, Ron Paul, Ralph Nader, Whoopi Goldberg, Lindsay Graham, Jon Stewart, Phyllis Chesler, Fred Harris, Noam Chomsky, Robin Williams, Andrew Greeley, Tom Clancy, Howard Dean, Cynthia McKinney, Arnold Schwarzenegger, Frank Torre, Terry

Gross, Barack Obama, los Atlanta Braves, Russ Feingold, Jesse Jackson, Barry Levinson, Martin Sheen, David E. Kelley, David Letterman, Clint Eastwood, Mel Brooks, Christopher Hitchens, Stanley Kutler, Bo Jackson, Oliver Stone, Blythe Danner y Sonny Perdue.

Roswell, Georgia, mayo de 2005*

---

* Richard Greener se sometió a un transplante de corazón en enero de 2006. *(N. del E.)*

El comienzo

Sólo los hombres sabios —y algunos insensatos—
afirman saber lo que pasa.

Harry Chapin

Uno

Cruz Bay estaba hecha a la medida de Walter. La capital de Saint John, en las islas Vírgenes se parecía más a un pueblo que a una ciudad por sus dimensiones. La rodeaba el mayor puerto del archipiélago, que se extendía por toda la costa y trepaba por la ladera de la montaña. *El Peñón,* tal como los residentes llamaban a Saint Thomas, el barrio más populoso, quedaba a poco más de un cuarto de hora en barca, aunque para muchos de los que vivían allí, tal distancia se medía en meses o años y no en minutos o millas náuticas.

El Billy's Bar se encontraba al otro lado de la placeta que quedaba enfrente del muelle donde atracaban los transbordadores de Saint Thomas. Durante muchos años, Walter Sherman pasó allí buena parte de su tiempo. Desayunaba bien temprano —aunque ya no tanto como cuando era joven—, tomaba algo al atardecer y, de vez en cuando, cenaba un poco más si se terciaba. Siempre podía encontrársele sentado al final de la barra, en la penúltima banqueta, cerca de la cocina y casi pegado al enorme ventilador. El local no había cambiado mucho, lo cual gustaba a Walter. Lo mismo podría decirse para el resto de la isla —y también era de su agrado—. De hecho, a menos que alguien se lo recordase, le era muy fácil olvidarse de que Saint John formaba parte de Estados Unidos.

Tan sólo podía llegarse a la isla con una embarcación pequeña, como el ferry. Los cruceros se quedaban en el puerto de Saint Thomas. Los turistas y los visitantes ocasionales de El Peñón solían alojarse en los bulliciosos complejos hoteleros de la capital y se dejaban caer por Saint John para comprar durante unas horas. Algunos visitaban el parque nacional, si bien la mayoría iba a las playas, y se marchaban a la hora de cenar, justo cuando partía el último transbordador hacia Saint Thomas. Para los viajeros más exigentes, a los que se les solía llamar *exploradores*, gustaban de la calma y las bellas vistas, y no mostraban ningún interés por jugar al golf, había dos hoteles, los mayores de la isla. Walter y el resto de los residentes daban gracias a Dios, y al gobierno federal, por la ausencia de campos de golf. El Todopoderoso, cuando pensó en crear el Caribe, decidió que la isla tuviese menos de doce kilómetros de largo y el terreno fuese lo suficientemente accidentado como para que fuese imposible construir ni un campo, ni una pista de carreras ni nada que se pareciese a una condenada Disneylandia o una de sus réplicas baratas. Parques temáticos los llaman. ¿Y de qué tratan, se preguntaba Walter, sino de gastar dinero? Por si no hubiesen tenido la fortuna suficiente, el gobierno federal de Estados Unidos aceptó la donación de unas tierras, que comprendían prácticamente las dos terceras partes de la superficie total, y las declaró parque nacional. El segundo hijo de John D. Rockefeller, Laurence, el más rico y listo de toda la familia, fue tan generoso donante. No era tonto, no: lo único que le interesaba era el área llamada Caneel Bay —sin duda el lugar más hermoso de una isla paradisíaca—, a la que consideraba el paraje más bello del mundo. Allí construyó el primero de sus famosos complejos hoteleros. De este modo, la gentuza que venía del continente, tan aficionada a beber y fumar en abundancia, saludarse a gritos y jugar al golf y al blackjack, se vio obligada a buscar otros destinos.

Junto al nuevo Westin, propiedad en un principio de la cadena Hyatt, y del antiguo Caneel Bay, había un puñado de hotelitos y pensiones, así como unas cuatrocientas viviendas que se arracimaban en la ladera y en la cima de la montaña, muchas de ellas en alquiler y a unos precios exorbitantes. Durante la temporada alta, la población, de unos cuatro mil habitantes, se doblaba. Aun así, Saint John no es un lugar pensado para un turista ocasional que contrata un paquete de vacaciones en el Caribe. Quienes buscan un cierto toque europeo se dirigen más al sur, a Curaçao, con sus reminiscencias holandesas. Si se busca una cierta aventura así como un ambiente joven, lujoso y un tanto afrancesado, es mejor ir a Saint Barts, con mucho más glamour. Y si tan sólo se quiere huir del invierno sin salir de Estados Unidos, no hay nada como Puerto Rico, donde se puede pasar el rato en los hoteles y casinos de Dorado Beach. Saint John, de hecho, es un lugar a donde ir si se desea estar a solas. Por eso Walter Sherman decidió comprarse una casa nada más poner el pie en la costa. Y por eso su ex mujer, Gloria, lo llamaba Saint Garbo.

Aquella mañana, Walter tomó sus huevos revueltos de costumbre, con una tostada y una Diet Coke. Billy la compraba embotellada sólo para él, ya que el resto bien la tomaba en lata o directamente del barril. A Walter le gustaba sentir el tacto de la botella y el cosquilleo de las burbujas cuando retiraba la chapa, y estaba seguro de que no había nada como el cristal para preservar aquel sabor. Billy Smith apreciaba y respetaba a Walter más que a nadie —aunque tampoco demasiado— y no le costaba nada encargar dos cajas sólo para él.

El ventilador, no muy lejos de Walter, giraba a velocidad media. Una agradable brisa fresca venía desde el mar, cruzaba la plaza y entraba en el bar a través de los ventanales. La mayor parte de los parroquianos se sentaba en mesas que quedaban a resguardo del sol. Muchos ni siquiera se quitaban las gafas de sol, sobre todo si eran caras. Si uno se gasta trescientos o cuatrocientos dólares en eso, pensaba Walter, no estará muy dispuesto a quitárselas. Apenas podía imaginarse que muchas de ellas costaban más del doble. Mientras leía las páginas de opinión del *New York Times* y se disponía a dar otro mordisco a su tostada con mantequilla, la oyó entrar.

Las huellas digitales no son el único rastro que deja la gente, hay otros que algunas personas pueden reconocer e interpretar. La manera de caminar le decían a Walter muchas cosas: si la persona en cuestión era un hombre o una mujer, si era grande o pequeña, o pesada o ligera. En algunas ocasiones, incluso era capaz de deducir algunos rasgos de su carácter o su estado de salud. Pero en ese momento no se trataba de los pasos de un hombre calzado con unos zapatos típicos del continente. Ya había tenido la ocasión de oírlos antes y todavía los recordaba. Esta vez captó un ruido que muy bien podía corresponder a una mujer. Se dirigió hacia su asiento. Sin apenas alzar la vista, la observó de una manera instintiva —tantas décadas de experiencia habían dejado su poso—, casi sin querer. Hacía tiempo que aquellas cosas ya no le interesaban. Sin embargo, no pudo resistirse y se la imaginó alta, delgada, quizás de unos cincuenta kilos, con una larga cabellera negra. Las uñas pintadas. «¡Por Dios! —se reprochó—. Debería dejarme de tantas tonterías.» No tuvo tiempo de pensar en la edad ni en el color de su piel ni tampoco en el resto de detalles que siempre solía tener en cuenta al escuchar a una mujer. Se le acercó con demasiada rapidez. El ruido de sus tacones —estaba seguro de que eran muy altos— le indicó que caminaba tal como solían hacerlo la mayoría de las mujeres bellas. La amplitud del paso, el tiempo que transcurría entre un taconeo y otro, le dijeron a Walter Sherman que esa mujer poseía unas piernas muy largas. Antes de que pusiera un pie delante de otro, la otra pierna comenzaba a alzarse. Podría llegar a decirse, y así lo recordó, que una mujer que camina de esa forma está muy segura de su aspecto. Estaba convencido de que llevaría medias con aquellos tacones. ¿Que cómo podía saberlo? Había oído cómo sus muslos se frotaban. «¿Pana?», se preguntó confuso. Y rezó por que no hubiese perdido ni un ápice de su agudeza.

Se esperaba una mujer atractiva y segura de sí misma. Estaba equivocado. Había pasado por alto un pequeño detalle: no vestía pantalones de pana, sino unos tejanos lavados a la piedra y tan ceñidos que apenas podía imaginar cómo había podido ponérselos. Quizás se hubiese deslizado por ellos. Era un poquito más baja de lo que se pensaba, aunque con aquellos tacones llegaba casi al metro ochenta. A duras penas pasaría de los cincuenta kilos y eso si se diese un buen atracón. Su cabello, largo, negro y liso, que comenzaba a rizarse a causa del aire húmedo del Caribe, caía sobre sus hombros y se derramaba por su espalda y su pecho hasta cubrirle los senos. Llevaba una blusa de seda de color azul oscuro, lo suficientemente desabotonada como para apreciar el ribete de su sostén, marrón, con puntillas satinadas y brillantes. Su traje combinaba perfectamente con su piel olivácea. A pesar de su sigilo, Walter pudo apreciar todo eso y más. Le llamó la atención el sombrero de ala ancha que llevaba ladeado sobre su frente, a modo de visera, y que, junto con sus gafas de sol, ocultaba en parte su rostro. Sin duda, se trataba de la mejor solución, o al menos así lo supuso, para librarse de miradas indiscretas. No obstante, la reconoció de inmediato. Para tratarse de una mujer que, tal como sabía, estaba más cerca de los cincuenta que de los cuarenta, no estaba nada mal, pues aparentaba poco más de treinta. Tras una cierta indecisión, se le acercó.

—Hola, Walter Sherman.

—¿Nos conocemos de algo? —replicó en un tono cálido y amistoso. Por un momento, como si el tiempo se hubiese detenido, se le apareció como una encarnación tropical de Mae West, con su tez morena y su cabello de azabache. Coqueta, segura de sus encantos. Una mujer fuera de serie. Miró de nuevo su plato y sonrió. Ella le correspondió del mismo modo. Walter parecía alegrarse de no haber perdido su oído y la recién llegada le ofreció la mejor de sus sonrisas.

—Sólo por mantener las formas... ¿Podría...? —y señaló al taburete vacío que había al lado del suyo.

—Por supuesto.

—Tienes una isla preciosa.

—Bueno, no es mía del todo.

—Pero me está destrozando el pelo —prosiguió tras haberse acomodado entre Walter y puerta de la cocina. Se pasó la mano por el cabello, jugueteando un poco con las puntas de unos mechones y dejando que sus finos dedos acariciasen con disimulo sus pezones. Llevaba pintadas las uñas con un rojo brillante. Lo miró fijamente a los ojos y, de pronto, lo hizo. «¡Dios mío! —se dijo—. ¿Qué clase de hombre cree que soy?» Como si hubiese adivinado lo que pensaba, le espetó con firmeza, aunque en voz baja:

—Necesito tu ayuda.

Abrió un pequeño estuche plateado, rebuscó un cigarrillo y lo encendió.

—¿En qué piensas? —le espetó.

Walter negó con la cabeza sin dejar de sonreír. Respondió a la primera pregunta —«necesito tu ayuda» siempre lo es— de una manera clara y contundente:

—Lo siento, pero ya no trabajo.

—Yo tampoco. Aunque a veces deba volver a hacerlo.

—No sea tan dura consigo misma, Miss Crystal. La última vez que hablé con usted, era una gran estrella.

Pero ahora se encontraba sola. No le dijo nada, aunque le tentaba preguntarle dónde estaba *su gente*. Todo el mundo sabía que solía viajar con un dispositivo propio de un jefe de Estado. Allá donde fuese, atraía a una gran multitud... que en parte estaba a su servicio. Walter pronunció su nombre con cuidado: Conchita Cris-tal, procurando que la erre retumbase como si él mismo fuese puertorriqueño y que la segunda sílaba sonase plenamente.

—*¿Habla español?*

—*Tengo español en mi corazón, pero inglés en mi boca.*

—Tampoco sea usted tan duro consigo mismo, Mr. Sherman. De todos modos, si le parece bien, en *inglés*. ¿Podemos hablar aquí?

—¿Sobre qué?

—Tal como le he dicho, necesito que me ayude.

Walter estaba a punto de decir algo que a buen seguro Conchita Crystal no deseaba oír.

—Estoy desesperada, Mr. Sherman —prosiguió, sin dejar que dijese nada—. No puedo volver. Usted es la única persona.

Detectó un ligero temblor en su voz, vio aquella mirada en sus ojos, el temblor y la mirada con las que tantas veces se había encontrado durante el frenesí de los últimos cuarenta años. Hay un momento, incluso para los más ricos, los más poderosos y los más famosos, en el que, por una razón u otra, debían recabar la ayuda de Walter. El miedo, el espanto, la desesperación... Podía captarlas, por inapreciables que fuesen, en su manera de hablar. Conchita Crystal no era tan distinta del resto.

—Por favor, escúcheme —le imploró—. Déjeme explicarle por qué he venido. Y, si considera que no puede hacer nada, me iré. Lo entenderé perfectamente. Pero se lo ruego, préstame un poco de atención —y posó la mano sobre su muñeca—. Se trata de un asunto de vida o muerte. La mía.

No dijo nada más. Ni siquiera lo miró a los ojos. Sintió cómo sus piernas flaqueaban. Walter respiró profundamente y, tras unos instantes, respondió:

—Aquí, no. Dé una paseo. Cruce la plaza y vaya hacia el muelle desde donde salen los transbordadores. Estaré allí en un minuto. ¿De acuerdo?

Conchita Crystal recobró la compostura de inmediato. Walter no estaba seguro de si se trataba de una reacción natural al saber que estaba dispuesto a escuchar su historia o si bien lo hacía por pura supervivencia, ni tampoco creía que llegase a saberlo nunca. La mujer asintió con una sonrisa —la misma que había visto miles de veces en anuncios de televisión, vallas publicitarias, portadas de revista, discos y películas. Sin embargo, esta vez era muy especial, la mejor de todas. Tras deslizarse del taburete, se detuvo ante él por un momento, echó el cigarrillo al suelo y se marchó con aquel taconeo que Walter ya no podía olvidar. Hizo un gran esfuerzo para no mirar cada uno de aquellos pasos. Conchita Crystal había sido la actriz más famosa, y bella, de Occidente. Y tal vez continuase siéndolo.

Dio cuenta de los huevos, la tostada y la Diet Coke. Dobló el periódico y lo dejó en la barra. Cuando se disponía a levantarse y seguir a la actriz tal como habían quedado, Billy le espetó desde la otra punta de la barra:

—¿Es quien pienso que es?

—¿A quién te refieres? —disimuló Walter.

Billy alzó los brazos aparentando un caricaturesco enfado.

—¡Oh, Walter, venga ya! —y se encogió de hombros.

Al salir, se cruzó con un negro anciano y muy delgado de barba blanca, espesa y rala. Ike, así se llamaba, sujetaba entre los labios un cigarrillo liado a mano bastante arrugado. Su cabeza parecía envuelta por el humo, que formaba una espesa calina azulada que se dispersaba en dirección al mar. Dominaba su rostro, surcado por la edad y las arrugas, una sonrisa cálida y sincera. Estaba sentado en la mesa más cercana a la acera, que se hallaba casi pegada a la cerca blanca que separaba el bar de la calle. Una gorra de los Florida Marlins era lo único que lo protegía del sol.

—Era Chita Comosellame, ¿no, Walter?

—Eso es.

—¡Walter! —le gritó al ver cómo se alejaba—. Pensaba que te habías retirado...

Sin dejar de caminar, volvió la cabeza:

—Tienes razón, Ike. Me *había* retirado.

Ike miró a Billy, quien había dejado la barra y se había dirigido hacia la puerta. Ambos se encogieron de hombros a la vez.

Walter Sherman nunca se había retirado de una manera oficial: ni hizo una declaración pública ni tampoco lo notificó a nadie ni mucho menos organizó una fiesta con sus amigos para celebrarlo —y, evidentemente, nadie le regaló un reloj de oro, como suele pasar en estos casos—. Hacía cuatro años que terminó su último trabajo. Después, no hizo nada más. De hecho, se limitó a decir que no. Continuaba recibiendo visitas o llamadas de teléfono, pero nada. Al segundo año, todo el mundo pareció darse por enterado y nadie volvió a molestarlo. Quedaba claro que ya no volvería a aceptar un caso y hacía ya dos años que lo habían dejado tranquilo.

Cuando lo dejó, se dijo que no lo hacía por cansancio o por hartazgo, aunque estaba seguro de que se debía precisamente a eso. Estaba cansado y aquel oficio le exigía demasiado. Cuando era joven, le bastaba con una docena de casos al año. Por lo general, solía resolverlos en menos de un mes, dos como mucho, y si conseguía hacerlo en unas semanas antes de lo previsto, se tomaba unos días de descanso. Siempre había tenido bastante tiempo libre, por lo que su nueva condición de jubilado no le exigió demasiado esfuerzo.

Poco después de abandonar su trabajo, eliminó la carne de su dieta. Se acabaron la ternera y el cerdo. Tan sólo probaba el pollo una vez al mes, lo cual consideraba una ocasión especial. En cambio, se permitió el pescado fresco, que consumía dos o tres veces a la semana e, incluso, alguna más. Le habían contado que quienes comen pescado con cierta regularidad viven más y disfrutan de una salud mucho mejor. Sonaba bien. Cambió sus hábitos y abrió la puerta a frutas, verduras, arroz, legumbres y pasta. Se acabaron las patatas fritas y otros productos demasiado grasos, incluidas las hamburguesas. Tampoco hubo de hacer ningún sacrificio. Walter solía comer en Billy's y si no, en casa, donde le preparaban la comida la anciana Clara, que en paz descanse, o la nueva ama de llaves. Todos estaban contentos con su cambio de vida, mucho más saludable.

Como la mayoría de hombres de su edad, Walter había engordado unos cinco kilos de más, algo que le costaba aceptar. Durante su primer año de reposo, y gracias a la nueva dieta, se había desprendido de ellos... y alguno más. Pero no se detuvo ahí. Le faltaba un par de centímetros para llegar al metro ochenta y, por aquel entonces, comenzó a pensar en que quizás había encogido un poco. Ya encarados los sesenta, se propuso recuperar su antigua apostura, aunque le asustaba pensar que quizás era la última vez que podría intentarlo. El día en que inició su dieta, su báscula marcaba noventa y seis kilos. «¡La virgen! —se dijo—. Viejo, gordo y, encima, menguante.» Nunca se arrepentiría de haber sentido tal escalofrío aquella mañana. Se fijó como primera meta llegar a los ochenta y siete, si bien no pararía hasta quedarse en ochenta y uno. Al final, tan sólo pesaba unos dos kilos más de los que tenía cuando se licenció del ejército en 1977. Con eso estaba más que satisfecho.

Todavía se dejaba el pelo largo. Había perdido un poco por arriba, pero no demasiado, aunque se le había encanecido bastante de un par o tres de años acá. A pesar de todo, había quien lo tomaba por más joven de lo que era. Sus ojos, de un azul pálido, y su tez, áspera y bronceada, reflejaban los efectos de una larga estancia en el Caribe. Como es de esperar, algunas mujeres lo consideraban tan atractivo como una o dos décadas atrás. No obstante, cuando se daban cuenta de lo mayor que era no se lo tomaba a mal. Se sentía muy orgulloso de haber recuperado su abdomen plano y en más de una ocasión se había descubierto contemplándolo con satisfacción en el espejo. Llevaba las mismas prendas con las que había llegado a Saint John —unos tejanos holgados, algo dados de sí con el paso del tiempo, y una camiseta de colores pastel varias tallas más grande y sin bolsillo—. Aunque siempre iba bien afeitado, solía vestir con cierto desaliño y su aspecto le traía sin cuidado. Se encontraba muy a gusto consigo mismo y no tenía ningún tipo de carga. No llevaba nada en los bolsillos, ni tan siquiera un mechero —algo normal, pues ni fumaba ni mascaba chicle—. En su bolsillo, el derecho para más señas, tan sólo se encontraba la llave del coche. No le gustaban los pantalones cortos, pues se sentía ridículo con ellos —de ahí que jamás se dejase ver con ellos—. Su único par de zapatos, unas bambas baratas de color blanco, hacía mucho que se habían quedado anticuadas y, a menos que se viese obligado a salir de la isla, nunca se ponía calcetines.

Con todo, tenía un nivel alto de colesterol. El médico le había prescrito ciertas medicinas para reducirlo y, de paso, regular la tensión sanguínea, que tenía más alta de lo normal. Por si fuera poco, la próstata ya no funcionaba como antes.

—No soy tan viejo como tú —le dijo Ike un día—, pero aquí me tienes. Meando en morse —y mientras estallaban en sonoras carcajadas, Billy dejó entrever una sonrisa.

¿El retiro? Por supuesto. ¿Y por qué no? Había llegado el momento de dejarlo. No necesitaba más dinero. Durante muchos años había trabajado muy bien y, al final, se ocupó de un caso que no sólo fue inolvidable, sino también el último. Cuando un tipo llamado Leonard Martin inició su cruzada particular, una lucha desaforada por lograr que se hiciese justicia a su familia, muerta a causa de una intoxicación cárnica provocada por la bacteria *Escherichia coli,* no dudó en recabar el apoyo de Walter. En un principio, ignoraba quién era Martin. Tenía una cierta idea de cuál era su trabajo, pero desconocía a la persona que se lo había encomendado. Tampoco era consciente de si aquella guerra era justa o no. ¿Cómo podría...? Alguien lo había engañado. Sus clientes eran los verdaderos responsables de aquella tragedia. Estaban al tanto de lo que había ocurrido. Lo sabían todo. Peces gordos. La mafia de Wall Street. Los tipos que le habían contratado. Millones de kilos de carne de ternera envenenada. Se habían deshecho de ella y, tras sacarla de los mataderos, la habían distribuido por diversos establecimientos. Y dejaron que la comiesen miles de personas, entre las que se encontraba la familia de Leonard Martin. Miles enfermaron y varios cientos murieron. Pero la cosa no terminó así, sino que, por si fuera poco, aquella gentuza ganó muchísimo dinero. Miles de millones. Pusieron en peligro la salud de la gente para no perder sus ingresos. Sin embargo, no calcularon bien la jugada y Martin se cobró su parte. Los cazó uno por uno y acabó con ellos, aunque cuando Walter se hizo con el caso, todavía no habían caído en sus manos.

Walter habló primero con Isobel Gitlin, una redactora del *New York Times* que olió algo raro en todo aquel asunto. Leonard Martin parecía estar al final de todo aquello. Durante un tiempo, Walter fue el único en creer en su hipótesis. Juntos, buscaron a Martin, al que llamaron *el Cowboy*. Isabel... Su mero recuerdo todavía le causaba un profundo dolor. Al final, lo traicionó. Y le hizo daño. Le entregó su corazón y ella, sin ningún miramiento, lo apuñaló.

La sonrisa que Conchita Crystal le había brindado mientras posaba la mano sobre su muñeca le había avergonzado por tener cincuenta y nueve años. Por un momento, un mágico momento, se sintió como si su edad se hubiese reducido a la mitad. E Ike se había dado cuenta de todo.

La búsqueda de una persona es un juego que sólo puede acometer un hombre joven. Walter comenzó a practicarlo cuando contaba diecinueve años. Unos meses antes, el día en que cumplió los dieciocho, había cometido el enorme error de alistarse. Aunque creía que se trataba de una buena idea, no tardó mucho en darse cuenta de su equivocación. Sin saber cómo, se vio cruzando los campos de la muerte del Sureste Asiático. Pasó del *Buenos días, América* al *Buenos días, Vietnam*. Sobrevivió. Muchos no lo consiguieron. No sólo los que acabaron muertos o heridos, sino también los que acabaron sumidos en la droga o perdieron la razón. Saigón ofrecía toda suerte de extraños placeres a aquellos jóvenes veinteañeros. Y, sin embargo, Walter salió vivo e incluso pudo salvar a Freddy Russo.

Walter lo encontró una semana después de que se le diera por desaparecido. Estaba seguro de que, si arrastraba el cuerpo destrozado de aquel compañero y lo ponía a salvo del fuego enemigo, lo mantendría con vida. En Saigón, se había llegado a una situación tan desquiciada que, cualquier persona que llevase más de siete días sin aparecer, se la consideraba culpable de deserción y, por lo tanto, podía ser ejecutada en cualquier momento, aunque fuera de manera extraoficial. Así de sencillo. Y lo peor de todo es que la policía militar ponía un especial empeño en esa tarea. Quienes morían en tales circunstancias pasaban a engrosar las listas de bajas en acto de servicio, algo más sencillo de lo habitual y mucho más frecuente de lo que se pensaba. Pero nadie se había dado cuenta de que Walter estaba allí y estaba al tanto de todo. Por eso, cuando dio con Russo, éste se mostró tan desagradecido.

Tras este desafortunado episodio, el sargento Walter Sherman, de diecinueve años y natural de Rhinebeck, Nueva York, fue trasladado a comandancia. A partir de aquel momento, tan sólo se ocuparía de buscar a quienes le mandasen, ya fuesen estadounidenses, vietnamitas o lo que fuesen. En algunas ocasiones le contaban el motivo. En otras, no. Una vez le encomendaron buscar a un piloto y se pasó tres semanas en la jungla, desoyendo a quienes le avisaron de que nunca saldría vivo de allí. Sin embargo, cuando regresó de aquel infierno con el cuerpo del desaparecido para complacer a sus superiores, su nombre se convirtió en una leyenda y se ganó un apodo: *el Descubridor*.

Entre una búsqueda y otra, siempre por orden del coronel, prefería permanecer a solas. No tenía que dar explicaciones a nadie. Tan sólo debía esperar a que lo llamasen. Durante esos días, ni siquiera vestía el uniforme. Había alquilado un pequeño apartamento, a cargo de una mujer que había contratado a tiempo completo para que se encargase de limpiarlo y cocinara para él. Disponía también de un chico de los recados, un quinceañero manco que siempre estaba listo para lo que Walter dispusiese. Saigón se parecía a un gigantesco supermercado, repleto de drogas y mujeres. Bob Dylan y James Brown amenizaban las compras y de vez en cuando sonaban los Rolling Stones e, incluso, Bob Marley. El grito de *¡Rock'n'roll!* era la consigna más oída y, sin duda, aquella música que había acompañado los primeros compases de la invasión se había convertido en la banda sonora de los ocupantes.

Walter pasó de las drogas. De acuerdo, fumó un poco de hierba —¿y quién no?—, pero se evitó la coca y, sobre todo, el jaco. En cuanto a las mujeres... Bueno, estaban por todas partes. Abundaban y... parecían predispuestas a... Siempre. *Te amaré siempre* se había convertido en una especie de marca nacional. Y Walter se sentía como un niño al que hubieran dejado a solas en una tienda de golosinas. Cuando se cansaba de una, pasaba a otra. Aunque nadie había hecho un estudio al respecto, muchos militares creían que el sexo se había convertido en uno de los principales alicientes para que tantos jóvenes se reenganchasen. Al fin y al cabo, ¿iban a cambiar sus escaramuzas en los bares y los burdeles de Saigón por las cafeterías de Akron o Kansas City? Ni locos.

Walter pasó más de siete años en Vietnam. Los vivió a fondo. Cuando terminó la guerra, regresó a América, aunque no podía olvidar a las mujeres que había conocido. Na Trang, Laos, el delta del Mekong... No podía librarse de su recuerdo. Aunque no estaba tan obsesionado como otros compañeros suyos, a veces se quedaba ensimismado. Más de una noche pareció sentir de nuevo el olor de Saigón, el hedor a sangre y napalm, los cuerpos y las chozas en llamas... Tan cerca... Ya de vuelta en Estados Unidos, casi sin proponérselo, Walter se convirtió en un militar profesional, si bien abandonó sus investigaciones.

Dejó el ejército al cumplir los veintiocho y pasó los dos años siguientes intentando sobrevivir en Nueva York hasta que, un buen día, recibió la llamada de un coronel desde Fort Benning, en Georgia. En ese momento, Walter supo a qué dedicaría el resto de su vida. El oficial, que estaba al tanto de la labor del ex soldado gracias a un colega de Saigón, le pagó mil dólares para que encontrase a su hija de dieciséis años, que acababa de fugarse. Fue el primero de una larga lista de clientes. No les fue fácil dar con él, pero los resultados jamás los defraudaron. Había un gran mercado ahí fuera. Ricos y famosos le encargaron que siguiese la pista de hijos desaparecidos, esposas ebrias o maridos díscolos. Daba igual si para ello tuviese que recorrer cientos de kilómetros para dar con ellos en un oscuro antro. Había que evitar cualquier tipo de escándalo y Walter se convirtió en muy poco tiempo en la respuesta a la pregunta que muchos se hacían: «Pero, por Dios, ¿es que nadie puede ayudarme?».

Unos años después, cuando se ponía nostálgico, se maldecía por no haber sido capaz de haber guardado el primer dólar que ganó con aquel oficio para enmarcarlo. De hecho, no conservaba ningún recuerdo, salvo el dinero que había ahorrado; la única prueba de que alguna vez había recibido el encargo de buscar a alguien. Walter jamás tomaba notas, ni redactaba informes, ni tampoco mantenía un archivo. Durante los primeros años tras su regreso a la madre patria, ni siquiera tenía teléfono en su casa. Era un modelo de discreción y confidencialidad. Mantenía un estricto secreto profesional y trataba a todos los clientes por igual. Éstas, y su probado prestigio, eran las principales razones por las que cobraba unos honorarios tan altos. Actuaba a la vez como un honrado sacerdote y un abnegado sheriff. Quienes contrataban sus servicios tan sólo tenían que informarle un poco sobre las personas a las que conocían. Él se encargaba del resto. Sólo aceptaba un caso cuando el cliente tenía las referencias necesarias y trabajaba siempre por dinero, que cobraba por adelantado y tras exigir que nadie le pidiese ninguna explicación.

Todo aquello quedaba ya muy lejos. «Lo siento, pero ya no trabajo», le había contestado a Conchita Crystal. Tal como decía Ike, se había retirado, aunque su amigo no sabía a qué se dedicaba antes. Ni tampoco Billy. Aunque los dos se temían que había estado envuelto en algún asunto peligroso y, quizás, no demasiado legal. En más de una ocasión habían visto en el bar a algunos forasteros que preguntaban por él y se imaginaban que algo debía de haber pasado cuando dejaba la isla sin decir nada y volvía sin previo aviso al cabo de unos días, quizás una semana o, incluso, un poco más. Walter no solía explicar dónde había estado y mucho menos daba razón de sus ausencias. Ike y Billy estaba seguro de que se había metido en algún lío. «Algún rollo raro», en palabras del dueño del bar; una afirmación que su compañero corroboraba con gran asentimiento.

Poco después de haber cumplido la treintena, Walter y su esposa, Gloria, compraron una casa en Saint John. A la sazón, Ike aún no había llegado a los cincuenta, si bien aparentaba ser mucho más joven. No tardaron mucho en trabar una gran amistad. Cuando Billy

Smith apareció en escena —con el nombre de William Mantkowski— allá por la primavera de 1992, el trío quedó completamente establecido. Ike y Walter solían acudir a un bar llamado Frogman's. Un mes después de su llegada a Saint John, William lo compró con aquellos dos parroquianos dentro y no tuvo más remedio que considerarlos sus mejores amigos.

En aquel tiempo Ike trabajaba como superintendente y consejero emérito de un conglomerado de pequeñas empresas familiares. Junto con sus hijos y sus nietos se había embarcado en negocios de todo tipo: compañías de taxi, empresas de alquiler de coches, barcos de recreo, cátering de lujo, construcción e incluso se había permitido ciertos devaneos con la política local. Viudo desde que, hace más de veinte años, su esposa, Sissy, muriese, se había volcado en su familia. Uno de sus hijos se había convertido en senador del gobierno de las Islas Vírgenes. Con el paso del tiempo, sus negocios, sustentados por un extenso clan, le granjearon el afecto de diversos organismos municipales y federales, con el consiguiente beneficio. Gracias a la colaboración de sus familiares, ahora podía permanecer sentado en la mesa que quedaba junto a la valla mientras Walter se quedaba al final de la barra, casi al lado de la cocina.

Billy Smith llegó a Saint John solo y sin demasiadas alharacas. Era demasiado mayor para esas cosas. Unos años después, se encontró con una mujer bastante aventurera y nada fea que le dio fuerzas para afrontar nuevos desafíos y le mostró su naturaleza ardiente. Sea como fuere, Helen Mavidies cautivó a Billy. A pesar de todo, no era más que una institutriz que venía de New Bedford, Massachusetts, para pasar unas vacaciones en el Caribe. Un día se dejó caer por el bar para comer algo y, tal como sucedió antes con Ike y Walter, no pudo marcharse de allí. Al principio se pasaba todo el día con Billy, hasta el punto que todo el mundo la consideraba una especie de novia suya. Poco a poco, comenzó a ayudarlo con las tareas en la barra y, después, en la cocina. No tardó mucho en notarse su presencia, pues todo mejoró. Helen se había instalado en una pequeña pensión, la más barata y distante del agua que pudo encontrar en la isla. Jamás se planteó residir allí durante demasiado tiempo. Una mañana, cuando Walter cruzó la puerta con la idea de tomar su desayuno, se la encontró allí. Billy y Helen estaban juntos. No tardó en irse a vivir con él y a los dos parecía gustarles aquella situación. Tal como Ike comentó a Walter, era bueno que Billy tuviese una cierta estabilidad. «Un hombre necesita esas cosas, ya sabes.» Walter estaba completamente de acuerdo, aunque pensaba: «Éste y yo hablamos de algo que apenas podemos recordar, mientras Billy disfruta de la vida».

Billy era unos diez años más joven que Walter y, comparado con Ike, poco más que un crío. A pesar de la diferencia de edad, aquellos tres hombres se sentían muy unidos, como si lo hubiese dispuesto el destino. Todo el mundo sabía a qué se dedicaba Ike; su vida en Saint John era de sobra conocida. Algo parecido pasaba con Billy, aunque no estaban muy seguros de dónde venía ni qué había hecho antes de llegar a la isla. Y cada uno de ellos se hacía una idea de quién era Walter. El trato establecido a lo largo de los años les había permitido conocer algo sobre su trabajo. No mucho, pero sí lo suficiente como para que sus dos amigos se preocupasen cuando, por alguna razón, debía abandonarlos durante unos días. En esos momentos se acordaban de Isobel Gitlin y su dichosa relación con el no menos famoso Leonard Martin, de ahí que se alegrasen tanto cuando Walter les comentó que, por fin, se había retirado.

Y, ahora, Conchita Crystal, sin saber cómo, había aparecido en escena y lo había arruinado todo.

Antes de que todo empezase

*Puedo explicaros cómo al desatarse el viento,
las hojas tiemblan en las ramas.*

ROBERT JOHNSON

Dos

22 de noviembre de 1963

El Checo, aunque en América se lo conocía como Stephen Hecht, era un tipo alto, delgado y bastante enjuto, con unos pómulos muy marcados que le daban un aire enfermizo. Pocas veces sonreía. Siempre llevaba consigo un rifle, que guardaba desmontado en un maletín. No sólo se le apreciaba por su gran destreza, sino también por su extremado detallismo. Le bastaban unos cuantos segundos para montar el arma y siempre todas las piezas encajaban perfectamente. Unos minutos antes de que la comitiva apareciese, mientras apuntaba, le comentó a su compañero:

—Si tienes hambre, sal a buscar algo para comer. Yo me encargo de todo.

—¿Quieres que te traiga alguna cosa?

—No, Lee. Gracias. Venga, vete.

A solas, el hombre cuyo nombre real no era Hecht, sino Josef Gambrinus, repasó con calma el rifle, lo cargó y lo dejó en el suelo, junto a la ventana que había escogido cuidadosamente la víspera. A medio camino entre ésta y la puerta de acceso a la planta, había apilado tres cajas completamente vacías que habían estado llenas de libros de texto. Debía asegurarse de que nadie pudiese verlo. El rumor de la multitud, un tanto amortiguado, llegaba hasta allí. Esperaba que, de un momento a otro, aquel murmullo estallase y se trocase por un griterío alborozado. Al Checo le hubiese gustado que fuese lo más ensordecedor posible, pero era consciente de que había muchas cosas que escapaban de su control. No se podía esperar que todo encajase perfectamente: no sería realista. Pocas veces ocurría algo así. Con todo, estaba preparado. Y esperó.

El hombre de mediana edad procedente de Amman, algo chaparro pero de complexión fuerte, siempre daba la impresión de necesitar un buen afeitado. Se hacía llamar Namdar, si bien nadie conocía su verdadero nombre y todos se referían a él como *el Jordano*. Su compañero ni siquiera lo había visto antes. Namdar pensaba, con bastante razón, que Stephen Hetch también era un alias. Cuando la multitud comenzó a gritar alborozada, Namdar cruzó los raíles del tren y se acercó a la valla. La víspera, tras enterarse del recorrido alternativo de la comitiva presidencial, habían escogido aquel punto. Cualquiera que lo hubiese visto lo habría tomado por un trabajador del ferrocarril o quizás por un *hobo,* uno de esos vagabundos que viajan siguiendo las vías. Vestía unos pantalones grises viejos y raídos, y llevaba consigo una caja de cartón larga y estrecha bastante baqueteada en cuyo interior había un rifle exactamente igual como el que se encontraba preparado tras la ventana del sexto piso del edificio que quedaba al otro lado de la calle, por detrás del gentío. Se hallaba en el lugar preciso donde el coche a buen seguro aminoraría su velocidad. Al igual que el Checo, el Jordano montó el arma con presteza y la mantuvo cargada a su lado, bajo su gabardina. Tan sólo debía aguardar el momento.

Había un tercer hombre, otro europeo del Este, en la curva donde la calle obligaba a hacer una breve maniobra antes de llegar a la avenida. Aunque era el tercer miembro del equipo, ninguno de sus compañeros sabía que Daniel Ondnok existía. Ni su compatriota, allá en el sexto piso, ni el Jordano repararon en él, que a la sazón se encontraba sobre un otero. A diferencia de ellos, no portaba ningún rifle, si bien su cometido era el más peligroso y arriesgado. Durante cerca de media hora, deambuló por entre el público sin perder de vista el área de descanso. Joven, su aspecto era impoluto: bien afeitado, con el cabello corto, llevaba un sencillo traje de color azul, con una camisa blanca y una fina corbata oscura. En el bolsillo de la americana guardaba una pistola italiana con un cargador para nueve balas. En el caso de que los dos tiradores fallasen, él, desde aquel promontorio, remataría la faena. La noche anterior rezó por que todo saliese bien, ya que si el plan se desarrollaba según lo previsto, no debería hacer nada y se llevaría un buen pellizco. Si, por el contrario, algo saliese mal, se limitaría a hacer su trabajo. Tenía muy claro que, en ese caso, no saldría vivo de allí, pero al menos se consolaba con la idea de que su familia no pasaría por ningún apuro. Una vez más, rogó a Dios Padre y a su Hijo que le concediesen la victoria y velasen por sus camaradas.

Cuando la comitiva presidencial apareció en la plaza Rolley, Lee Harvey Oswald todavía estaba comiendo. Se hallaba a solas en la cantina, lejos de la ventana del sexto piso del Texas School Book Depository. No tenía ni idea de lo mal que pintaban las cartas que le habían dado. En cuanto el descapotable del presidente se acercó, aminoró la marcha, tal como se esperaba el Jordano. En ese momento, el Checo disparó el primer proyectil desde el piso sexto. La bala impactó en la espalda del segundo hijo de John F. Kennedy, justo debajo del cuello. Tras perforarle el pecho, se abrió paso por la garganta y salió despedida a más de quinientos kilómetros por hora hasta dar contra el gobernador de Texas, que se hallaba en el asiento de delante y que, al oír el estallido, se giró de inmediato para ver lo que pasaba. La bala le perforó la muñeca. La primera víctima, completamente desconcertada, se llevó las manos a la cara y se inclinó hacia delante por causa del impacto.

No era la primera vez que Gambrinus asesinaba a alguien —hombres, mujeres... incluso niños—, por lo que se dio cuenta enseguida de que había errado el tiro. En menos de una fracción de segundo, irritado consigo mismo y muy decepcionado por la falta de precisión del arma, hizo un segundo disparo, que también falló, pues la bala fue a parar a una señal de tráfico, donde rebotó y cayó muy cerca de donde fue encontrada más tarde. Justo cuando todo esto ocurría, el conductor del coche presidencial hizo lo que se esperaba en estos casos: pisó a fondo el acelerador. Los árboles ocultaron el objetivo, por lo que no pudo intentarlo por tercera vez desde la ventana del sexto piso. De todos modos, habría fallado. «¡Mierda!» musitó en su lengua. Sin embargo, de acuerdo con lo acordado, limpió el rifle de toda huella, lo tiró a un lado y abandonó el edificio. Al volante de un Chevrolet de 1959, se dirigió hacia Vancouver, en la Columbia Británica. Informó de lo ocurrido mientras proseguía el viaje. Una semana después, se encontraba en Japón. En Tokio tomó un vuelo hacia Roma, en los lavabos de cuyo aeropuerto fue asaltado por tres jovenzuelos armados con cuchillos que le arrebataron su bolsa de viaje y su pasaporte, y le cortaron el cuello. Josef Gambrinus se ahogó en su propia sangre.

Antes incluso del primer disparo del Checo, el Jordano tenía al presidente en su punto de mira. Tras ver cómo el presidente era alcanzado, Namdar apretó el gatillo. Su bala entró limpiamente en la cabeza de John F. Kennedy y lo mató. Cayó hacia atrás mientras se desprendía una parte de su cráneo y se esparcía su masa encefálica sobre la capota de la limusina así como en el asiento de al lado, donde se hallaba su aterrorizada esposa.

En menos de diez segundos, Namdar había desmontado y guardado el rifle en el estuche y se había ido. De acuerdo con el plan, montó en su Buick de 1962 y condujo lentamente en dirección a Los Ángeles. Hizo algunas paradas durante el viaje para deshacerse de las piezas del arma, que abandonó en medio del desierto y los matorrales que media entre Texas y California. Informó de sus actividades una vez se reunió con sus amigos, quienes ignoraban a qué se dedicaba. Esperó durante seis semanas y celebró el fin de año antes de tomar un vuelo que lo llevaría primero a Montreal y luego a Atenas. Tal como estaba dispuesto, tenía reservado un pasaje que lo llevaría de Grecia a Egipto. Finalmente, la tercera semana de febrero, llegó a su casa, donde se dispuso a disfrutar de un largo y bien ganado retiro. Jamás había realizado un trabajo tan lucrativo. Quince días después, en una calle muy concurrida de Amman, un camión lo atropelló. Quienes lo vieron todo dijeron que se trataba de un desafortunado accidente.

Los testigos, transeúntes que esperaban a su lado la señal para cruzar, afirmaron que él mismo se había metido bajo las ruedas. Ninguno tuvo en cuenta o recordó que alguien lo empujó.

El tercer hombre, Ondnock, lo vio todo, pues se encontraba a unos metros de distancia del objetivo. Oyó los tres disparos. Como es evidente, disfrutaba de una cierta ventaja, ya que sabía de antemano lo que iba a pasar. Se mantuvo imperturbable ante el estallido de pánico del gentío. No era la primera vez que veía morir a alguien a causa del disparo de un rifle de alta precisión. La bala que había perforado el cráneo del presidente había hecho un buen trabajo. En cuanto la limusina aceleró, Ondnok se dio la vuelta y caminó en la dirección contraria. Jamás había empuñado una pistola. Nunca hizo nada. Le bastó echar un vistazo para saber que aquel hombre estaba muerto. Alguien había atendido a sus plegarias.

El 22 de noviembre de 1963 recibió una nueva suma de dinero, mayor que la ganada con cualquier otro encargo. ¡Y no tuvo que hacer nada! El riesgo justificaba el precio. Al igual que los otros, siguió escrupulosamente el plan de huida que le habían preparado. Se dirigió a un aeródromo del sur de Dallas para tomar un avión privado. Con la identidad de un empresario de la República Federal de Alemania, un furibundo anticomunista que deseaba suministrar armas a los disidentes del otro lado del muro, había reservado un vuelo dos días antes. Su destino: Nueva Orleans, desde donde envió su informe. Al cabo de tres días, con sus más que memorables noches en el barrio francés, tomó otro avión que lo llevó a México D. F. para, desde allí, y vía La Habana, reencontrarse con su familia en una aldea de Eslovaquia.

Antes de que hubiese transcurrido un mes de todo aquello, en la víspera de la Navidad de 1963 para ser exactos, hubo un incendio en el granero donde se encontraba trabajando. Ondnok, atrapado, murió calcinado. Para evitarse ulteriores molestias, la familia no exigió ninguna autopsia y jamás pudo descubrirse la pequeña bala que se había alojado en la nuca del granjero.

Dos días después del asesinato, tal como se había convenido, Lee Harvey Oswald murió de un disparo. Sus alegaciones a la prensa, sus declaraciones de inocencia, se olvidaron pronto. En el momento del atentado, se hallaba rodeado de varios agentes de la policía de Dallas, en una de las dependencias de la comisaría central, esposado y bajo la más estricta vigilancia. Sin saber cómo, alguien se le acercó, sacó una pistola y le descargó el cargador a bocajarro, justo en el abdomen. Todo el mundo pudo verlo en directo, por televisión.

Un asesinato en Roma no suele durar más de dos días en las noticias locales. Un accidente en Amman, ni siquiera merece una mención. Nadie dará cuenta de la tragedia acaecida en Eslovaquia. Al fin y al cabo, de eso se trata. Noventa días después de la muerte de John

F. Kennedy, quienes llevaron a cabo el plan, así como el hombre al que se había acusado en falso, estaban muertos. Se había pagado a buenos profesionales para que acabasen con ellos. Ignoraban la identidad de sus víctimas ni qué habían hecho para merecer aquella muerte. Tampoco tenían mucho que decir acerca de las razones por las que alguien los había contratado para que los matasen en un lavabo público, una calle atestada de gente o un establo en medio de ninguna parte. Detalles sin importancia. Les habían dicho cuánto iban a cobrar y punto. Sólo una persona, el hombre que estaba al frente de todo aquello, estaba al tanto. Sólo Frederick Lacey lo sabía. Y lo dejó por escrito por extenso, con una mezcla de rabia y apasionamiento, en su diario: la confesión de Lacey.

Tres

24 de noviembre de 1963

El presidente del Tribunal Supremo aguardaba en uno de los preciosos sillones de color beige del Despacho Oval. Lo habían convocado de manera inesperada y llegó lo más pronto que pudo a una Casa Blanca visiblemente conmocionada. Poco después, en su diario, dejó constancia del caos en el que se hallaba sumida el ala oeste aquel día. Al pasar por los corredores, se extrañó de que hubiese tantos agentes del Servicio Secreto, algo muy poco habitual. Estaban por todas partes y no ocultaban sus armas. Dondequiera que mirase, no cesaba de entrever toda clase de señas. «No había tiempo para compadecerse —anotó—. El rey ha muerto. Larga vida al rey.» Aunque el funeral se celebraría a la mañana siguiente, no dejaba de pensar en el próximo jueves, Día de Acción de Gracias. Para él se trataba de una fecha muy significativa, la quintaesencia de las fiestas americanas y un homenaje a quienes habían iniciado aquel noble experimento. La reafirmación de nuestra propia supervivencia, nuestro éxito, nuestra perseverancia en un mundo nuevo y hostil. Pero en aquel momento, aquella conmemoración se le antojaba completamente arruinada a causa de aquella cobarde emboscada. Para el presidente del Tribunal Supremo, así como para millones de estadounidenses, había sucedido algo inimaginable, incomprensible. Algo a todas luces imposible.

Tras su regreso a Washington desde Dallas, Lyndon Johnson, el *nuevo* presidente, inició todos los trámites para desencadenar una exhaustiva investigación. Desde el principio, exigió la creación de una comisión especial. No se permitió ni la menor distracción y, al cabo de unos días, los medios de comunicación difundieron la *versión oficial,* en la cual, Johnson, un tejano de pura cepa, comparecía junto al Fiscal General del Estado de Texas, un hombre llamado Waggoner Carr, de quien se dijo que había comenzado a hacer indagaciones por su cuenta. No en vano, el crimen se había perpetrado en su jurisdicción. Pronto se le presentó como un oportunista de la peor laya. De manera oficiosa, se insinuó que Abe Fortas, amigo de Johnson y candidato a una plaza en el Tribunal Supremo junto con Nicholas D. B. Katzenbach, un alto funcionario del Departamento de Justicia, fue quien presentó la idea de constituir la Comisión Warren el 29 de noviembre. Asimismo, otro demócrata tejano, Leon Jaworski, quien diez años atrás figuraba entre las personas más prestigiosas del país, recibió presuntamente el encargo de seguir de cerca a Waggoner Carr. Y le azuzó a sus perros.

Sin embargo, nada de eso ocurrió. De hecho, todo era falso. Fue el propio Johnson quien decidió, mucho antes de volver a Washington, que convenía presionar al presidente del Tribunal Supremo, Earl Warren, para que organizase una comisión que dirigiese la investigación de la muerte de John F. Kennedy. A pesar de las apariencias, Warren no estaba dispuesto a ello, y así lo dejó escrito en su diario, con gran claridad y sin ahorrarse ningún detalle en las entradas correspondientes a las últimas semanas de 1963. De acuerdo con éstas, Johnson lo convocó en la Casa Blanca antes de que el cuerpo de Kennedy fuese sepultado. Warren acudió el día 24 y le ofreció toda su colaboración, a pesar de que no estaba de acuerdo con las formas. Aquella misma noche, tras haberse entrevistado con Johnson, abotó: «Nadie ha puesto en duda que Lee Harvey Oswald había asesinado al presidente de Estados Unidos, si bien no existe ninguna hipótesis acerca de los siniestros motivos que lo llevaron a ello ni tampoco la presunción de que tal vez formase parte de un plan mucho más complejo. De hecho, yo mismo nunca lo hubiera pensado si hoy el presidente Johnson no me hubiese expresado su preocupación sobre el asunto».

A primera hora de la tarde de aquel domingo, el presidente del Tribunal Supremo aguardaba sentado en el Despacho Oval completamente a solas. Aunque nadie le había dicho nada, comenzó a especular —al fin y al cabo, se hallaba en el mismo sillón donde el presidente había pasado tanto tiempo—. Aquel sillón le parecía demasiado lujoso para alguien como Lyndon Johnson. No le gustaba aquella idea que lo asaltaba desde que aquella *pesadilla* había empezado. Se imaginaba a Johnson allí. Escribió sobre lo que llamaba «la terrible tristeza en los ojos de la señora Kennedy», con su vestido manchado de sangre, la sangre de su marido. Había visto aquella fotografía publicada en la primera página del *New York Times,* el *Washington Post* y otros periódicos de todo el mundo. Johnson envió rápidamente a la juez federal Sarah Hughes al aeropuerto de Dallas. No quiso que nadie se perdiese su comparecencia como presidente de Estados Unidos. ¿Quién podía reprochárselo? Warren consideraba correcta aquella decisión. El presidente del Tribunal Supremo dejó escapar un suspiro de alivio. «Me alegro de no haber salido en aquella foto —anotó después—. Nunca podría habérmelo perdonado.» Sarah Hughes podía estar segura de que aquella instantánea sea la única que aparecería junto a su obituario.

En ese momento, tal como advirtió Warren, las cosas iban de mal en peor. Lee Harvey Oswald, el presunto agresor, el hombre que asesinó a John F. Kennedy, también ha muerto, ante las cámaras de televisión y a la vista del mundo entero. «Yo mismo lo he visto —escribió—. ¡Por Dios! ¿Cómo han dejado que ocurriese algo así?»

El presidente irrumpió en la estancia de manera imprevista, como si viniese de la nada, a través de una puerta disimulada en uno de los paneles de la pared. Al oír sus pasos, Warren alzó la vista. Nunca se imaginó que ahí hubiese algo parecido.

—... Nas tardes, señor presidente del Tribunal Supremo —le espetó mientras le tendía la mano. Warren se irguió para saludarlo. Lyndon Johnson era muy alto. Tenía un aspecto relajado y, aunque no era en absoluto una persona agraciada, parecía gustar de la buena vida. Sin duda, se había duchado, afeitado y cambiado de ropa antes de la entrevista. Warren lo conocía muy bien. Ambos habían coincidido en muchas ocasiones. En el pasado, Johnson era un congresista tejano un tanto anodino y Warren un mero principiante que soñaba con ser gobernador de Callifornia. «Quién lo diría al vernos así», pensó.

—Buenas tardes, señor presidente —respondió, y pensó: «¡Dios mío! ¿Será posible? Sí. Lyndon Johnson es el presidente de Estados Unidos»—. He venido tan pronto como me ha sido posible.

—Se lo agradezco —le dijo con su relajado acento tejano—. De veras. Verle me alegra de todo corazón. Aprecio mucho sus consejos y siento una sincera admiración por usted. Estoy seguro de que lo sabe —por un breve instante, se mantuvo quieto, con las manos pegadas a las caderas. Inclinó levemente la cabeza hacia delante y frunció un poco los labios. Después, se sentó frente al presidente del Tribunal Supremo—. No corren buenos tiempos. Esto es peor de lo que podríamos imaginar. Mire a su alrededor —y abrió los brazos como si quisiera abarcar todo el Despacho Oval—. Ahora esto se ha convertido en mi oficina y yo, en el presidente. Todos pensamos en serlo, soñamos con ello e incluso alguna noche tenemos la sensación de haberlo sido, pero no de esta manera, desde luego. En el cuarenta y ocho, cuando usted trabajaba con Tom Dewey, había quien pensaba que no sólo vencería —vaya, quizás iba demasiado rápido, pero daba igual— y que había llegado el momento en que usted debería estar justo en el lugar donde yo me encuentro ahora. Sé que jamás se imaginó que todo esto ocurriría. Me cuesta mucho encontrar las palabras adecuadas, pero ya nos entendemos. Este país debe continuar funcionando. Nos enfrentamos a una situación muy grave, señor presidente del Tribunal Supremo.

Johnson dio una vuelta alrededor del enorme escritorio de caoba. ¿Era cosa de aquel mueble o... de Jack Kennedy? Se sentó en el borde y miró de nuevo a Earl Warren.

—Le necesitamos —le requirió con la urgencia propia de un pastor protestante—. Le hemos llamado para que nos ayude.

—Estoy dispuesto a ello —respondió Warren, aunque no sabía qué se proponía Johnson con aquel encuentro ni tampoco podía adivinar qué podían hacer él o el Tribunal Supremo. Cuando un funcionario lo telefoneó para notificarle que era preciso que se dirigiese a la Casa Blanca para tratar de un «asunto urgente», Warren pensó que los procedimientos del nuevo presidente se salían un poco de lo habitual. Quizás el asesinato de Oswald planteaba ciertas cuestiones técnicas o incluso complicaciones jurídicas que Johnson no podía comprender y necesitaba que alguien se las aclarase. Sin embargo, por alguna extraña razón se había puesto en contacto con el presidente del Tribunal Supremo. De todos modos, por aquel tiempo, todo parecía discurrir fuera de lo normal, si bien Warren no sabía a ciencia cierta por qué el presidente lo había convocado y mucho menos por qué lo miraba tan fijamente.

Por otra parte, pensaba, hasta aquel momento, jamás había estado a solas con el presidente de Estados Unidos. Había estado con Roosevelt en dos ocasiones, si bien fue en el transcurso de sendas cenas con varios centenares de personas. Le habían presentado a Truman, aunque se trataba de una recepción oficial anterior a su elección en 1948. Cuando Eisenhower lo citó para notificarle la concesión del cargo de presidente del Tribunal Supremo, no había menos de media docena de consejeros en la sala. Tras aceptar el cargo, que lo convertía de facto en jefe de una de las ramas del gobierno federal, nunca se encontró a solas con Ike o con Jack Kennedy. Si lo hubiese solicitado, probablemente le hubiesen respondido que una entrevista en esos términos era, a todas luces, impropia y haría saltar las sospechas de quienes se hallan al frente de otros departamentos. Y ahora, poco después del asesinato del presidente Kennedy, allí estaba, a solas con Lyndon Johnson, en su despacho privado. El presidente del Tribunal Supremo se sentía incómodo y dejó constancia de ello en su diario.

—Señor presidente del Tribunal Supremo, temo que el pueblo de Estados Unidos esté confuso y preocupado —replicó Johnson—. Tienen miedo de que su gobierno, su país, se encuentren en peligro y deban arrostrar un grave desafío. No saben a qué enemigo se enfrentan. ¿De quién se trata? ¿Dónde se oculta? ¿Qué pasará después? ¿Y si alguien más muere asesinado? ¿Quién perpetrará el crimen? ¿Sabe a lo que me refiero?

—Por supuesto. Me hago cargo, señor presidente.

—Bien. Me alegra oírlo. Usted y yo necesitamos mantener la cabeza bien fría. Hemos de mantenernos por encima de la confusión y calmar al resto de la nación. Ahora ésa es mi única obligación. Mejor dicho: *nuestra* obligación. Este gobierno se basa en la confianza que nos brinda la población. De hecho, es la piedra ancilar de nuestra república. Mi responsabilidad, así lo he jurado, consiste en mantener incólume esa confianza —Johnson guardó silencio por unos instantes. Meneó lentamente la cabeza de un lado a otro—. El asunto de Oswald se nos ha ido de las manos. ¿A qué santo dejaron que ese tipo le disparase? ¡Dígamelo! —el presidente del Tribunal Supremo podía hacer algo mejor que responder.

Johnson se levantó, agitó el puño en un gesto airado y caminó hacia la ventana para contemplar absorto el césped que rodeaba la Casa Blanca, en buena parte iluminado por los haces de los reflectores que el Servicio Secreto había colocado la víspera. A última hora de aquel atardecer de otoño, el jardín que quedaba justo debajo del Despacho Oval permanecía en la penumbra, salvo por las luces que indicaban el sendero que discurría entre macizos de plantas y flores, de cuyo cuidado se había ocupado la propia señora Kennedy.

—Oswald ha muerto. ¡Por Dios! ¡Lo han asesinado ante nuestros ojos! ¡De un disparo! El hombre que acabó con el presidente ha muerto. Y ahora no cesa de correr todo tipo de rumores. ¿Qué deberíamos hacer? —Johnson volvió sobre sus pasos, iba de un lado a otro de la estancia dando grandes zancadas. Después, se sentó de nuevo frente al escritorio, en la silla presidencial. Parecía que lo hubiese hecho desde siempre—. De acuerdo con el testimonio de algunas personas, existen ciertos vínculos que nos llevan a los comunistas. Se habla de los cubanos... de esos malditos cubanos —murmuró mientras miraba al suelo, como si estuviese buscando algo importante. Luego, se dirigió a Warren con un tono de voz altisonante—: los rusos también. Incluso los chinos. ¿Sabía que Oswald fue destinado a Japón?

—No, señor, no lo sabía. Lo ignoraba todo acerca de esa cuestión. ¿Acaso Oswald mantuvo algún tipo de contacto con los chinos?

—Podría ser, podría ser... ¿Quién sabe? Chinos, japoneses... Podría ser. Pero no es ésa la cuestión. El caso es... La gente hace preguntas, ¿me entiende? Usted mismo, por ejemplo. Acaba de hacerlo, ¿verdad? La prensa ha comenzado a publicar todo tipo de noticias. Usted estará al tanto. Con Oswald muerto, jamás conoceremos la verdad acerca de quién disparó al presidente. Tan sólo podremos hacer conjeturas. Estamos a merced de especulaciones y habladurías. Una locura. Precisamente, lo que más conviene a nuestros enemigos. Y nosotros... —buscó un atisbo de complicidad en la mirada de Warren— debemos evitarlo. Tenemos que poner fin a esa ansiedad, a esa distracción irresponsable. Hemos de cortar por lo sano para eliminar ese punto vulnerable. Necesitamos tiempo para que cicatrice la herida. Porque estamos heridos. Nadie podía imaginar que sucedería algo así y la gente ha de sentirse segura de nuevo. Tenemos que hacer lo correcto. Por eso necesito que me ayude.

—Haré cuanto esté en mi mano, señor presidente. Cualquier cosa que dependa de mi posición y mis responsabilidades. Desde un punto de vista jurídico, del que usted evidentemente está al tanto, se trata de un problema local. Ambos asesinatos, el del presidente

Kennedy y el de Oswald, pueden considerarse sendas violaciones de la ley tejana, por lo que no cabría hablar de una investigación federal. No deja de ser curioso, ¿verdad? Alguien asesina al presidente de Estados Unidos, el funcionario de más alto rango en el país, y no está bajo jurisdicción federal. Sin embargo, dudo de que sea conveniente decirlo en estos momentos, pero...

—No tenga ningún apuro. Usted es el presidente del Tribunal Supremo. Nuestro trabajo consiste en lidiar con los peores problemas para hallar la solución más adecuada.

—Lo que iba a decirle... No estoy seguro de que la remoción del caso del ámbito local al federal sea una buena idea, pero dadas las circunstancias...

—¡Dadas las circunstancias! —aulló Johnson—. No dispongo de ningún tipo de información que me ayude a pensar quién será el próximo. Quizás irán a por la señora Kennedy. O a por el gobernador, mi amigo John Connally... Tampoco sería un mal blanco. Ni siquiera estoy seguro de que no seré yo la siguiente víctima. No puedo dejar de pensar en todo ello, como ya le he contado. ¿Sabe? Cuando Lincoln fue asesinado, intentaron acabar con el vicepresidente al mismo tiempo. Se trataba de otro Johnson. Estoy cansado de escuchar tonterías acerca de la presencia de francotiradores por todas partes. Los disparos pueden proceder de cualquier sitio. De hecho, no sería raro que hubiese un ejército de gente dispuesta a acabar con nosotros. El Pentágono me ha informado de toda clase de amenazas procedentes de diversos puntos del planeta. No sé si estará al corriente de ello, pero el Secretario de Estado sobrevolaba el océano Pacífico cuando ocurrió todo. Dallas no es el mejor lugar ahora y no desearía volver allí. Al menos, por el momento. Además, está ella... —se refería a la viuda, la Primera Dama—. No querría volver sin él, no señor, no querría.

—Me hago cargo —asintió Warren—. Pero, si me lo permite, al no tratarse de un tema de nuestra estricta incumbencia, ni usted ni yo tenemos por qué comentarlo. Le ruego que me excuse. No debería haberlo mencionado —e hizo una breve pausa antes de proseguir—. Por cierto, ¿me ha parecido entender que usted se refería a *ellos*? ¿Acaso había alguien más con Oswald?

—¡Eso es lo que quiero decirle! —le espetó—. Le he dicho cuanto sabía. No me proponía insinuarle nada. Estamos haciéndonos preguntas que no tienen demasiado sentido y nos arriesgamos a adoptar conclusiones que no se corresponden con la verdad de los hechos. El país necesita su capacidad de liderazgo, su ayuda, señor presidente del Tribunal Supremo. Y no se imagina cuánto.

—No estoy seguro de lo que se propone, señor presidente. ¿De veras cree que puedo ayudarle de algún modo?

El presidente esbozó a Warren las líneas maestras de un plan para formar una comisión especial para investigar el asesinato de John F. Kennedy a fin de dar cuenta a la opinión pública de todo cuanto se supiese. Tal organismo incluiría a los líderes del Congreso así como a otros prohombres de prestigio nacional e internacional, de probada solvencia y expertos en cuestiones legales así como en relaciones exteriores. Los miembros, según Johnson, deberían estar «más allá de cualquier presión o sospecha». Además, contarían con un director de la Agencia Central de Inteligencia para que les asesorase acerca de las actividades que pudieran llevarse a cabo en el extranjero. Como era de esperar, su tarea consistiría en despejar cualquier temor sobre posibles represalias por parte del enemigo comunista.

No tendría ninguna limitación organizativa ni presupuestaria. Bastaba con su autorización para obtener lo más parecido a un cheque en blanco y, lo más importante de todo, el presidente explicó a Warren que, en razón de su cargo al frente del Tribunal Supremo, se encargaría de dirigir la comisión. El desarrollo de las diversas tareas de investigación quedaría en sus manos. Él y sólo él sería el encargado de determinar cuáles serían los procedimientos más pertinentes en cada momento para comunicar a la opinión pública cuanto se fuese descubriendo.

—Desearía que el informe estuviese listo tan pronto como fuese posible. Sé que no puedo exigirle que lo tenga para Navidad. Quizás un mes después. Aunque no estamos en el mejor momento, quiero que me lo presente no más tarde de seis u ocho semanas. Hacia mediados de enero o a principios de febrero.

Warren hizo algunas preguntas. No se tendrían en cuenta las opciones políticas, le aseguró Johnson. Tampoco habría por qué dividir el equipo por grupos. Ninguno de los partidos intentaría establecer cuotas ni buscaría contrapartidas de cualquier otra clase.

—Usted los elegirá. Así de fácil —le indicó.

Para facilitar el trabajo, podrían retrasarse las actividades del Tribunal Supremo un par de meses.

—Como usted y yo sabemos, es decir, el presidente del Tribunal Supremo y el presidente del gobierno de Estados Unidos, Lee Harvey Oswald se encargó de todo. Lo hizo en solitario; no formaba parte de ninguna organización ni trabajaba para ningún país. Lo hizo y punto. De eso no cabe duda. Sin embargo, no sabemos por qué lo hizo. Y quizás nunca lleguemos a saberlo o, al menos, jamás estaremos seguros de ello. Pero aun así, hemos de procurar que la opinión pública de la sociedad más grande y poderosa de la historia de la civilización humana esté al corriente, pues de lo contrario podría ser destruida.

Warren se tomó un tiempo para discutir algunos de los argumentos que Johnson había esgrimido, cuestiones técnicas y de procedimiento en su mayor parte —la formación del equipo, la metodología empleada para obtener la información, la financiación necesaria o los problemas jurídicos que plantearía una labor que, a buen seguro, afectaría a los tres poderes. Finalmente, añadió algo que le hubiese gustado que se interpretase como una mera ocurrencia, una referencia personal sin la menor intención pero que constituía a todas luces su respuesta definitiva a la solicitud del presidente.

—Desearía llevar las riendas de todo. Debe comprender que la participación del presidente del Tribunal Supremo en una tarea como ésta, en mi opinión, no es lo más apropiado.

Una afirmación netamente americana. Sin embargo, tal como Warren anotó en su diario, «la ira y la frustración de Johnson se traslucieron en su mirada».

—No obstante —apostilló—, puedo prepararle una lista de jueces federales retirados de probado prestigio...

—Creo que no me ha entendido —Johnson le interrumpió mientras se esforzaba por mantener la calma—. El presidente del Tribunal Supremo de Estados Unidos de América es la persona que yo necesito. El informe de la comisión podría convertirse en el documento más importante que nuestro gobierno emane durante este siglo. Debemos estar por encima de cualquier censura o reproche. Y necesitamos que lo firme alguien de probada solvencia. ¡Necesitamos su firma! ¡Es imprescindible que se forme la Comisión Warren!

—Lo siento, señor presidente. Pero no puedo aceptar... Creo que...

—Señor presidente del Tribunal Supremo —volvió a interrumpirlo; esta vez como si condujese un camión sin frenos—. Quiero que medite mi propuesta. Quedo a la espera de su contestación. Piense en la gravedad de la crisis a la que nos enfrentamos. Piense en el gran hombre al que daremos mañana sepultura; en su familia, en la de usted, en la gran familia que formamos todos. No deseo que me responda ahora. Tan sólo le pido que reflexione. Ya hablaremos más adelante —y le estrechó la mano mientras le ofrecía la mejor de sus sonrisas, como si anhelase su voto. La aferró con firmeza y, mientras lo hacía, puso su otra mano sobre la muñeca de Warren.

«No sentí nada —escribió más tarde—. Tuve la sensación de que el presidente se comportaba así con todo el mundo.»

Warren no hubo de esperar demasiado. De hecho, tampoco pudo disfrutar de un largo sueño. El timbre sonó a las seis menos diez de la mañana y su ama de llaves, a medio vestir, acudió a despertarlo. La acompañaban dos agentes del Servicio Secreto. Una limusina lo esperaba fuera con el motor encendido. La mujer le explicó que el presidente deseaba verlo de inmediato y que, en cuanto se hubiese arreglado un poco, le prepararía el té y sus copos de avena.

A las seis y veinticinco —aún no habían pasado doce horas desde su última visita—, Earl Warren, presidente del Tribunal Supremo, comparecía de nuevo en el Despacho Oval. El sillón beige había desaparecido. Y el escritorio. También habían cambiado los cuadros que decoraban las paredes. Incluso dudaba de que las lámparas de las dos mesillas estuviesen allí la víspera. Johnson estaba sentado tras un enorme escritorio de madera que parecía más ligero que el de Kennedy. Quizás lo mandase traer aquella misma noche desde su antigua oficina. El pasado viernes asesinaron al presidente y, durante el fin de semana, se había sustituido por otro. «Supongo —escribió Warren— que se hizo lo que se debía.» Todo parecía en orden. Habían alineado varios teléfonos a la derecha del presidente, justo en el borde de la mesa: dos de color blanco, cada uno con seis líneas; otro negro, con tres filas de botones suplementarios, algo insólito para el juez; y otro rojo, sin disco ni botones —Warren se estremeció al pensar para qué servía—. Todo cuanto necesitaba el presidente estaba allí, dispuesto con sumo cuidado. A través de bolígrafos y pisapapeles, pudo entrever algunas fotos de las hijas de Johnson, otra en que se lo veía con ropa de faena en su rancho o en Texas, acompañado de *Lady Bird,* y cerca del único reloj, una vieja instantánea en blanco y negro en la que un joven Lyndon Baines Johnson estrechaba la mano de Franklin Delano Roosevelt. El antiguo presidente la aferraba con firmeza mientras le tomaba la muñeca con la otra. Ambos sonreían.

Dos hombres, a los que Warren nunca había visto, conversaban en la ventana que quedaba al lado de la puerta que llevaba al jardín. En aquel preciso instante, el presidente estaba dando instrucciones a una de sus secretarias, una bella joven. Por su tono de voz, no tenía ningún interés en que el juez pudiese oír lo que decía. Un camarero, negro y de avanzada edad, se acercó con una bandeja.

—¿El señor presidente del Tribunal Supremo desearía tomar café o té?

Warren le pidió una taza de té y se entretuvo contemplando cómo se lo servía con una sola mano, sin soltar la bandeja en ningún momento.

—El señor presidente del Tribunal Supremo comprenderá que no puedo colocar la bandeja en ningún sitio. Sin embargo, le ruego que tome asiento.

—... Nos días, señor presidente del Tribunal Supremo —por fin Johnson reparó en él—. Louise —añadió mientras se dirigía a la mujer con la que había estado hablando—, le ruego que haga ahora mismo cuanto le he encargado.

Se volvió de nuevo hacia Warren y, tras hacer una leve mueca con los labios, le dijo:

—¿Ha pensado un poco más en lo que hablamos ayer?

—Bueno —Warren miró a los dos hombres—. No estoy seguro de que...

—Hey, Gene —el grito del presidente cruzó la estancia—. ¿Qué tal si tú y comosellame hacéis algo útil? —y soltó una risita sofocada al verlos salir—. Gracias, chicos —murmuró cuando cerraron la puerta. Nadie hubiese dicho que dentro de unas horas se celebraría el funeral por el asesinato del anterior presidente.

—Señor presidente, me siento incapaz de cambiar de opinión al respecto.

—Mire todo esto, Earl —su actitud había cambiado por completo desde la víspera—. No sé quién es el mierda que acabó con Jack Kennedy. Juraría que se trata de esos cubanos hijos de puta si alguien pudiese darme algo, una prueba. Kennedy intentó matarlo... A Castro. ¿No lo sabía? Lo he oído en más de una ocasión. Joder, es tan malo que no hay manera de conseguirlo. Y no sería el último en pensar que ese hijo de perra de Castro ha tenido algo que ver. Ya sabe: ¿que me quieres joder? ¡Pues voy a joderte aún más! Tan sólo había que disparar y punto. Al presidente de Estados Unidos. Y en Texas nada menos. ¡No está nada mal! —el presidente Johnson refunfuñó algo que Warren no acertó a entender, tomó aire y pareció recobrar el control—. Como le venía diciendo, Earl, no sé lo que ha pasado. Tiene que haber sido alguien de no sé dónde y por alguna maldita razón. ¡Por Dios! ¡Que nadie sepa quién lo ha hecho...! He preguntado. He hablado con todo el mundo: el FBI, la CIA... a todos los mandos. Incluso consultaría al ratoncito Pérez si supiese que puede decirme algo. Y nadie ha sabido responderme una mierda. Le explicaré todo cuanto sé: que Lee Harvey Oswald era el único presunto culpable y que alguien lo ha matado. Los americanos pensarán que ese tipo mató a su presidente en solitario y que se logró su captura. ¿Me entiende? Digo *en so-li-ta-rio,* a solas, por su cuenta. Quizás se hubiese vuelto loco o quizás no. No tengo una puta prueba de ello, pero... ¡Estaba solo! ¿Me oye? —Earl Warren lo oyó. Alto y claro.

—No puedo conducir a este país al desastre —prosiguió. Se levantó de la silla y dio unos pasos alrededor del escritorio y, luego, se dirigió adonde Warren se hallaba sentado hasta quedar frente a él. Lo miró fijamente—. Si no puedo explicar al pueblo lo que ha pasado y lo que ha hecho su gobierno y encima no puedo creer en nada, ¿cómo coño vamos a estar seguros de nada? Por lo que más quiera, Earl, hemos de sacar el país adelante. La gente piensa que nosotros sabemos qué ha sucedido. Y usted me va a ayudar a estar seguro de que vamos por buen camino. ¿Me entiende?

Earl Warren respiró profundamente y asintió. La comisión llevaría su nombre. Por un momento, pensó en la juez Sarah Hughes. Tal vez no lo haría mal, después de todo. «Dios mío —puede leerse en su diario—. ¿Oswald lo hizo solo? Sentí un escalofrío cuando Johnson me hablaba. Mi corazón palpitaba fuera de sí y temí que iba a darme un infarto. ¡Quizás Oswald no tenía nada que ver con todo aquello!»

Ocho años y medio después, en el transcurso de una conversación privada grabada en mayo de 1972 y nunca desclasificada, el sucesor de Johnson, Richard M. Nixon, afirmó que la Comisión Warren fue «la mayor estafa que jamás se haya perpetrado».

Primera parte

En busca,
yeah, voy en busca...
en busca de cualquier cosa, yeah, yeah.

Leiber & Stoller

Cuatro

—Mi sobrino —aclaró.

Walter y Conchita Crystal pasearon hasta el final del malecón. No había ni transbordadores atracados ni grupos de turistas que los esperasen para regresar a Saint Thomas. Estaban solos. El sol brillaba en lo alto del cielo y hacía calor. Walter llevaba una sencilla gorra de béisbol de color marrón, sin logo o nombre alguno y tan ligera que apenas notaba cómo se ajustaba a sus sienes. La visera protegía sus ojos de la luz y su pelo le cubría parte del cuello. Conchita lo miraba de vez en cuando. Tan perspicaz como pensaba, le había bastado una ojeada para sentirse atraída por la personalidad y el sentido de la independencia de aquel hombre, un rasgo que lo hacía impredecible y reforzaba más si cabe su carácter.

—¿Se acuerda de Charles Bronson?

—Claro.

—Al verle me acuerdo de él —sonrió, esta vez de manera natural, sin haberlo premeditado, y soltó una leve risilla. ¿Acaso lo había conocido? ¿Le gustaba? Walter no supo si tomarse aquello como un cumplido o no. A decir verdad, no estaba seguro. ¿Charles Bronson?

—¿Qué le pasa a su sobrino?

—Temo por su seguridad. Corre un grave peligro.

—Pensaba que iba a decirme que se trataba de un caso de vida o muerte, Miss Cristal.

—Por favor, llámeme Chita.

—No creo que la conozca tanto... de momento.

—Bueno, como quiera. Se trata de un caso de vida o muerte... de mi muerte. Si algo le sucediese, no podría seguir viviendo.

—Como sabrá, no es el tipo de trabajo que solía hacer. Pero, vaya, aquí me tiene. ¿Por qué no me explica qué le lleva a temer eso? Tal vez encuentre la manera de resolver el problema.

Y se lo contó todo desde el principio: sus inicios, aunque Walter no acertaba a entender por qué. Conchita Crystal se llamaba en realidad Linda Morales y nació en Puerto Rico. Su madre, soltera, la abandonó a las pocas horas. De constitución débil, fue una niña enfermiza y de aspecto poco agradable a causa, sobre todo, de una molesta afección cutánea que parecía ir de mal en peor. Walter apenas podía dar crédito a cuanto oía, pues se sentía atraído por el brillo de su tez, tan bella, de un color brillante que recordaba al caramelo o el café con leche. Y con aquel aroma... Sin embargo, a pesar de su embeleso, pronto se repuso y prestó mayor atención. Su piel, según le contó, no comenzó a aclararse hasta que cumplió nueve años. No obstante, la joven Linda Morales no era un partido demasiado atractivo en el mercado de las adopciones. Rechazada por varias familias, acabó en un orfanato y se educó en una escuela católica cercana a Ponce. A los quince, se escapó y sobrevivió en las calles. Pronto comenzó a hacer carrera en la escena musical de San Juan. Sin saber cómo —y sin dar más explicaciones a Walter— aquel patito feo se convirtió en una belleza muy bien desarrollada para su edad.

El resto de la historia no distaba mucho de lo habitual en los periódicos y revistas de moda, las películas de cine, los programas de televisión o de radio. A los diecisiete años, Linda Morales se convirtió en Conchita Crystal, ídolo del pop latino. Con veinte años, ya era una de las modelos más cotizadas, admirada por legiones de quinceañeras de todo el mundo y codiciada por hombres de todas las edades. La chiquilla a la que nadie quería por su fealdad y su pobre estado de salud era ahora un objeto de deseo. Se casó en dos ocasiones antes de cumplir la treintena y durante varios años se la relacionó con varias estrellas del cine y el rock. Favorita de la prensa del corazón, la cual, a lo largo de tres décadas, publicó toda suerte de rumores acerca de amoríos secretos, matrimonios rotos, bodas clandestinas y tormentosas separaciones. Si hubiese estado embarazada tantas veces como se dijo, cabría considerarlo un milagro mayor que la Inmaculada Concepción. Sin embargo, la mayor parte de cuanto se había escrito sobre ella era falso. Jamás había quedado encinta y, por supuesto, nunca tuvo un hijo. Por lo que respecta a las relaciones con ciertos hombres, en su mayor parte se trataba de meras campañas de promoción —aunque, como es de esperar, hubo otras completamente reales—. Dilucidar qué noticia era cierta y cuál no supondría un arduo trabajo. Había una, no obstante, que había procurado llevar en secreto y que inició mucho tiempo atrás, cuando apenas contaba veinte años y aún mantenía, aunque se trataba de una cuestión privada sobre la que prefería guardar silencio. De hecho, ocultarla le había costado mucho trabajo y cuantiosas sumas de dinero. Walter comprendió de inmediato que se trataba de una cuestión muy personal que no tenía nada que ver con su vida pública y que nadie, ni la prensa ni él mismo, debía conocer. De todos modos, pensó que, fuese quien fuese, podía considerarse un hombre afortunado.

Hacía tiempo que se había convertido en una estrella gracias al cine y, a pesar de lo que pudo comentar con Walter en Billy's, su popularidad continuaba siendo extraordinaria. De acuerdo, ya no trabajaba con tanta frecuencia o intensidad como antes, pero aún conservaba sus encantos y no había tenido ningún hijo. Además, su estado de salud era legendario. Y aunque era cierto lo que se contaba sobre su ritmo de vida, jamás tendría el tiempo suficiente para dilapidar la fortuna que había atesorado.

—Impresionante —apostilló Walter cuando creía que había terminado—, aunque no me sorprende. Incluso de lejos se ve que usted es una mujer fuerte. Y también debe de haberlo sido de joven.

—Durante estos años he estado buscando a mi madre por todas partes. He contratado a gente que no ha dejado un archivo sin remover para encontrar cualquier cosa, cualquiera, que me diese alguna pista sobre ella. Tendría que haberlo llamado entonces —Walter vio cómo una lágrima caía de su ojo derecho y se deslizaba por la mejilla. Pronto brotó otra de la comisura del izquierdo. La actriz dejó escapar un suspiro y se llevó el dedo índice a los labios.

«Dios —se dijo, sin reparar en la gravedad del momento—. No me había fijado en lo bella que es.»

Jamás dio con su madre. Tal vez hubiese muerto. O no. Hacía tiempo que Linda Morales sabía quién era aquella mujer. Poco después, se enteró de que tenía un hermano y dos hermanas, todos mayores que ella, a los que también abandonó. Chita tardó muchos años en seguir su pista. Primero, encontró al chico y a una de las chicas, quienes supieron guardar el secreto y se mantuvieron muy unidos. Finalmente halló a la mayor de todos, Elana Morales.

—Había fallecido —prosiguió—. Hice lo que pude por conocerla, pero llegamos tarde. Cuando murió, alguien me proporcionó cierta información. Jamás la había visto antes, pero era mi hermana —de nuevo comenzó a llorar. Esta vez, Walter sacó de su bolsillo una de las servilletas que había cogido en el bar de Billy.

—Gracias. Aunque Elana nunca se casó, tenía un hijo. Le puso el nombre del padre, Levine. No me fue fácil buscarlo. Levine... Hay muchos y no tenía por qué ser puertorriqueño, ya sabe a lo que me refiero.

—Claro.

—Se trata de un chico muy apuesto. Una persona maravillosa. Es el hijo de mi hermana y lo quiero tanto como la habría querido a ella. Ahora necesita mi ayuda. Por eso he acudido a usted.

Walter no le preguntó cómo lo había encontrado. Todos lo hacían del mismo modo y, a fin de cuentas, no le interesaba demasiado. *Ellos* sabían que estaba allí y que podían disponer de sus servicios. Hasta que se retirase, claro. Conchita Crystal no era la persona más rica ni mucho menos la más poderosa que se había puesto en contacto con él y, por lo que sabía de ella, y era bastante, se habría sorprendido si supiera que tampoco era la más famosa. Eso sí, era con mucho la más bella.

—¿Cómo puedo ayudarla?

Con la más sencilla de las invitaciones, Conchita Crystal explicó a Walter una historia bastante absurda e incompleta, tan llena de lagunas que hubo de repetírsela mentalmente varias veces para no perder la confianza en sí mismo. Su sobrino, Harry Levine, tenía en su poder la confesión del hombre que había asesinado a John F. Kennedy.

Cinco

Sadie Fagan tenía bigote. No demasiado grueso, tupido o negro, pero no por ello dejaba de ser considerable. A Harry Levine parecía traerle sin cuidado hasta que se convirtió en un adolescente. A partir de ese momento, lo encontró bastante desagradable. Después, cuando se hizo un hombre hecho y derecho, atento a los encantos femeninos, se olvidó de aquel vello que crecía sobre el labio superior de su tía, la hermana mayor de su padre, una mujer algo rechoncha que no pasaba del metro y medio sobre sus tacones. Era gorda, sí, pero no como esas mujeres de mediana edad que Harry podía ver en el barrio. Desde luego, no como esas que se pasaban el día fumando cigarrillos mentolados. Y, por supuesto, no tenía nada que ver con las que conducían Pontiacs de más de diez años y vestían camisetas enormes con el logo del NASCAR y que bloqueaban las salidas de los Wal-Mart. La tía Sadie era corpulenta y su peso estaba muy bien distribuido. Su cabeza era grande, sus caderas, también y, bien mirado, todo su cuerpo guardaba una extraña proporción.

Hasta donde supo Harry, su padre y su tía tan sólo tenían en común esa complexión. Todo el parecido acababa allí. En las fotografías, las únicas que su madre y Sadie le enseñaban con agrado, ella siempre aparecía sonriente. En cambio, su padre siempre estaba serio; en todas. De hecho, no recordaba a su tía con otra expresión que no fuese una sonrisa.

De niño, Harry pensaba que Sadie no se despegaba nunca de ella. Se despertaba sonriendo y se iba a la cama de la misma guisa. Y, entre ambos instantes, se mostraba así, imperturbable, incluso cuando estaba enfadada. Al cumplir once años, Harry encontró una vieja fotografía de Roy Campanella, el antiguo *catcher* de los Brooklyn Dodgers. Sin saber cómo, reconoció de inmediato a su tía. Evidentemente, ni era negra ni tampoco un hombre y mucho menos un jugador de béisbol. Más bien, todo lo contrario: una mujer judía de clase media oriunda de un suburbio de Nueva York y, por las vueltas que da la vida, había acabado en Roswell, Georgia.

Como muchas otras mujeres blancas del sur, fuesen judías o cristianas, Sadie tenía lo que, para ser educados, podría considerarse una buena melena. Harry sabía cuándo su tía estaba cerca gracias al olor de la laca. Daba igual cómo fuese vestida —un batín los domingos por la mañana, bermudas y una camisa vieja de su marido, Larry, cuando cuidaba del jardín o un despampanante vestido de noche como los que se ponía cuando asistía a alguna boda o metía en la maleta cuando se disponía a hacer un crucero por el Caribe—, Sadie iba impecablemente peinada. Con una buena costra de laca.

Harry nació en mayo de 1974, seis meses después de que su padre hubiese desaparecido en Vietnam, Cambodia, Laos o dondequiera que fuese. ¿Acaso alguien lo sabía? Su madre, Elana Morales, nunca se creyó la versión que le dio el gobierno, pero ¿qué iba a hacer? Además, no era su esposa. El malogrado David Levine fue llamado a filas en febrero, vio a Elana por última vez en agosto y luego desapareció en acto de servicio. La segunda semana de diciembre de 1973. Jamás lo encontraron.

La madre de Harry era una genuina puertorriqueña, no una nuyoricana. Cuando conoció a David, estudiaba Derecho en Nueva York. Se enamoró del joven y pronto lo dejó todo por él. A menudo hablaban del matrimonio, pero no iban más allá. David se las daba de poeta. Trabajaba en la Oficina de Correos y componía largos poemas, que raramente rimaban, en pequeñas libretas mientras pasaba el rato sentado con Elana en los bares y cafeterías de Greenwich Village. Los dos estaban en contra de la guerra —y quién no: eran los setenta—. Un buen día recibió una carta de la junta de reclutamiento. Era demasiado tarde para casarse con Elana y, cuando ésta quedó embarazada, al ejército le trajo sin cuidado.

Sadie y Larry Fagan dejaron Brooklyn y se trasladaron a Atlanta en 1966. Larry había visitado la ciudad unos meses antes por motivos de trabajo —vendía material médico—, le gustó y abrió una sucursal allí para el sureste del país. A Sadie no le hizo mucha gracia dejar Nueva York, donde vivían su familia y sus amigos, pero se guardó sus reproches. Poco después de llegar a Georgia, se dio cuenta de que sus temores eran infundados y lo reconoció con suma alegría. Pronto hicieron nuevas amistades y estuvieron encantados de vivir en Atlanta. Larry obtuvo un puesto de jefe de ventas en una gran empresa de material quirúrgico y los dos se dedicaron a disfrutar de su nueva vida.

Por desgracia, no pudieron tener hijos. Jamás dijeron por qué, si bien años después Harry descubrió que se debía a un problema de su tío: su esperma era de mala calidad. Aunque en estos casos más de una mujer se piensa dos veces continuar con su marido, Sadie permaneció a su lado, se sacrificó y volcó todo su amor maternal en su sobrino. Cuando Elana dio a luz, quiso que el niño se llamase como su padre, Levine, y adoptó su apellido para los dos. En Nueva York llevaba una vida solitaria con su hijo. Tan sólo le faltaba un año para convertirse en abogada, pero necesitaba dinero y amigos. Sadie y Larry la invitaron a Georgia, no para que pasase unos días, sino para que viviese con ellos. Se lo rogaron. «Somos tu familia», le dijeron, y Elana aceptó. Trasladó su expediente a la facultad de Derecho de la Universidad de Emory y se fue con su bebé a casa de los Fagan.

Harry creció en casa de sus tíos. Residía con su madre en la planta baja. Disponían de dos habitaciones, un salón, un pequeño despacho para Elana y un cuarto de baño. Incluso podían entrar por una puerta auxiliar que se hallaba en el patio trasero, aunque ella nunca la utilizó, aunque no se puede decir lo mismo del niño que, cuando comenzó a ir al instituto, recurría a ella para entrar y salir después de sus correrías nocturnas, aunque ignoraba que su madre estaba al tanto... y sus tíos, también —de hecho, Harry jamás llegó a sospecharlo.

La vida en aquella casa era maravillosa. Los cuatro fueron realmente felices. Después de obtener la licenciatura, Elana se colegió y entró a trabajar como pasante en uno de los bufetes más importantes de Atlanta. Seis años después, se dio cuenta de que jamás llegaría a ser una de las socias. ¿Que por qué? Porque, por muy Levine que se apellidase, era una hispana. La puerta estaba abierta a algunos judíos, pero no a los hispanos. Por si fuera poco, no estaba casada y tenía un hijo. A saber lo que habría pasado. Por ello, dejó el trabajo y abrió su propio bufete en Roswell, no muy lejos de casa. A partir de entonces, ella se ocupó de cuanto compete a un abogado: testamentos, desahucios, capitulaciones prematrimoniales, divorcios, custodias, pleitos civiles de toda laya... Incluso llegó a aceptar casos relacionados con pequeños crímenes, asuntos de drogas en los que se veían implicados algunos chicos de buena familia. Como hablaba español, recibió numerosos encargos por parte de la colonia mexicana, cada vez más numerosa en la ciudad, a quienes solía asesorar en materias concernientes a inmigración. Prosperó. No tardó en ganar más dinero que Larry Fagan y se empeñó en correr con la mitad de los gastos. Podría haber comprado su propia casa, pero Elana jamás —ni tan siquiera una vez— pensó en marcharse. Sadie nunca se lo hubiese consentido.

Durante el caluroso verano de 1991, la madre de Harry fue contratada para representar a dos mexicanos que carecían de toda documentación y a los que se acusaba de violación y asesinato. Se trataba de un caso castigado con pena de muerte, sobre todo si se tenía en cuenta la naturaleza del crimen y el comportamiento de los presuntos culpables. La víctima era una mujer blanca, una preciosa rubia de unos veinte años. Las fotografías del álbum familiar la mostraban como una chica muy atractiva y de gran carácter. Las televisiones y la prensa local siguieron el juicio muy de cerca. Pronto apareció en escena la venerable costumbre sureña de vituperar a quien tiene la piel oscura y no se mostró piedad alguna con esos... mexicanos. Elana preparó una buena defensa y, sin proponérselo, se granjeó el aprecio de los medios de comunicación de Atlanta. Aquella mujer atractiva, recién llegada a la cuarentena, se convirtió en una presencia habitual en los platós de televisión. Para muchos, aquello fue el colmo.

El juez intentó acallar a los abogados y Elana protestó para defender la inocencia de sus clientes. Las cámaras se habían enamorado de ella, de su larga cabellera, de sus ojos negros, de su piel morena y de sus labios, de un rojo rubí. Los dos hombres eran, de hecho, completamente inocentes, los agentes de policía, incapaces de distinguirlos del resto de mexicanos, los acusaron en falso. No tuvieron nada que ver con el crimen. Por si fuera poco, no había pruebas y, de acuerdo con las conclusiones de Elana, el veredicto estaba claro. Y así fue: quedaron absueltos. Sin embargo, apenas pudo disfrutar de la victoria. Poco después de que el juez les devolviese la libertad, varios agentes federales del Departamento de Inmigración los rodearon y, tras arrestarlos, se los llevaron esposados. Eran residentes ilegales, espaldas mojadas, indocumentados —da igual cómo se los llame— y había que deportarlos.

El joven e impresionable Harry siguió muy de cerca el desarrollo del caso no sólo por el trabajo de su madre, sino porque era consciente de la injusticia cometida por un gobierno federal insensible. A partir de ese momento decidió qué iba a hacer con su vida. Quería trabajar como oficial del Servicio Exterior. Ya que su madre luchaba para que sus clientes no sucumbiesen bajo el peso del Estado, él se propuso representar al gobierno de la manera más digna y considerada posible. Como puede imaginarse, por aquel entonces tan sólo tenía diecisiete años.

Tras terminar sus estudios superiores, Harry se matriculó en la Universidad Tulane, en Nueva Orleans, donde estudió Relaciones Internacionales. Aunque estaba encantado con la ciudad, siempre esperaba con impaciencia la llegada de las vacaciones de verano, el día de Acción de Gracias o las Navidades para volver a casa, en Roswell. Jamás aprovechó para visitar Panamá o Fort Lauderdale, ni cruzó el país para conocer Nueva Inglaterra o California. ¿Por qué habría de hacerlo?, se preguntaba. ¿Acaso había algo mejor que Roswell? Cuando se licenció, Harry se trasladó a la facultad de Derecho de la Universidad de Pennsylvania, en Filadelfia. Como explicó a su madre, necesitaba una licenciatura en Derecho de un centro de la Ivy League. Estaba orgullosa de su hijo. Los contactos que hizo durante aquel tiempo y las referencias de su currículum le fueron más útiles que su formación a la hora de entrar en el cuerpo diplomático. Con sólo veinticinco años, Harry Levine se graduó con honores e ingresó en el Servicio Exterior.

El día en que dejó Estados Unidos para su primer destino en ultramar, hacía un tiempo primaveral como sólo pueden soñar los neoyorquinos en los peores días del invierno. Una suave y fresca brisa lo acarició. El sol, no demasiado cálido, brillaba en un cielo sin nubes. Con los abrigos desabotonados y las cazadoras abiertas, la gente aspiraba profundamente y ofrecía la mejor de sus sonrisas. El avión de Harry no partía hasta el atardecer. Disponía de tiempo suficiente para dar una vuelta y despedirse de América. Mientras paseaba por la soleada calle 23, le llamó la atención una pequeña tienda de discos en cuyo escaparate podía leerse en grandes letras: DISCOS DE VERDAD - VINILOS. Harry era un coleccionista consumado. Su padre tenía una colección bastante buena y su madre los conservó todos, absolutamente todos, para su hijo. Creció con Jefferson Airplane, Marvin Gaye y The Mamas & The Papas. A su padre no sólo le gustaba la música popular de los sesenta: David Levine le legó cientos de discos entre los que había una buena cantidad de jazz: Oscar Peterson, Art Blakey, Count Basie, Joe Williams... A Harry le encantaban no sólo por lo que eran, sino también porque constituían uno de los pocos vínculos que tenía con su padre, al que nunca conoció. Pobre David y pobre Harry... Muchos hijos que pasan por esa situación no dejan de preguntar a sus madres cuánto los quería su padre y les trae sin cuidado si les dicen la verdad o no. Harry, como era de esperar, sabía perfectamente que nació después de que su padre muriese y, en algunas ocasiones, se preguntaba si tal vez no daba más importancia a aquellos discos de la que en verdad se merecían.

Tras pasar por Tulane, poco antes de ir a Filadelfia, Harry decidió que necesitaba un buen aparato, un tocadiscos de la mejor calidad. Le sorprendió que no encontrase ninguno. El LP de vinilo, inventado por los ingenieros de Columbia Records en 1948, se había convertido en una reliquia del pasado. El disco compacto, con su seductora transparencia, lo había empujado hasta arrinconarlo en algunas pocas tiendas para nostálgicos. Lo mismo ocurrió con los equipos de música de mejor calidad. Harry no solía comprar cedés. Tal vez fuese mejor que el viejo vinilo prensado y sonase como nunca antes, pero, a su juicio, no era un objeto real. Se le antojaba frío y, sobre todo, vacío. Anhelaba hacerse con un buen aparato, pero no había manera: no encontró ni un establecimiento que tuviese algo que valiese la pena. Por mucho que buscase, tan sólo encontraba reproductores baratos para niños. Un buen día, mientras preguntaba en una tienda de electrodomésticos de ocasión que quedaba cerca del centro comercial de Roswell, el gerente le comentó que sabía de alguien que podría ayudarle.

—Vaya a Fat Jack's —le dijo—. Se encuentra en la planta baja de un edificio del casco viejo, en la esquina entre... Vaya, me he olvidado del nombre de la calle. De todos modos, búsquelo. Si todavía está abierto, estoy seguro de que podrá hacer algo por usted.

Fat Jack's Audio se encontraba en una callejuela en la que compartía la fachada con un quiropráctico, una tintorería y una agencia de viajes. Salvo por el pequeño letrero de la puerta, nada parecía indicar que aquello era una tienda. Dentro, en el centro del establecimiento, Harry encontró a un anciano sentado en un asiento de coche que reposaba sobre el suelo y que parecía haber pertenecido a un Chevrolet o un Ford o cualquier otro coche americano de más de treinta años. A su alrededor había un montón de cubetas con discos. El viejo parecía estar durmiendo.

—Busco un tocadiscos.

—¿Echa de menos sus discos? —el tipo lo miró de arriba abajo.

—No, los escucho con frecuencia. Sólo que...

—... No suenan lo bastante bien.

—Eso mismo. Por eso busco un buen aparato... y a un precio razonable. Alguien me ha dicho que podría hablar con Jack, Fat Jack, porque quizás tuviese algo que comprarle.

—Ése soy yo —le dijo el anciano mientras se levantaba y le tendía la mano—. ¿Qué es lo que le gusta más de sus discos?

Harry no supo qué contestar. Aquella pregunta no se la esperaba. Sorprendido, pensó si se trataba de un asunto demasiado personal y buscó la respuesta adecuada. Como no se le ocurrió nada, se limitó a repetir la pregunta que le había hecho Jack.

—¿Que qué es lo que me gusta más de mis discos?

El anciano, que era cualquier cosa menos gordo —de hecho, conservaba la línea bastante bien—, le sonrió y caminó lentamente a lo largo del mostrador que quedaba frente a las cubetas hasta entrar en la trastienda. Harry cayó en la cuenta de que no había encendido la luz. De hecho, las tres lámparas que debían iluminar el establecimiento —una sobre el mostrador, otra encima de los expositores y la tercera justo encima de su cabeza— estaban apagadas. Harry no acertaba a comprender qué hacía un tipo como aquél con una tienda prácticamente a oscuras. No veía ningún tocadiscos ni tampoco nada que se pareciese a un equipo de música. Tal vez Fat Jack no vendía nada desde hacía varias décadas.

—Espere un poco —dijo Jack.

—¿Recuerda el sonido que hace la aguja al posarse sobre el surco? —le preguntó Harry al fin—. Tan sólo dura un momento, apenas un instante. Es parecido al que se hace cuando se golpea un micro con los dedos. Eso. Ese sonido. Eso es lo que más me gusta de mis discos.

Fat Jack —quien había llegado a pesar más de ciento cincuenta kilos y perdió casi la mitad cuando dejó de comer pollo frito— acabó por montarle un tocadiscos con un calibrador por infrarrojos, controles de ajuste manual, dos tomas eléctricas —una para el ecualizador y otra para el plato—, un brazo de alta precisión fabricado en

«Brooklyn, New York City» y una tapa antiestática y completamente desmontable. Y todo por quinientos dólares. Junto con la colección de discos de David Levine, el aparato de Fat Jack, primorosamente empaquetado, iba a acompañarlo a Turquía.

Mientras rebuscaba por los expositores de la pequeña tienda, encontró una copia de *Concert by the sea,* de Erroll Garner. Ya lo tenía, aunque no había pertenecido a sus padres. Lo había comprado en Little Five Points, en Atlanta, cuando iba al instituto. Recordó cómo solía ponerlo por la noche, mientras estudiaba para el examen final del último curso. Cerraba todas las puertas para evitar que el sonido, sobre todo los gruñidos tan característicos de Garner, despertasen a su madre, que dormía al lado del recibidor. Entonces subía a la cocina, se preparaba una taza de café, disponía los libros y los apuntes en la mesita del comedor y comenzaba a estudiar, a veces hasta pasada la medianoche. Al colocar el disco en su sitio, sonrió. Se vio a sí mismo, todavía adolescente, sentado en la clase del señor Kimmelman respondiendo a cada una de las preguntas mientras Erroll Garner sonaba en su interior. Aquella noche, mientras volase hacia Europa, volvería a escucharlo en sueños.

Tal como se había imaginado, el Servicio Exterior le deparó una nueva vida. De las tortuosas calles adoquinadas y los humeantes cafés de Ankara, su primer destino, a los ruidosos zocos de El Cairo o la magnificencia de París, la búsqueda de sí mismo que había emprendido hacía tanto tiempo comenzaba a dar sus primeros frutos, como los macizos de Peachtree Road. Se cortó el pelo todo lo posible. Siempre había deseado pasarse las manos por la cabeza y notar una sensación parecida a la de acariciar un cepillo. Su guardarropa se volvió más formal e, incluso, distinguido. A diferencia de otros colegas suyos, adquiría sus trajes, camisas y corbatas en Europa. Prefería por encima de todo a los sastres ingleses por su rapidez y la buena calidad de su trabajo. Se convirtió en una persona más brillante e ingeniosa de lo que había sido en la facultad. Su porte, suelto y elegante, reforzaba su aspecto pulcro y aseado. Era agradable, muy divertido, irónico de vez en cuando, pero sin sombra de cinismo. Todo el mundo lo apreciaba.

En Europa, donde la liberación sexual nunca se consideró algo novedoso ni limitado por la edad o la clase social, Harry tuvo bastante éxito con las mujeres. Tuvo numerosas compañeras ocasionales. Durante su estancia en Londres, se convirtió en un profesional de treinta y pocos, un expatriado acomodado, sensible a los placeres que le brindaba el mundo y completamente satisfecho de lo poco que necesitaba para mantener su estilo de vida.

Un año después de su llegada a la capital británica, su madre falleció a causa de un cáncer de páncreas. Elana Levine acababa de cumplir cincuenta y cuatro años. Todo sucedió rápidamente. El trozo de pastel que Sadie había dejado en la nevera continuaba allí, sin que nadie se lo hubiese comido. Un día Elana se quejó de que no se encontraba bien y antes de que alguien pudiese hacer algo, el cáncer acabó con ella. Elana Morales Levine jamás supo que no tenía una hermana. Murió en su casa, tal como había insistido, en su propia cama. Lo hizo rodeada de sus seres más queridos —Harry, que había tomado el avión desde el Reino Unido cuando Sadie le informó de que las cosas no iban bien, ésta y su marido, Larry—. Cerró los ojos pensando en David. La morfina no pudo acallar la inmensa alegría que le produjo ese último recuerdo.

Seis

Frederick Lacey, hijo primogénito de una familia burguesa de Liverpool, obtuvo el rango de guardia marina al servicio de la armada de Su Graciosa Majestad en 1916, tres días después de haber cumplido los dieciocho años. Su padre, William Lacey, se había encargado de todo. Debía su holgada posición al increíble éxito de su empresa, una firma especializada en la fabricación de componentes ferroviarios. *Lacey's,* pues así se la conocía, se había labrado una excelente reputación por la puntualidad de sus entregas, tanto por lo que se refería a piezas y recambios habituales como a otros menos frecuentes. Sus precios eran más altos que la mayor parte de sus competidores de Londres pero, a diferencia del resto, siempre podía confiarse en su palabra. Un mes de plazo significaba eso y nada más, no dos o tres e incluso un años, tal como sucedía con otros proveedores. Los empresarios inteligentes siempre están dispuestos a pagar más por esa clase de detalles. William Lacey sabía que su garantía era su más preciada baza. Casi un siglo antes de que el dinero fluyese a través de ordenadores y redes informáticas a la velocidad de la luz, el padre de Frederick Lacey pudo demostrar su habilidad para la economía moderna. Abrió diversas cuentas en entidades bancarias de todo el continente europeo, lo cual le permitió dejar constancia de su probada solvencia y granjearse toda suerte de contactos y alianzas: hombres de negocios a los que de vez en cuando convenía hacer algún favor especial —más bien, se lo exigían—, además de los innumerables agentes de aduanas y demás funcionarios gubernamentales que aceptaban un soborno con sumo gusto y aceleraban los trámites. De este modo, William Lacey podía llevar a cabo sus negociaciones y cerrar un acuerdo sin exponerse a ninguno de los retrasos, tan habituales, que afectan a las transacciones financieras internacionales. Y su hijo tomó buena nota de ello.

Los ferrocarriles, al igual que el resto de la industria británica, estaban controlados por los hombres más poderosos de su tiempo. Gracias a sus buenas relaciones, William Lacey logró un buen cargo en la Marina Real. Sin embargo, el estatus social al que pertenecía Frederick Lacey —su falta de linaje— condicionó su carrera desde el primer día. Un destino a una escuadra de combate quedaba fuera de toda discusión, ya que se trataba de un privilegio al que ni siquiera los hijos de las familias más importantes del Reino Unido podían acceder fácilmente. El heredero de un mercader de Liverpool no tenía nada que hacer. Su participación en la Gran Guerra se limitó a su trabajo en el Estado Mayor. Tal discriminación, producto de una mentalidad decimonónica, determinó en buena parte su futuro y se dejó sentir hasta extremos insospechables en el devenir de las naciones y los personajes más pujantes del siglo que acababa de comenzar. La cuestión se presentaba con una claridad meridiana a todo aquel que estuviese dispuesto a tenerla en cuenta y Lacey supo anticiparse, aguardar y asegurarse el poder desde el principio. No se contentó con cobijar alguna esperanza: soñaba con tenerlo, lo anhelaba. Sabía que le estaba esperando.

En sus escritos sobre la Gran Guerra, preparados poco después de que esta terminase, se refería a ella como *la primera*. A su juicio, en la medida en que nunca existió «la guerra que terminase con todas las guerras», bastaba con añadir un dígito y esperar a que la Historia se moviese inexorable hacia la siguiente. Por sus conocimientos, experiencia e intuición, comprendió que las luchas entre seres humanos, se desarrollasen a escala individual o en el seno de instituciones sociales, constituían el estado natural de las cosas. Quienes lo tuviesen en cuenta alcanzarían sus objetivos.

A medida que la guerra se propagaba por toda Europa, desde los Balcanes a Bélgica y se disponía a arrasar Francia, la Marina Británica se vio obligada a convertirse en la mayor fuerza militar habida en tiempos modernos. No hubo en los ejércitos de César, Aníbal o Napoleón un dispositivo capaz de movilizar a tantos hombres de un campo de batalla a otro para el que no fuese preciso esperar meses o incluso semanas. Nadie pensaría en cruzar los Alpes a lomos de elefantes en el siglo xx, pues no era necesario. La guerra en la que participó Lacey, se tenía que vestir y alimentar a diario a millones de soldados. Había que mover con extrema rapidez de un extremo a otro del continente las municiones, la maquinaria y los contingentes necesarios para proseguir con las campañas y, en algunas ocasiones, transportarlo todo de nuevo al punto de donde habían salido. Nada de vagones ni de caballos. Ni tampoco de navíos que surcaban los mares lentamente, al albur del viento. Aquella guerra se libró con tanques, vehículos motorizados, artillería pesada y, sobre todo, enormes buques que cortaban las aguas como si fuesen cuchillas de acero gracias al impulso de las turbinas movidas por petróleo. Los trenes continuaban su marcha y los aviones, la más novedosa de todas las armas, comenzaban a poblar el cielo. Y para ello necesitaban carburante.

Desde el reinado de Ricardo I, los británicos habían dejado la logística militar en manos de idiotas. Al fin y al cabo, se decían, se trataba de un trabajo propio de tenderos. Por desgracia, no era raro que éstos pensasen más en llenar sus bolsillos que en satisfacer las necesidades de las tropas. En aquel momento, se dieron cuenta de que no estaban preparados para hacer frente a tanta demanda, por lo que comenzaron a buscar ayuda por todas partes, incluso en los niveles inferiores de la cadena de mando. Frederick Lacey, gracias a la experiencia y la observación que había atesorado junto a su padre, y sin tener en cuenta su edad, se adentró en aquel desorden y no tardó mucho en asumir unas responsabilidades que iban mucho más allá de las debidas a su rango. Sus maravillosos logros aceleraron su rápido ascenso hacia las cotas más altas del poder. No sólo demostró unas extraordinarias dotes de organización —una virtud completamente insólita entre sus superiores—, sino que llevó a cabo con éxito muchas acciones que se dieron por perdidas de antemano. Todo cuanto nadie deseaba hacer, los proyectos que los oficiales con más antigüedad deseaban ver fuera de sus escritorios, llegaba a manos de Lacey. «De ésta se cae con todo el equipo», murmuraban sin darse cuenta de que, a medida que delegaban sus funciones, cada vez era mayor la confianza que depositaban en aquel joven capaz de enfrentarse a lo imposible.

Más adelante, Lacey escribiría en sus diarios la desazón que le provocaba el hecho de mantener unas relaciones que hasta ese momento le habían estado vedadas. Ciertos contactos poco ortodoxos le permitían transportar recambios y vituallas a través de las zonas en guerra de toda Europa. Sin embargo, no le extrañó que debiese trabajar de ese modo. Al fin y al cabo, su padre hizo lo mismo, aunque a una escala mucho menor. A lo largo y ancho del Mediterráneo, desde Sicilia hasta Oriente Próximo, en el norte de África y al este de los Urales, en los dominios de los cabecillas musulmanes del sur de Rusia y de Asia Central, Frederick Lacey forjó alianzas hasta ese momento desconocidas para las grandes potencias occidentales. Para no incomodar demasiado a la sensibilidad británica, Lacey, que a la sazón contaba veinte años, dejó constancia de su poder —ejercido siempre en nombre de sus superiores, oficiales mucho más mayores y siempre dispuestos a disfrutar del éxito de su subordinado hasta que se agotase su buena estrella—. Salvo para los que trabajaban con él o a sus órdenes, Lacey no era más que un joven funcionario de labor meritoria. Sin embargo, dejó una huella imborrable en quienes lo trataron, sobre todo si tuvieron la oportunidad de hacerlo en persona. Su reputación no tardó en crecer hasta límites legendarios, especialmente en los círculos de los que dependía su éxito. Apenas podía creerse cómo alguien tan joven había conseguido tanto poder y capacidad de influencia.

Las entradas de su diario recogen también un informe detallado de su estado de salud. A los veinte años, medía un metro ochenta y cinco, y apenas pesaba cincuenta y dos kilos. De pelo cobrizo, solía llevarlo más corto que la mayor parte de los ingleses de su tiempo y su rostro, atractivo y de facciones agradables, estaba completamente afeitado. Andaba muy erguido, lo cual le confería una mayor autoridad si cabe, además de añadirle unos cuantos años e, incluso, unos centímetros de más. Su uniforme, perfectamente entallado, le daba más prestancia. Nunca traslucía su inquietud y, durante una cierta época, la pulcritud en el cuidado de sus manos y su calzado, siempre bien lustrado, despertó la admiración de todos. Su sonrisa, que tan sólo mostraba cuando lo consideraba necesario, transmitía una reconfortante calidez. Jamás se dejaba dominar por la ira ni tampoco se toleraba la menor distracción. Jamás. Su temperamento, capacidad de autocontrol y confianza en sí mismo eran la envidia de todo el mundo, si bien en alguna ocasión el propio Lacey llegó a afirmar que tales cualidades no le entrañaban ningún esfuerzo.

A la hora de planificar complicadas operaciones de transporte de bienes a través de un territorio peligroso, se mostraba tranquilo y hablaba como si no fuese posible el fracaso. Nunca quiso saber más de lo que le contaron, aunque tampoco habría aceptado menos. No discutía como un comerciante: su primera oferta siempre era la última, si bien podía repetirla varias veces, parafrasearla e incluso verterla a un lenguaje que la hiciese más aceptable por su contrincante, pero nunca jugaba en su contra. En el momento en que se requería su aprobación para cualquier asunto, se ocupaba de todo hasta llegar al final. La temeridad y el egoísmo lo convirtieron en un negociador formidable. A menudo hablaba de cuestiones por las que nadie le había preguntaba y solía extenderse más de lo tolerable, pero no cejaba hasta salirse con la suya y cerrar el acuerdo. Para él, cualquier venta ya se había concluido antes de iniciar la discusión, pues sus ofertas eran indiscutibles. Quizás, en alguna circunstancia, hubiese aburrido o molestado a alguien, pero, tal como dejó escrito, siempre procuró que las personas con quienes debía tratar no lo percibiesen como un adversario. Y no pocos hombres acostumbrados al ejercicio del poder, de gran sabiduría, experiencia y madurez, vacilaron al enfrentarse a la mirada de Lacey hasta el punto de perder la calma y sentir un vago pero creciente temor.

En una entrada de su diario explica cómo hubo de desplazarse a Turquía para negociar con un clan de bandidos. Gracias a sus contactos, pudo organizar un encuentro con su jefe. A la hora prevista, Lacey se presentó en el café donde se había citado. Iba solo. Poco después, llegó el cabecilla con su séquito —unos quince, contados a ojo—. Quizás fuese algo habitual o, pensó Lacey, venían directamente de las montañas. En su mayor parte, iban cubiertos con pieles y calzados con pesadas botas que parecían más adecuadas para caminar por un terreno agreste que por las calles de una ciudad. Llevaban el pelo largo, muy largo, y muchos ostentaban bigotes gruesos y tupidos. La sala olía a sudor, whisky y a animales. Al sentarse, la escolta formó un círculo en cuyo centro se hallaron el cabecilla y Lacey, quien se vio de pronto rodeado. Los dos hombres intercambiaron algunas palabras y compartieron un trago. Lacey agradeció el interés que se habían tomado para venir a su encuentro.

—Si he venido hasta aquí es para mostrarle mi más sincero respeto y disculparme por las molestias que pueda ocasionarle en el futuro —y en compensación le ofreció veinte mil libras en oro.

—¿Veinte mil libras de oro? A ver cómo podré cargar con ellas —el bandido estalló en una risotada que Lacey se apresuró a secundar.

—Oh, no. Creo que no me he expresado bien. Lo siento. Me refería a libras esterlinas, en oro, claro.

—Vaya, ¿no se refería al peso? Qué lástima —volvió a reír—. Si me pagase esa cantidad, me ocuparía de resolver todos sus problemas.

—Señor, no pienso pagarle ni un penique más.

—¿Cómo? —el hombretón se levantó de un salto—. ¿Sabe que podría matarlo aquí mismo sin que ocurriese nada? ¿Acaso no le da miedo morir?

—Bien —repuso con calma—, puede elegir entre esa cuantiosa suma *en oro* o bien quedarse sin nada. Si me pide un poco más de tiempo, lo comprenderé. Le daré una hora, si le parece bien. Después, volveré a Londres. Por la mañana. Estoy seguro de que sabremos llegar a un acuerdo satisfactorio para los dos —y con la mayor naturalidad del mundo, se dirigió hacia la puerta sin que ninguno de los bandidos le cerrase el paso.

Una fría mañana, a finales del invierno de 1917, Frederick Lacey anotó que acababa de ver a la mujer que se convertiría en su esposa. Por aquel entonces, se hallaba en Lisboa para cerrar un acuerdo comercial para trazar una ruta marítima entre Italia y Francia. La guerra había dañado gravemente la credibilidad de muchos gobiernos europeos y en más de una ocasión tuvieron que reclamar los servicios de expertos en métodos poco ortodoxos. Lacey preparó un encuentro en Portugal y, mientras cenaba con sus nuevos amigos y socios, ella entró en el restaurante en compañía de su padre, Jamal-Adín Messadou, el líder de la Federación Transcaucásica, beligerante con los bolcheviques. Se decía que era descendiente directo de Samil, el tercer y último imán de Daguestán.

De rasgos finos y delicados, aquella mujer poseía una belleza turbadora. Pasó al lado de la mesa donde Lacey se encontraba. El aroma que su piel exhalaba le cortó el aliento. Con sumo detalle, explicó en su diario cómo la joven había dejado caer su pañuelo y, al agradecerle el gesto tan galante que esperaba, se apartó su cabellera y dejó entrever su hombro desnudo.

—Hermosa, ¿verdad? —le susurró un compañero de mesa.

—Mucho. Dígame, ¿la conoce? ¿Es turca? ¿Kurda, quizás? ¿O caucásica, de Georgia o Azerbayán?

—Es usted muy curioso. Georgiana. Se llama Aminette Messadou. Es la hija menor de Jamal-Adín, el hombre que la acompaña. Un caudillo de estirpe musulmana, aunque su familia se convirtió a la fe cristiana hace dos generaciones. Su pueblo lo adora. Usted es un joven apuesto, señor Lacey. Un buen partido, si me lo permite. Pero carece del rango pertinente. Cerremos este trato de la manera más satisfactoria para los dos y quizás le asciendan de guardamarina a capitán de fragata.

—Mi único rango es el de súbdito de mi rey. Quiero conocerla. ¿Podría ayudarme?

—Por supuesto —el anciano esbozó una amplia sonrisa—. Su rey es muy afortunado de contar con usted.

Noventa años después, esas palabras, escritas de puño y letra por el propio Lacey, conmovieron a Harry Levine. *Mi único rango es el de súbdito de mi rey.* «¡Qué hombre! —pensó—, ¡qué hombre!»

Lacey se casó con Aminette Messadou en 1919 y, cuando su esposa quedó embarazada un año después, abandonó la Marina para fundar la primera de sus compañías navieras, que no tardó demasiado en depararle pingües beneficios. Había dejado de ser el súbdito de su rey para convertirse en el de su única esposa.

Unos meses después, Aminette falleció al dar a luz a Audrey. Lacey quedó destrozado. Dedicó muchas páginas a consignar el dolor que lo devoraba. Su hija le ayudó a vivir. La convirtió en el centro de su existencia... hasta que la joven se suicidó en 1940 sin que jamás acertase a saber la causa real. De nuevo, Frederick Lacey se encontró solo. No contrajo matrimonio hasta haber cumplido los sesenta. Su segunda mujer, una inglesa de cierta edad y bastante rica, viuda de un amigo, falleció catorce años después. No tuvieron ningún hijo. Aunque no cabía duda de que sentía un gran aprecio por su difunta esposa, Aminette y Audrey fueron los dos grandes amores de su vida.

Durante la década de 1920, Lacey conoció a Joe Kennedy a raíz de un lucrativo negocio relacionado con las bebidas alcohólicas. Lacey, por decirlo así, era el contacto europeo. Sus barcos llevaban whisky irlandés, ginebra inglesa y vinos franceses a Cuba, donde ciertos amigos de Kennedy se ocupaban del resto. Se trataba, como alguna vez le comentó, de *gentes importantes* de Sicilia. Sus socios estadounidenses también participaban en el negocio, del que Kennedy se ocupaba en persona. Al igual que su padre, Lacey había atesorado una gran cantidad de divisas. En Londres, en el transcurso de una conversación de sobremesa, se comentó que poseía enormes riquezas en todos los bancos del mundo. Había quien decía que ocultaba un tesoro increíble en algún lugar de Asia o Hispanoamérica. Y, por supuesto, también circulaban rumores sobre el oro del zar.

Joe Kennedy le abrió las puertas de Estados Unidos. Lacey inundó Wall Street con millones de dólares y aprovechó el crack del 29 para comprar una gran cantidad de empresas a un precio irrisorio. Partidario acérrimo del New Deal del presidente Roosevelt, no dejó de invertir. La guerra en Europa redujo un poco sus ganancias, si bien cuando todo acabó, vio cómo sus beneficios se duplicaron de inmediato y, unos años después, a mediados de la década siguiente, volvieron a doblarse.

Al principio, su amistad con Joe Kennedy era bastante estrecha. Los dos se parecían bastante: eran jóvenes, ricos y gustaban de las correrías nocturnas. Un fin de semana en París, se convirtió en unas vacaciones que se alargaron durante un mes y terminaron con un fastuoso viaje por toda Italia. Lacey nunca había sido un trabajador febril. Prefería la calidad a la cantidad y jamás consintió que los negocios interfiriesen en su vida privada y viceversa. Joe Kennedy, por su parte, tenía muy buen ojo para las mujeres —Lacey llegó a afirmar que se trataba casi de una necesidad patológica—. Sea como fuere, los dos hacían una buena pareja y compartieron todo cuanto se podía compartir.

En 1930, cuando apenas contaba treinta y dos años, Lacey conoció a Anthony Wells, un joven abogado que, con el paso del tiempo, obtendría la distinción de ser nombrado Caballero de Su Majestad, la reina Isabel II. No tardaron mucho en congeniar y pronto se hicieron buenos amigos, si bien nunca hicieron negocios juntos. Ninguno de los dos sabía demasiado del otro y no les preocupaba en absoluto.

Durante el verano de 1940, mientras Joseph P. Kennedy residía en el Reino Unido en calidad de embajador de Estados Unidos, buena parte de su familia visitó Londres. Audrey Lacey pasó buena parte de sus vacaciones con los jóvenes Joe Junior y Jack, el preferido de su padre. En septiembre, cuando los Kennedy regresaron a Estados Unidos, Audrey sufrió una aguda depresión. Su padre no acertaba a explicarse qué le pasaba. Una tarde, tres días después de que la aviación alemana hubiese bombardeado la isla por primera vez, Audrey, deseperada, se suicidó. Estaba embarazada. Dejó una nota en la que afirmaba haberlo hecho por J. J. Su padre intuyó que se refería a Joe Junior y rompió toda relación con su viejo amigo. Jamás volvió a verlo. Dos meses después, ciertos comentarios muy desafortunados acerca de la marcha de la guerra obligaron a Joseph P. Kennedy a renunciar a su cargo y abandonar el país. Sin embargo, Lacey no tuvo bastante. Quería vengarse.

Durante aquellos años, Lacey colaboró con Winston Churchill. Su ayuda *especial,* en palabras del primer ministro, no sólo garantizó el abastecimiento y el transporte de las tropas aliadas, sino que facilitó la comunicación con los grupos de resistentes de la Europa ocupada. No tardaron en circular rumores de toda clase, algo que a Churchill le traía sin cuidado. Se decía que empleó sus barcos para cargar mercancía obtenida por medios no demasiado ortodoxos. Incluso se habló de obras de arte desaparecidas. A buen seguro, la leyenda sobre el oro del zar tuvo algo que ver. ¿Habría algo de cierto en todo ello?

Lacey jamás logró sobreponerse al recuerdo de Lacey. Responsabilizó de todo a Joe Junior y juró que no descansaría hasta haber acabado con él. El 8 de agosto de 1944, el primogénito de los Kennedy participó en una arriesgada misión secreta. El avión en el que viajaba estalló cuando sobrevolaba el Canal de la Mancha. Lacey anotó en su diario que se valió de sus contactos para preparar el sabotaje. «Han pagado parte de la deuda —anotó con gran frialdad—, pero no hay modo en este mundo de devolverme a Audrey.»

Al final de la guerra, Lacey, que aún no había cumplido los cincuenta, se había convertido en el hombre más rico de Europa. En recompensa a los servicios prestados, se le concedió un título nobiliario. A partir de aquel momento, sería Lord Frederick Lacey. Sin embargo, no tuvo bastante: su red de influencias continuó ampliándose. Su imperio se acrecentó hasta extremos nunca imaginados. Durante los siguientes años, en plena Guerra Fría, se convirtió en el principal suministrador de bienes de lujo de los gobernantes de los países del bloque del Este. No había nada que no pudiese proporcionar... siempre y cuando se le pagase lo suficiente. Tenía contactos incluso en los puestos más altos de los servicios de inteligencia de todo el mundo. Sin embargo, jamás traicionó a ninguno de sus clientes.

Siempre se había comportado con una gran frialdad. A pesar de los duros golpes que le había asestado el destino, jamás expresó la menor queja. Nada parecía preocuparle y muy pronto Lord Lacey se revistió con un aura irresistible que lo convirtió en un asesor imprescindible de las personas más poderosas del planeta. Tenía una habilidad especial para lograr que otros actuasen como él deseaba sin que se diesen cuenta.

En la primavera de 1963, una de las mejores amigas de Audrey Lacey, Margaret Lansdowne, una mujer que ya frisaba la cuarentena, murió de cáncer. Su marido, Kenneth Lansdowne, envió a Lord Frederick un paquete con la correspondencia que ambas jóvenes intercambiaron tiempo atrás. Como era de esperar, aquel hombre no las había leído. Pensó, no obstante, que quizás reconfortaría a Lacey recuperar el testimonio de su hija. En una de ellas, Audrey dejaba bien claro que J. J. no era Joe Junior, sino John-John. Aquel dato lo sacó fuera de sí. A juzgar por lo que escribió en su diario, no mostró ningún pesar por lo ocurrido. Tan sólo indicó que debía pensar en la mejor manera de acabar con John F. Kennedy.

Siete

Luigi Pirandello estaba más cerca de estar en lo cierto que Yeats o al menos así lo creía Walter, a pesar de que no había leído al poeta irlandés desde que dejó el instituto así como de que su único encuentro con el dramaturgo italiano fuese hacía bastante tiempo atrás, en 1983, en Chicago, cuando Gloria lo llevó a rastras a una representación de *Seis personajes en busca de un autor*. No necesitaba mucho para comprender que la ilusión a menudo suele presentarse disfrazada de hechos y, lo que es aún peor, a menudo acaba por ser considerada una verdad. De acuerdo con su manera de pensar, la verdad no siempre ha de ser bella. De hecho, si se cree lo contrario, es decir, que todo es tal como se imagina, es muy probable que se pase por alto ciertos detalles muy importantes.

En principio, no creía en Dios, no en *el* Dios, el único y verdadero con el que tantas personas creen tener una relación privilegiada gracias a la cual obtienen lo que piden. Walter desconfiaba de cuanto se pudiese hacer en su nombre o a su mayor gloria, si bien a quien no soportaba era esos tipos que tenían los santos huevos de afirmar que seguían todo cuanto Dios les había dicho. Qué haría sin esos atletas que no cesaban de dar las gracias a Dios, o a su Hijo, por sus victorias. ¿Qué se creen, que Dios elige a alguno? ¿Al mejor postor? ¿Decide quien gana la Liga de Fútbol Americano? Walter no soportaba esa mascarada del *hágase la voluntad de Dios*. No le prestaba demasiada atención, pero cuando lo hacía, no aceptaba ese argumento para justificar ciertas desgracias, como la caída de las Torres Gemelas o el tsunami acaecido en 2005. ¿Qué dios los consentiría? Jamás aceptaría la idea de que una divinidad se hubiese complacido con la degollina que perpetraron los europeos a costa de los indios de América del Norte y que encima fundasen un lugar al que consideraron «la mayor esperanza de Dios puesta en la humanidad». Si Dios fuese realmente así, lo mejor sería temerlo, sobre todo si uno fuese indio. Y Walter había estado en Vietnam, donde vio cosas que ningún ser divino hubiese tolerado.

Se encontraba a gusto con la realidad: cada hecho venía respaldado por pruebas. Nunca se creyó eso de que los extraterrestres habían aterrizado en Nuevo México en 1947, ni tampoco esa patraña de las posesiones diabólicas. En cambio, estaba completamente seguro de que Neil Armstrong había puesto el pie en la Luna. Además, rechazaba de plano las teorías de la conspiración. En una ocasión, le contó a su amigo Billy que sólo ser tomaría a los ovnis en serio cuando dejasen de ser objetos voladores *no identificados*. No obstante, comprendía por qué tanta gente se obsesionaba con esas tonterías. Se trataba de una cuestión de fe, un anatema para Walter y su estilo de vida.

—La fe —le dijo a Billy, un ferviente católico practicante— consiste en creer en algo para lo que no hay pruebas —por eso decía que no hace falta que nadie hable de *objetos voladores identificados* para que éstos existan.

—¿Y no tienes *nada* de fe? ¿Nada?

—Lo dices como si me hubiese perdido algo.

—Oh, sí. Puedes estar seguro de ello —le replicó mientras movía la cabeza como si alguien le hubiese telefoneado para darle una mala noticia—. Rezaré por ti, Walter.

Recordó la conversación mientras hablaba con Conchita Crystal.

—¿Cómo cree que su sobrino ha llegado a esta situación? —le preguntó—. ¿Tiene alguna idea?

Sin levantar la vista, se sentó a su lado en un banco cercano a la taquilla donde se expendían los billetes para el transbordador que realizaba el trayecto entre Saint John y Saint Thomas. Tenían todo para ellos. No había nadie por allí.

—No lo sé —dijo—. No tengo respuesta para esas dos preguntas.

—¿Qué quiere que haga?

—Quiero que lo encuentre. Antes que ellos.

—¿Antes que quién?

—No lo sé.

—Y cuando dé con él, ¿qué hago?

—Tampoco lo sé.

—Pues debería saberlo. No puedo acercarme a él, esté donde esté, le ponga la mano en el hombro y le diga «¡hombre, estás aquí!». En el momento en que lo encuentre, habrá que hacer algo. Y, lo más importante, *él* deberá hacer algo. No tendré que cargar con él, ¿verdad?

—Ocúltelo. Quiero que se lo lleve a algún lugar seguro.

La mano de Walter se posó por un instante sobre el delicado y bronceado hombro de Conchita. Una leve brisa fresca acarició las aguas. El olor de aquella mujer iba a volverlo loco, pensó. ¿Cómo podía haber sido una niña tan fea como le había contado? De pronto, la mujer le miró fijamente y él no supo qué hacer, salvo sonreír de una manera un tanto paternal —o, al menos, eso creyó.

—Me veo obligado a decirle que no entiendo por qué todo este asunto es tan importante y peligroso. Si, según usted, Harry está al tanto de algo tan grave, no deja de ser preocupante, ya que habrá alguien en algún lugar interesado en conocerlo. De todos modos, ¿por qué corre peligro su vida? ¿Acaso se trata de un gran secreto?

Conchita no dijo nada.

—Dígame —le retó—: ¿tiene algo que ver con el asesinato de Kennedy? ¿Se trata de la CIA? ¿La Mafia? ¿Quién?

—Un hombre llamado Frederick Lacey.

—¿Me está tomando el pelo? Un hombre llamado...

—Frederick Lacey. Un inglés. Lord Frederick Lacey.

—¿Y qué ha pasado con los rusos, los cubanos y los ultraderechistas a lo Wacko? —meneó la cabeza divertido—. ¿Frederick Lacey? ¿Y quién es ese tipo?

—No estoy segura.

—¿Y qué ha hecho? ¿Está segura de lo que me dice?

—Oh, sí. Completamente segura.

—¿Por qué? ¿Qué le hace estarlo? —Conchita no dijo nada y Walter prosiguió—: Si ahora su sobrino permanece oculto en algún sitio, ¿por qué quiere que lo encuentre y vuelva a esconderlo? —tomó aire, exhaló un suave suspiro y miró a Conchita. Su rostro traslucía todas las dudas que tenía—. ¿Ha dicho Frederick Lacey?

—Eso es lo que me contó Harry. Estos problemas no me vienen de nuevas, Walter. Ni tampoco el peligro. Durante toda mi vida he tenido que habérmelas con toda clase de dificultades. Hay gente dispuesta a matarlo para mantener algo en silencio y, de paso, llevarse algo. Quizás para mantener la confesión de Lacey en secreto, o para devolvérsela, o incluso para saber qué dice realmente. Harry tiene motivos para estar preocupado. Y, sí, ha desaparecido, pero no se detendrán hasta dar con él. Nunca lo harán. Y acabarán por encontrarlo. Mi sobrino no es como usted. Da igual donde se encuentre ahora; sé que no está a salvo. Ya ve. ¿Qué le parece?

—¿Piensa que podré hacerlo antes que ellos? Quienquiera que sean...

—Conozco de sobras su reputación. No es por alabarle, pero... No es que crea que usted encontrará a Harry antes: *lo sé*. Ya ha rescatado a otras personas antes, ¿o no? A algunas incluso las habían dado por muertas. Estoy segura de que usted no sólo se hará cargo de la búsqueda; también lo salvará. ¿Verdad?

—Lo intentaré.

—Y lo conseguirá porque usted sabe todo cuanto se debe saber acerca de desapariciones y ocultamientos. ¿Me equivoco?

—Bueno, es un poco más complicado que eso, pero sí. Creo que podría decirse más o menos así. De todos modos...

—... Espero que me diga algo pronto. Ahora le ruego que cruce la calle y busque a Harry. Dese prisa y llévelo a alguna parte donde nadie pueda descubrirlo. No se preocupe por esa gente. Usted dará con el lugar más adecuado.

—Y entonces ¿qué?

—No lo sé —por debajo de las gafas de sol asomaron las primeras lágrimas.

«Dios mío —pensó Walter—. Nunca he visto unos ojos tan bellos como ésos. ¿Cómo puede llorar con tanta facilidad? ¿Le bastará con desearlo?»

—Ya lo pensaré cuando llegue el momento —intentó aclarar la voz para recobrar la compostura—. Por ahora, necesito que encuentre a Harry y cuide de él hasta que tomemos una decisión. Ocúpese de todo y, cuando haya escogido un buen refugio y me comunique que está bien, veré qué puede hacerse.

Walter bajó la cabeza, apoyó las manos sobre las rodillas y miró las traviesas de madera del malecón. A través de las fisuras, se veía el centelleo del agua. «Debo de estar loco», pensó.

—Veinticinco mil por semana. Y dos semanas como mínimo. Más dietas y por adelantado. En efectivo.

—Vaya, ya veo que usted no es Philip Marlowe.

—¿Que no soy quién?

—Si no es un aficionado a las películas antiguas, entonces ¿qué es usted? —el desconcierto de Walter parecía divertirla—. Philip Marlowe era un detective privado. *¿El sueño eterno?* ¿Humphrey Bogart? —le miró, pero no apreció ni la menor mueca—. Marlowe sólo cobraba veinticinco dólares diarios. ¡Ni que le hubiese encargado que recuperase el oro del zar!

—¿Qué? ¿Qué es eso del oro del zar?

—Sólo es un dicho, como lo de «todo el té de China».

Si esperaba algo, una reacción, por sutil que fuese, estaba equivocada. Walter no dijo nada. Finalmente, Conchita Crystal desplegó una de sus seductoras sonrisas y le preguntó:

—¿En efectivo?

—Sí —asintió. Una amplia sonrisa borró su rostro impasible.

—Esta tarde le haré llegar el dinero a su casa. ¿Cuándo empieza?

—Acabo de hacerlo.

Ocho

1920

Una brisa cálida, el aroma de las flores frescas y el gorjeo de los pajarillos recién nacidos anunciaron a Inglaterra el inicio de la primavera y dejaron atrás el severo invierno. Frederick Lacey creía que el mismísimo Dios había compuesto una sinfonía con un poderoso crescendo dedicada a Aminette y en la que los sentidos parecían exaltarse en una armonía celestial. El segundo jueves de mayo, Aminette Lacy dio a luz. De acuerdo con los cálculos, el bebé no esperaría dos o tres semanas más. Frederick lo había preparado todo para el nacimiento del bebé. Su esposa la tendría en un lecho de palisandro hecho a mano y traído en barco desde Indonesia para dar la bienvenida al nuevo miembro de la familia Lacey. Viajó alrededor del mundo bajo la bandera de uno de sus navíos mercantes, bautizado con el nombre de *Aminette*.

Algo iba mal. El doctor, la comadrona y las enfermeras acudieron de inmediato. Aminette sufrió una hemorragia que no pudo controlarse. Mientras su delgado cuerpo se desangraba, miró con tristeza a su marido. Sabía que aquel hombre, capaz de cualquier cosa, no podía salvarla. Murió con la sonrisa más serena que Frederick hubiese visto jamás mientras sus brazos sostenían a la recién nacida. Lacey suplicó a su joven esposa que no lo abandonase, como si pudiese mantenerla viva en este mundo. Lo último que vio antes de cerrar sus ojos fue el rostro de Frederick, demudado por el dolor y arrasado en lágrimas. Su hija se llamó Audrey.

En menos de una semana, Jamal-Adín Messadou emprendió un arduo viaje desde Georgia hacia Londres. Lacey aguardó a que su suegro llegase para dar sepultura a su esposa. Estaba completamente destrozado. Tan sólo su instinto lo mantenía en pie. Jamal-Adín pronto se recuperó de la pena: se había enfrentado con la muerte en más ocasiones que su yerno y estaba mejor preparado para sobreponerse a la desgracia, algo que debían hacer los dos cuanto antes. Para Jamal-Adín el tiempo era un lujo del que no podía disponer. El futuro de sus gentes estaba en sus manos. Los bolcheviques habían jurado matarlo y acabar de una vez por todas con la Federación Transcaucásica de Daguestán, Azerbayán y su amada Georgia. La muerte inesperada de su hija fue un duro golpe, amortiguado tan sólo por el nacimiento de su nueva nieta, si bien la herida tardaría en cicatrizar. La desaparición de Aminette suponía el fin de tan sólo una vida humana y él, aun siendo su padre, era el descendiente directo del gran Samil, el León de Daguestán. El dolor y el cruel sufrimiento al que se veía abocado debía padecerlos a solas. Una mujer... o un hombre... no eran tan importantes. La destrucción del país y de aquellas gentes que habían depositado en él no sólo toda su confianza, sino también sus vidas y las de sus familias, sería mucho peor. Informó a Lacey de que no permanecería allí por mucho tiempo. Cuando llegó el momento de marcharse, los dos hombres se miraron. Tras un firme apretón de manos, se abrazaron y comenzaron a llorar. Jamal-Adín tan sólo esperaba respeto y silencio. Que nadie los molestase. Pasaron dos años y medio antes de que aquellos dos hombres volviesen a saludarse.

Solly Joel se encontraba en Londres por aquella misma época. Acababa de regresar de un largo viaje por África del Sur para disfrutar de sus dos grandes amores: una mansión de quince habitaciones llamada Maiden Erlegh House, a las afueras de Reading, y las carreras de caballos, a las que consideraba un deporte digno de reyes. A través de su compañía de ferrocarril, la City & South London Railway, Joel había conocido a William Lacey. Había oído hablar del joven Frederick y estaba al tanto de cómo había ganado un prestigio y una reputación incontestables gracias a sus logros durante la Gran Guerra. Sin embargo, aprovechó la circunstancia de que Jamal-Adín se encontraba con él para hacerles una visita y presentarles sus respetos —o, al menos, tal fue la razón que dio—. Recibió una invitación para cenar con los dos la víspera del regreso del prócer a su Georgia natal. Se acomodaron en el comedor, una estancia en la que podrían sentarse a la mesa más de tres docenas de comensales. Tras los pésames de rigor, Joel les indicó que tenía otro motivo para visitarlos, más importante si cabe.

Solomon Barnato Joel —«sólo Solly», decía tanto a los más poderosos como a los más humildes— podría haberse convertido en el hombre más rico del mundo. No era fácil hablar del asunto, sobre todo porque debía referirse a ciertas cuestiones muy personales y más en aquellos días. A raíz de la misteriosa muerte por estrangulamiento de su tío, Barney Barnato, fundador del cártel de diamantes DeBeers, el joven Solly Joel asumió el control total de aquella gran empresa y amplió el negocio hacia la extracción de oro. No tardó mucho en dominar los mercados mundiales de piedras y metales preciosos. Con un carácter arrollador, un tanto bravucón y ansioso de recabar la atención de todo el mundo, pronto se hizo un lugar entre los grandes emprendedores y magnates de la industria que supieron atraerse el favor del público. Sin pensar en los beneficios, adquirió el famoso teatro de Drury Lane, en Londres, y organizó la cuadra con los mejores caballos de carreras del mundo.

Su aventura más osada, sobre la cual circulaba un sinfín de habladurías, consistió en un extraño y misterioso encuentro con los rusos. Cuando los bolcheviques depusieron al zar en 1917, se sintieron un poco incómodos al convertirse en los mayores propietarios de diamantes del mundo. En un acto de rapiña sin precedentes, se apoderaron del tesoro nacional ruso, acumulado durante varios siglos, entre cuyas riquezas se hallaba una colección de gemas de valor incalculable. Desperados por obtener dinero en una divisa fuerte y asqueados por los excesos cometidos por los zares, se convirtieron en una presa fácil para Solly Joel, quien les ofreció un cuarto de millón de libras, una suma exorbitante en la moneda más preciada del momento. Además, Joel exigió algo insólito: quería recibir el lote completo *tal como estaba*. Los rusos aceptaron, lo cual demostró no sólo su ignorancia en cuestiones económicas, sino también su incapacidad para darse cuenta de que se abría una nueva era para las finanzas internacionales. Entregaron los bienes —empaquetados en catorce cajas de cigarros— y Solly Joel hizo la transferencia según lo convenido. A pesar de lo chocante que pudiera parecer —al menos, de acuerdo con la más estricta lógica—, ambas partes concluyeron la transacción con aparente satisfacción. Una de ellas salió perdiendo. Y no se trataba de *Sólo Jolly*. Para asegurarse de que se quedaba con la colección completa, Joel pensó que podría vender las piezas falsas, presentadas como las posesiones secretas encontradas en la mazmorra donde fue confinado el último zar. Cuando ocurriese, el mercado internacional de piedras preciosas quedaría fuera de control. De este modo, salvaguardaría el resto del lote de posibles fluctuaciones de precios y buscaría otros compradores. Además, evitó ponerlas a la venta de una sola vez. A lo largo de los siguientes años, hasta su muerte en 1931, Solly Joel reintrodujo, tal como él decía, pieza a pieza, algunas de las joyas más espectaculares nunca vistas. Su maestría fue tal, que los precios, en lugar de bajar, aumentaron. Tal como puede imaginarse, los bolcheviques ignoraban el valor real de las gemas. Habían interpretado el papel de cristianos a los que se echa a los leones: carne fresca para un depredador. Solly Joel les entregó aquella suma sin dudarlo porque estaba al tanto de que el valor real de las piedras era veinte o, incluso, cincuenta veces superior al que había pagado. En la actualidad, quien conozca el mercado de diamantes, sabrá que valen cien veces más. *Sólo Jolly* se imaginó que aquellos rusos eran bastante tontos... y acertó. ¿Y por qué no habían de serlo también los georgianos? El propósito oculto de su visita a Jamal-Adín Messadou tenía que ver con unas monedas de diez rublos con la efigie del zar Nicolás II. Según le habían contado, el sobrino del León de Daguestán tenía toneladas.

Nueve

En la actualidad.

Durante el último año de su reinado, Nicolás II, zar de todas las Rusias, mandó acuñar una nueva moneda de diez rublos. Evidentemente, el retrato debía ser lo más fiel posible y se escogió su perfil izquierdo, que siempre había considerado el mejor. Además, debería ser de oro, de 0,2489 onzas, para ser exactos. El precio internacional de este metal, en 1917, se había fijado en 20,67 dólares la onza, por lo que cada pieza, según los cálculos de Chita, debería de costar 3,10 dólares en su día, si bien, de acuerdo con la cotización actual, ascendía a unos setenta y cinco. No pudo contener un silbido cuando pensó en el valor que tendrían cuatro millones de monedas.

Por lo que había podido saber, la mayor parte se encontraba en Suiza. Había otras en Francia, pero ninguna en Rusia. Cuando los bolcheviques destronaron al zar, cancelaron todos los contratos y reclamaron la devolución de un oro que no emplearían precisamente para la acuñación de monedas con el rostro del antiguo tirano. Sin embargo, ni los suizos ni los franceses se mostraron dispuestos a obedecerlos sin más. Según dijeron, debían tenerse en cuenta ciertos costes adicionales. Aunque no dieron demasiadas explicaciones al respecto, dejaron claro que la interrupción del proceso acarrearía costes adicionales. Tal como explicaron a sus clientes, había que hacer las cosas bien. Seguirían con el proceso. Los rusos —es decir, los nuevos responsables— creyeron que bastaba con dar el alto y esperar a que se les reintegrase el oro. Aquel inglés, Solly Joel, había puesto en evidencia el desconocimiento de los comunistas en todo lo referente a los diamantes. Louis Devereaux disfrutaba contándole la historia. «Bueno —le confesó—, aún sabían menos de oro.» Estaban tan indignados con la idea de que apareciese el rostro brillante del zar en las monedas, que ordenaron a las cecas suizas y francesas la fundición de todas las que se hubiesen acuñado hasta el momento, incluidas las que estuviesen a medias, y que enviasen los lingotes de vuelta a Moscú. Sin embargo, no habían acordado ningún plan posterior. Debían ocuparse de otros asuntos más urgentes. Además de exigir su devolución, amenazaron con emprender acciones en el caso de que alguno de los proveedores se retrasase o se negase a atender sus peticiones. ¿Cómo explicarlo...? Se comportaban como viajeros inexpertos que se ven obligados a tomar un camino desconocido. Ninguno había tratado con banqueros anteriormente. Nadie estaría dispuesto a deshacerse de una cantidad tan grande de oro sin que hubiese sangre de por medio... o corriese el peligro de tener una muerte lenta y dolorosa. ¿Cómo se podía ser tan tonto? Chita pensó por un momento que ella se parecía en parte a esos comunistas que se habían apoderado del imperio del zar. ¿Acaso no era resuelta, enérgica y confiaba en sí misma? Sin embargo, no cabía duda de que —y en eso sí que era muy diferente— los rojos no tenían ni idea de dinero y mucho de menos cómo se las gastaban quienes lo tenían bajo su control. Ningún banquero quiere que le corten el cuello, sino que más bien hará todo lo posible para mantener lo que es suyo y, de paso, lo de sus clientes. Lo sabía de sobras y temía perder toda su fortuna y, con ella, su estilo de vida, por lo que no sentía mucha lástima por los rusos. No se imaginaban con quienes tenían que vérselas.

Ciertos acontecimientos se dejan sentir con mayor rapidez en el ámbito de las finanzas que en el de la política o, incluso, el del gobierno. Los rusos no demostraron tener demasiados miramientos a la hora de administrar su casa. De hecho, se despreocuparon. Que si revolución por aquí, que si revolución por allá... y vendieron la piel del oso antes de haberlo cazado. Sin embargo, no contaron con los grandes magnates de las finanzas internacionales. Cuando intentaron hacer algo y actuar con una mayor contundencia, los banqueros europeos —para los que Solly Joel era un héroe— les habían dejado sin nada. Los bolcheviques, tras dilapidar sus reservas de oro, impidieron que las monedas de diez rublos con la efigie del zar tuviesen el curso legal. Pero el oro es el oro, sobre todo en tiempos de guerra, y circularon a lo largo de todo el antiguo imperio, ahora propiedad de los comunistas, quienes, llevados por su pobreza intelectual, pensaron que poseían los bienes de producción.

Las historias que contaba Devereaux sobre Frederick Lacey, su suegro y las montañas de monedas arrebatadas de las garras del tirano le encantaban. ¿Serían ciertas? ¿Acaso los georgianos confiaron tanto en alguien como Lacey? Lo ignoraba. No estaba segura y poco podía decir nada al respecto, aunque no quería descartar nada. Es más, deseaba que todo cuanto le había explicado fuese verdad. Le fascinaba que Frederick Lacey fuese la única persona que supiese dónde se hallaba el oro. ¿Se hallaría el secreto en su diario personal, sobre el que Louis le había hablado tanto? ¿No se estaría haciendo demasiadas ilusiones? La cuestión no era sencilla, pensó. Según Louis, la confesión de Lacey era la clave de todo y si bien el asesinato de JFK era lo más importante, el oro del zar podría considerarse una especie de recompensa o, como le decía a menudo, el regalo que pensaba hacerle.

Diez

Volvía a tener trabajo. Al menos, eso le había dicho a Conchita Crystal. Sin embargo, no sabía por dónde empezar. Carecía de información sobre Harry Levine e ignoraba qué estaba pasando —o mejor: qué estaba pasando *en realidad*— y en qué clase de problema se había metido aquel tipo. Por lo que Chita le había contado, tenía algo que ver con la verdad sobre el asesinato de Kennedy, si es que ese Frederick Lacey era real. Después de la charla en el malecón, habían quedado en verse de nuevo aquella misma tarde en su casa.

—Tráigame todo cuanto tenga —se refería no sólo a la información que tuviese sobre Harry, sino también al dinero—. Piense que debo saber lo mismo que usted.

Había vuelto a su asiento en Billy's, donde no cesaba de dar vueltas a todo lo ocurrido aquel día, el mismo en que comenzó a trabajar para Chita Crystal. No tardó en darse cuenta de que sabía muy poco sobre su sobrino. Dio con él un par de años después de que su madre hubiese muerto. Según ella, «quedó encantado» al saber que ella era su tía.

—Le parecía bastante divertido, aunque no le impresionó demasiado —le explicó.

—Hay algo... —repuso Walter, mientras buscaba la palabra exacta.

—Lo sé, lo sé... Un buen día aparece su tía sin saber de dónde, como si hubiese caído del cielo.

—Y, por si fuera poco, es una de las mujeres más famosas del mundo.

—Y también una de las más ricas. No lo olvide —añadió con una sonrisa, la misma que había convertido en su marca personal. Walter volvió a luchar consigo mismo para mantener la concentración.

Harry Levine era un «buen chico» —o al menos así se lo describió ella—. Intuyó que Conchita quería decir que Harry era una persona normal y corriente. Sin saber por qué, siempre relacionaba ambas expresiones. Chita, como al final Walter se avino a llamarla, no había pasado demasiado tiempo con su sobrino. Cuando se encontraron, ya era todo un hombre y ambos estaban muy ocupados. Por suerte, ella debía viajar continuamente a causa de su trabajo. Mientras iba desgranando la historia, se había sentado en una de las sillas de la cocina y miraba un tanto absorta una de esas tormentas caribeñas que suelen desatarse al atardecer y que caía con fuerza sobre la fachada que daba al mar. Antes de conocer a Harry, se encontró con Sadie Fagan en Atlanta, poco después de la muerte de Elana. Viajó expresamente a Londres para ver a su sobrino, no sin despertar la atención de los medios, pues era imposible evitarla en un país, el Reino Unido, donde se considera que los famosos son más interesantes que la familia real y Chita gozaba de una celebridad similar a la que tenía en Estados Unidos. Hizo cuanto pudo para proteger a Harry. Tras varios días de acoso fotográfico —por suerte, tan sólo tomaron una instantánea en la que se la veía con él—, regresó a casa y Harry no volvió a ser molestado por la prensa. Tal como aclaró, debía volar a menudo a Europa por cuestiones de trabajo y de vez en cuando aprovechaba la estancia para visitarlo, ya fuese en Londres o en París. En una ocasión viajaron juntos a España. De todos modos, no estuvieron juntos más de media docena de veces. Walter la escuchaba con paciencia, aunque Chita no tenía mucho más que decir.

—Lo siento. Creo que no puedo serle más útil.

La joven ama de llaves trajo una tetera y un platillo con frutos secos. Los colocó sobre el banco de la cocina, a una cierta distancia de donde se encontraban, y les ofreció sendas tazas de té.

—Gracias, Denise —sonrió Walter.

—Es encantadora —le susurró después de que la joven se hubiese marchado.

—Es la sobrina de Clara —por su tono, no parecía que hubiese caído en la cuenta de que Conchita no la conocía.

—¿Clara?

—Mi ama de llaves, cocinera, protectora y, por decirlo así, mi segunda madre. Llevaba tanto tiempo conmigo que ya no me acuerdo de cuándo llegó —su mirada se enterneció. Por un momento, Chita deseó consolarlo. «Vaya, ese viejo cascarrabias —pensó— tiene también su lado sensible.»

—¿Murió?

—Sí. Hace tres años.

—Y la echa de menos.

—La echo de menos.

—Me hago cargo. Y Denise, ¿trabaja bien? —Walter asintió.

Conchita Crystal dio un vistazo alrededor. No había duda: se trataba de la casa de un hombre. La televisión en el salón —por un momento pensó que parecía un anfiteatro— tenía la pantalla más grande que jamás había visto. «No me imaginaba que las pudieran fabricar de ese tamaño», le dijo. Los muebles eran cómodos y, a pesar de que Conchita no pudo identificar la marca o el estilo, parecían de buena calidad. «Quizás esto es lo que llaman *ecléctico*.» Los suelos eran de tarima, muy bien teñida, limpia y brillante. Los cubrían algunas alfombras. La estancia, con una cocina abierta, era tan amplia que costaba hacerse la idea de que se trataba tan sólo de una parte de la vivienda. La pared más lejana era un inmenso ventanal que llegaba hasta el techo. Mediría unos diez metros de largo y estaba formado por tres puertas correderas que daban a una terraza de madera que rodeaba a toda la casa. Por lo que pudo ver, estaba cubierta en parte por una marquesina inclinada bajo la cual se habían colocado una mesa y seis sillas de mimbre. En la otra punta se adivinaba una barbacoa y, un poco más allá, una especie de bañera protegida por un toldo de color azul. A pesar de la lluvia, Conchita divisó la ladera de la montaña y siguió su perfil hasta llegar al mar. No daba crédito a aquellas maravillosas vistas ni tampoco a aquella casa —que encontraba extrañamente familiar—. De pronto dejó escapar un profundo suspiro: la tormenta dejó paso a los primeros rayos de sol y tuvo la sensación de que ya había visto demasiado.

Walter preguntó mucho sobre Harry. Quería hacerse una idea de su carácter —gustos, costumbres, inclinaciones e, incluso, defectos—. Conchita le explicó cuanto sabía y, aunque no era mucho, Walter comenzó a esbozar mentalmente un retrato del joven. No se trataba de una imagen más o menos fidedigna, pues la actriz ya le había entregado una fotografía, sino de un perfil psicológico. Si lograba descubrir qué tipo de persona era, sabría la clase de escondrijo en la que podría encontrarlo. Siempre había sido así. Gracias a sus muchos años de experiencia, Walter pudo imaginarse quién era Harry Levine. Cuanto más pudiera saber de él, más sencillo sería seguir su rastro y prever sus movimientos.

—Hábleme de la Universidad Tulane —le pidió. Y, después de que Conchita hubiese terminado, le preguntó por Filadelfia, aunque Walter estaba más interesado por Roswell, en Georgia.

—No sé mucho al respecto.

—Pero Harry creció allí.

—Sí, pero por aquel entonces no sabía nada de mi hermana. No conocí a Harry cuando era niño. Debería hablar con su tía Sadie.

—Lo haré.

—Podrá contarle mucho más que yo. Hable con ella.

—Sí, lo haré.

—Aunque no tenemos mucho tiempo...

—Bueno, sobre eso no podemos estar seguros. ¿O sí?

Chita alargó la mano, quizás con una afectación mayor que cuando se encontraron en Billy's. De nuevo, sus finos y largos dedos, con sus uñas pintadas de un rojo brillante, se posaron sobre su antebrazo. Era la primera vez que lo tocaba desde que había entrado. Sus ojos se apoderaron de Walter, quien se sintió como un perrillo ante su ama o como un pez que no podía resistirse ante el anzuelo.

—Por eso estoy tan preocupada. Usted debe encontrarlo antes de que sufra cualquier daño.

—Claro —apenas podía respirar—. No sé qué está pasando en realidad, pero no dudo de que me lo haya contado todo. Sin embargo, usted me ha comentado que alguien le dio algo. Algo sobre un tal Lord Frederick Lacey. Su sobrino Harry tiene algún documento en el que se afirma que Lacey asesinó a Kennedy. Si le he entendido bien, se trata de una especie de confesión. Pero ¿quién se la entregó?

—No lo sé. No me lo dijo.

—Por otra parte, quiere que encuentre a Harry antes de que *ellos* lo hagan. Sin embargo, no me ha dicho quién o quiénes podrían ser.

—También lo ignoro —repuso en un tono que dejaba traslucir una cierta irritación. De hecho, ya se lo había dejado claro antes—. Si supiera algo más, se lo diría. ¿O acaso no me cree? —había agotado su paciencia y comenzaba a impacientarse. Sus labios se apretaban con firmeza, hasta el punto de desdibujarle por completo la boca. Se habían formado unas pequeñas arrugas en las comisuras y en el entrecejo que le daban un aspecto resuelto. Walter no pudo resistirse a pensar lo bella que era. Por un momento deseó rodearla con sus brazos para decirle que haría cualquier cosa por ella, lo que fuese, lo que ella quisiese. Cualquier cosa. Cualquiera. Con tal de tenerla allí, sería capaz de decirle cualquier cosa.

Pero se mantuvo en silencio.

Once

Durante su primer año en Londres, un contratista estadounidense especializado en defensa solicitó a Harry Levine su asesoramiento para llevar a buen puerto ciertas negociaciones con una de las compañías navieras de Lord Frederick Lacey. Las leyes de ambos países establecían duras penas para quienes comercializasen de manera indebida ciertos componentes de uso militar, por lo que Harry hubo de asegurarse de que la empresa cumplía con todos los requisitos exigidos por el gobierno británico. El proyecto le llevó casi un mes. Leyó todo cuanto encontró sobre la vida y milagros de aquel anciano. Sin embargo, ignoraba más de lo que sabía de él.

Recibió la llamada un húmedo, helado y triste sábado de febrero por la mañana, uno de esos días tan habituales en el invierno inglés. Los británicos parecen tener un perversa preferencia por ese tipo de tiempo —para consternación de muchos forasteros, que simplemente lo odian—. La mayor parte de los estadounidenses prefieren el Londres primaveral. Poco después de las nueve, sonó el teléfono en la embajada de Estados Unidos. La atendió el recepcionista que hacía la suplencia los fines de semana y, tal como se esperaba, la pasó al despacho del embajador, McHenry Brown, quien, sin embargo, no se encontraba allí, sino a unas dos horas de la capital, dando cuenta de su desayuno justo antes de jugar al tenis con un amigo muy especial en la pista cubierta de un hotel de sobras conocido por su discreción. Al otro extremo de la línea aguardaba Sir Anthony Wells el abogado más veterano del bufete Herndon, Sturgis, Wells & Nelson. De una manera en absoluto frecuente para alguien de su posición, Sir Anthony se había encargado de marcar el número.

La secretaria del embajador, Elizabeth Harrison, se hizo cargo de todo, tal como era habitual cuando éste se tomaba los sábados libres. Se limitó a informar a Sir Anthony de que el señor McHenry Brown no estaba «disponible en ese momento». Su interlocutor se disculpó por haber alterado la tranquilidad «en un día sin duda tan hermoso». La señora Harrison estaba al corriente de que Sir Anthony había visto muchas mañanas de invierno como aquélla a lo largo de sus cien años de vida. Durante un momento, se dejó llevar por la imaginación y se deleitó con algunas estampas de aquellos días tan lejanos, con lámparas de gas, estufas panzudas, plumillas, navíos atiborrados de mástiles y... Pero volvió en sí. Por aquel entonces, como sabía demasiado bien, muchos estadounidenses que pasaban largas temporadas en Inglaterra consideraban que en aquellos sábados de invierno no había nada importante que hacer. Ignoraban que se podía tomar té, leer plácidamente la prensa, sentarse al lado del fuego y escuchar a Mozart. De todos modos, indicó de nuevo a Sir Anthony que el embajador no estaba «disponible». No obstante, insistió:

—En ese caso, ¿sería posible que el embajador acudiese a mi despacho a las diez... esta misma mañana?

La secretaria no dijo nada y Sir Anthony prosiguió:

—Se trata de un asunto personal. Es preciso que se encuentre conmigo aquí.

La mujer se sorprendió al saber que el señor Brown conociese a Sir Anthony. Estaba al tanto de quién era, por supuesto, pero ¿acaso había tenido la ocasión de tratarlo en persona? McHenry Brown era ciertamente muy sociable. No en vano, era el embajador de Estados Unidos ante la corte de Saint James, mandada construir por Enrique VIII y que a la sazón contaba con casi quinientos años de antigüedad. Las obras comenzaron en 1531 y un lustro después, en 1536, estuvo preparada para recibir a la familia real. Durante tres siglos fue la residencia de los monarcas ingleses hasta que, en 1837, la reina Victoria decidió cambiar y, haciendo alarde de su independencia de carácter, se trasladó al palacio de Buckingham donde ella y sus sucesores hicieron gala de todo su esplendor. Sin embargo, Saint James jamás dejó de estar considerado la sede real, por lo que todos los embajadores debían presentar allí sus credenciales. Para McHenry Brown se trataba de un honor no exento de placer, gracias a su don de gentes y a su capacidad para moverse por las altas esferas. No cabía duda de que Sir Anthony debía de ser alguien importante y la señora Harrison intentó recordar cuál era la última vez que había asistido a un acto público. A su edad, una ausencia en este tipo de eventos estaba más que justificada... o, al menos, así lo esperaba.

En cuanto a sus socios del bufete, el señor Herndon había muerto setenta y cinco años atrás, Sturgis hacía casi la mitad que había desaparecido y Nelson ya llevaba enterrado un cuarto de siglo. Sólo Sir Anthony se mantenía vivo. Llevaba más de setenta años como socio del bufete de abogados más importante de la capital. En su tiempo, fue uno de los letrados más poderosos. Pero ya hacía mucho que todo aquello había pasado, sobre todo para la señora Harrison. Todo el mundo sabía que durante décadas se ocupaba de los asuntos más importantes de los miembros más prominentes de las elites británicas. A pesar de todo, todavía no acertaba a comprender cómo podía haber entrado en contacto con el embajador. Quizás hubiesen trabado una de esas amistades tan comunes entre extranjeros, pensó, aunque a juzgar por el tono de voz, no lo parecía. En cualquier caso, optó por olvidarse de todo aquello. Al fin y al cabo, sabía perfectamente dónde se encontraba el señor Brown y qué hacía con su amigo, y estaba segura de lo que haría cuando terminase el partido de tenis. Una cita con Sir Anthony Wells aquel día, sea cual fuere la hora, era impensable.

Elizabeth Harrison había trabajado para McHenry Brown desde sus días de Wall Street, hacía ya unos veinte años. Confiaba plenamente en ella; tenía motivos de sobra para ello. Cuando fue nombrado embajador en el Reino Unido, un puesto por el que había pasado Joseph P. Kennedy, la señora Harrison convenció a su marido, Norman, para que solicitara un traslado a la sucursal que la agencia de publicidad para la que trabajaba tenía en Londres. Dicho y hecho. Hubo quien dijo que ella estaba dispuesta a irse sola, tal era la devoción que sentía por su jefe. Velaba por todos sus intereses y protegía su vida privada con un celo y una competencia que no pocos hombres alababan en público y envidiaban para sus adentros, hasta el punto de que más de uno le ofreció doblar su sueldo si pasaba a su servicio.

—Por supuesto, Sir Anthony. Las diez será una buena hora —respondió con toda naturalidad.

Y recibió las instrucciones precisas para que el señor Brown entrase por una puerta lateral del edificio de la firma Herndon, Sturgis, Wells & Nelson. Sir Anthony estaría solo en su despacho. Al fin y al cabo, se trataba «de un sábado por la mañana y no habría nadie para atenderlo. Únicamente me encontrará a mí».

—Estoy segura de que el embajador no tendrá ninguna dificultad para dar con usted —le contestó, a pesar de que sabía perfectamente de que el señor Brown no iría. De todos modos, Sir Anthony estaba al tanto de ello.

Tras comprobar la lista del personal matutino, telefoneó al oficial de más alta graduación que se encontraba en las instalaciones.

—Harry, ¿podrías venir al despacho del embajador de inmediato? Debes encargarte de algo muy importante.

Harry Levine no era ajeno a la jerga diplomática. En ese lenguaje tan peculiar, una expresión como *muy importante* no lo era tanto como la palabra *muy*. Cuando algo lo era realmente, se lo consideraba *vital;* en el caso de que existiese algún riesgo para la vida de alguien, se hablaba de *extremadamente importante* y si el peligro era inminente, si la amenaza era clara, se decía que la situación o el asunto eran *críticos*. No sólo Harry estaba al tanto de este código; también lo conocía Elizabeth.

En el organigrama de la embajada, una larga relación de agregados, secretarios, adjuntos y asistentes, así como otros cargos, todos ellos acompañados por una sucinta descripción de sus funciones, la señora Harrison aparecía como una simple asistente administrativa, pero Harry estaba completamente seguro de que era la jefe del estado mayor. No en vano, sus palabras tenían el mismo peso que las del embajador y, aunque no aparecía en ninguna de las páginas de los manuales del Servicio Exterior ni en la normativa vigente, la existencia de este tipo de personas era bastante frecuente en todas las embajadas del mundo. Sobre todo en las estadounidenses. Los hombres más poderosos, tanto en público como en privado, solían confiar e, incluso, depender de sus secretarias. Un diplomático francés que daba la impresión de tener más intimidad con su amante que con su esposa explicó a Harry en una ocasión que sospechaba que los estadounidenses se pasaban la vida buscando la aprobación de sus madres. «Creo que se equivoca», le respondió, lo cual hizo reír a su amigo.

El lugar que Harry ocupaba en ese organigrama se encontraba en la parte más baja de la cadena de mando. Le habían nombrado agregado comercial, especializado en cuestiones legales. Sonaba bien, pero el título tan sólo indicaba que ocupaba un escalafón sin demasiada importancia. Había cerca de dos docenas de colegas del mismo rango en Londres. No se trataba de un cargo político, sino que dependía del Servicio Exterior —en otras palabras: representaba al país, no al gobierno—. Su labor consistía en asesorar a los hombres de negocios estadounidenses en todo lo necesario para que pudiesen prosperar en el Reino Unido. Su cargo era eminentemente técnico, quizás uno de los más importantes a la hora de conseguir que los intereses norteamericanos fuesen compatibles con la legislación británica. El hecho de que existiese una cierta afinidad entre las dos tradiciones legislativas y compartiesen la misma lengua hacía todo más sencillo. A pesar de que en ocasiones debía ocuparse de detalles demasiado insignificantes, su trabajo le gustaba tanto como Inglaterra. Era lo suficientemente listo como para saber que no le convenía ser demasiado ambicioso, ya que si se preocupaba demasiado por obtener un puesto mejor, quizás le asignasen un destino que no deseaser en absoluto. Prefería, a cambio, quedarse con una plaza permanente en Londres, algo que, para él, constituía todo un éxito. Además, era bueno y gustaba a los empresarios estadounidenses, gente muy importante y con cierta influencia en la política. Cuando lo consideraba oportuno, Harry les proponía sin ningún reparo si podía hacer algo para que sus estancia fuese más grata. Con el paso de los años, había logrado un estatus que lo salvaguardaba del caprichoso turno de rotación del Servicio Exterior.

Harry estaba dispuesto a cumplir con todo cuanto desease Elizabeth Harrison, por muy nimio que fuese. Además, aunque se tratase de una broma, él era aquel sábado el empleado de mayor rango en la embajada. Por eso acudió de inmediato.

—Allí estaré —le dijo.

En lugar de tomar uno de los coches oficiales, prefirió ir en taxi hasta la sede de Herndon, Sturgis, Wells & Nelson. Por lo general, solía desplazarse a pie siempre que le era posible. Londres le gustaba más que cualquier otra ciudad del mundo. Estaba pensada para los peatones. La seguridad y la comodidad de sus calles era una de las razones por las que descollaba entre las demás capitales. No guardaba un buen recuerdo de Roswell ni de Atlanta. Ni tampoco de Nueva Orleans, donde solía perderse con demasiada frecuencia. Y de Filadelfia, para qué hablar: o la tomabas o la dejabas. Muy complicada. La facultad de Derecho había resultado más aburrida de lo que se esperaba; algo necesario, sí, pero por lo que no volvería a pasar. Londres era lo que siempre había estado buscando, aunque, evidentemente, no lo supo hasta que llegó.

Cuando se incorporó al Servicio Exterior, Harry asistió a un curso acelerado sobre crueldad callejera. Su primer destino fue Ankara, en Turquía, donde pasó dos años no muy agradables pero sí aleccionadores. De allí pasó a El Cairo, en cuya embajada estuvo otros dos. Cuando fue destinado a París, Harry había logrado sobrevivir casi un lustro en lugares que, si bien no pertenecían al Tercer Mundo, se le asemejaban bastante. Aunque no lo necesitaba en absoluto, se había acostumbrado a moverse por tortuosas callejuelas no siempre limpias. La estancia en Francia fue muy diferente; lo más parecido a unas vacaciones. No sólo todo estaba limpio y aseado; los franceses con los que hubo de tratar se mostraron siempre diligentes —a diferencia de los turcos y los egipcios, el cambio de dinero no suponía un lento y complejo ceremonial—. Sin embargo, cuando fue enviado a Londres, sintió que, por primera vez en su vida adulta, tenía un hogar.

Encontró un apartamento en el Soho, a un paso de Regent Street, a medio camino de la embajada y Grovenor Square. Al principio, dedicó buena parte de su tiempo libre a deambular por diversos barrios de la ciudad, entre aquellos edificios que habían sobrevivido el paso de los siglos y, sobre todo, los bombardeos. De vez en cuando, se dejaba caer por las librerías Foyle's o Blackwell's de Charing Cross Road o en las pequeñas y atestadas tiendas de discos de Oxford Circus en busca de alguna rareza. Harry consideraba que se había convertido en su ciudad, un lugar que creía tan eterno como la abadía de Westminster, tan fuerte como la Torre de Londres y tan estable como el palacio de Buckingham. De hecho, era el único sitio del mundo donde podía encontrar la verdadera serenidad.

Cuando era completamente imposible ir a pie y debía tomar algún medio de transporte, optaba siempre por el taxi y no por los coches oficiales. Poseían un significado muy especial, ya que estaban muy ligados a su madurez y a la imagen que tenía de sí mismo. En su juventud, mientras vivía en Atlanta y Nueva Orleans —y, por supuesto, durante los tres fríos años que debió pasar en Filadelfia—, los taxis le aportaban la libertad e intimidad que necesitaba. Bastaba con tomar uno, indicar a un extraño adónde quería ir, y quedarse allí atrás completamente solo y en silencio, sin que nadie lo molestase. Por aquel tiempo, recordaba, no disponía de ningún otro sitio que pudiera controlar a su gusto y experimentar, aunque fuera de manera momentánea, una vaga sensación de anonimato que se le antojaba liberadora.

Este rasgo de su carácter lo acompañó en su periplo de ultramar: en Turquía y Egipto consideraban una locura su decisión de ir siempre en taxi. Solía pararlos sin ningún miramiento en las puertas de los hoteles, restaurantes o cafés. En más de una ocasión le explicaron lo peligroso que era e incluso un funcionario más veterano de la embajada de El Cairo le reprochó que pusiera «en jaque a todos los estadounidenses que residían en Eigpto» por su irresponsabilidad. Jamás habría imaginado que se tratase de una cuestión tan espinosa. En París, por suerte, su costumbre no despertó ninguna suspicacia —de hecho, Harry se las arregló para pasar completamente desapercibido— y en Londres, por fin, logró que se tratase de algo vulgar y corriente.

Los taxistas londinenses se asemejaban a los que había en las grandes ciudades de Estados Unidos hasta hacía unos años. Se trataba de un trabajo con todas las de la ley, reservado sólo para hombres casados y con familia. Si bien no se podía considerar una profesión, sí que era al menos una ocupación a tiempo completo, algo de lo que uno, si quería, podía sentirse orgulloso. A Harry le encantaba que fuesen tan educados tanto a la hora de preguntarle —«¿adónde quiere ir el señor?»— como en el caso de ofrecerle un poco de conversación. En eso se distinguían mucho de sus colegas norteamericanos. Harry lo recordaba muy bien. Muchos eran africanos que apenas dominaban el inglés y no tenían ningún sentido de la orientación. Cuando eran blancos y hablaban con cierta soltura todo se reducía a una interminable diatriba contra «los negratas de mierda» que remataban con un inconfundible «sabe lo que le digo, ¿verdad?», a lo que Harry se veía obligado a responder con un seco «limítese a conducir, por favor». En el asiento trasero de los taxis londinenses, había recuperado su libertad, así como una sensación mayor de intimidad, independencia y seguridad.

Al llegar a Herndon, Sturgis, Wells & Nelson, Harry encontró la entrada de servicio por la que acceder al vetusto edificio, y se presentó en el despacho de Sir Anthony a las diez en punto.

—Adelante. Le ruego que tome asiento y, si lo desea, puede servirse un té usted mismo. Soy Sir Anthony Wells —le indicó con naturalidad, consciente de que nadie a quien le hubiesen presentado en el pasado podría olvidarse de él— y, aunque no haya coincidido con usted en otra ocasión, me alegra comprobar que la persona que han enviado no es una muchacha. Espero no haberle ofendido. No tengo nada en contra de las mujeres jóvenes. Todo lo contrario, pero... —algo lo distrajo. Su atención parecía haber volado en brazos de una leve brisa o se la hubiese llevado una marea invisible. Sus ojos se humedecieron.

El despacho de Sir Anthony era más pequeño, anticuado y oscuro de lo que Harry había imaginado. Toda la luz de la estancia provenía de una pequeña lámpara que había en la mesa. El edificio en el que se hallaba tan venerable bufete tendría tal vez unos trescientos años, si bien las oficinas, a diferencia de la que tenía Sir Anthony, eran muy modernas —de hecho, saltaba a la vista que las habían renovado recientemente—, aunque la distribución debería de tener un siglo o más de antigüedad. La antesala, reservada a su secretaria —a la que se imaginó tan mayor como su jefe—, era a decir verdad bastante pequeña, pues el escritorio la ocupaba casi por completo. Tras él, colgado sobre los brillantes paneles de roble que cubrían la pared, había un gran retrato al óleo de Sir Charles Herndon, el fundador del bufete. Sir Anthony había estado viéndolo desde el verano de 1927, cuando Sir Charles, que a la sazón contaba más de ochenta años, visitó por última vez lo que él llamaba «mi sitio». Murió unos años más tarde, antes de Navidad. A la derecha de Harry, fuera del despacho, había una puerta entreabierta que seguramente daba al cuarto del ayudante de Sir Anthony y que, por alguna razón, debía de estar vacío. Sin duda, no lo necesitaba aquel día. A su izquierda quedaba el lugar donde trabajaba su anfitrión. Las paredes, también forradas de roble desde el suelo hasta el techo, estaban cubiertas por estanterías repletas de libros y revistas guardadas en cajas con letras estampadas. No pudo distinguir qué había escrito en ellas, pero le parecieron muy antiguas y algo desfasadas. En la parte más alejada de la sala había una chimenea, aunque sin fuego. La gran ventana que se abría a la derecha, más allá de la mesa de Sir Anthony, daba la sensación de que se hallaba en el centro justo del edificio. Entre ambas, había una mesilla de cristal sobre la que reposaba un elegante juego de té para cuatro personas en el que habían colocado una pequeña bandeja con tostadas y galletas saladas. Sir Anthony Wells se sentó tras su imponente escritorio de caoba, quizás demasiado grande, delante del que había un par de sillas para las visitas. Harry se sirvió una taza de té, tal como le había indicado, y se sentó delante de Sir Anthony. Miró fijamente al anciano. Por su aspecto, nadie diría que tuviese cien años. No era muy alto, quizás pase del metro sesenta y cinco —aunque era difícil calcularlo estando sentado—, pero sí bastante enjuto, con esa delgadez habitual en las personas ancianas. Vestía un carísimo traje de lana gris que a Harry le pareció nuevo, con una camisa de cuello un tanto anticuado, de esos que prácticamente tapaban el nudo de la corbata. Por la manera en que se movía, se le antojó débil e incluso quebradizo.

—Me llamo Henry Levine, señor. Trabajo como agregado comercial. Me siento muy honrado de conocerle. Soy abogado, como usted —añadió en un intento de agradarle. Después, se levantó y tendió la mano a su anfitrión. «Vaya —se dijo—, jamás se la había estrechado a alguien tan mayor... y tan importante.» Harry había tenido la oportunidad de trabajar con personas famosas y, además, estaba su tía Chita. Pero aquel hombre había conocido a reyes, reinas, héroes y dictadores. Ante sí tenía un pedazo de la historia del siglo pasado.

—¿Cómo está? —le respondió—. ¿No ha podido venir el embajador?

—Bien, gracias. El embajador dedica los sábados a ciertos asuntos personales —se sentía bastante incómodo—. Entonces, ¿usted...?

—Veo que no tengo otra elección. De todos modos, he llamado para tratar precisamente ciertas cuestiones... también personales —volvió a adoptar un aire distraído. Daba la sensación de que se encontraba muy lejos. Por un momento, dejó de ser Sir Anthony Wells. A Harry no le gustó demasiado la manera en que dijo «cuestiones personales». ¿Qué podía hacer el embajador, o él mismo, en su lugar, por aquel hombre? Sea lo que fuere, ¿qué consideraba «personal»?

—Durante muchos años —prosiguió Sir Anthony—, he representado a Lord Frederick Lacey. Su nombre debe de serle familiar.

—Sí, por supuesto. Todo el mundo lo conoce. Creo que falleció hace unos días.

—Eso es. El martes pasado.

—He leído algo sobre Lord Lacey. De hecho, asesoré a un cliente, a una empresa estadounidense quiero decir, unos años atrás, y me informé un poco de quién era. Un hombre notable.

—Sí, notable.

—Pero nunca lo relacioné con la firma Herndon, Sturgis, Wells & Nelson.

—Por supuesto, por supuesto. Nadie estaba al tanto de tal relación. Sin embargo, podría decirse que he sido el abogado... privado de Lord Frederick durante muchos años. Antes incluso de que le concediesen el título —Sir Anthony se detuvo por un momento; una breve pero cálida sonrisa afloró de sus labios—. Éramos jóvenes los dos.

Estiró el brazo por encima del escritorio y rebuscó entre una pila de carpetas que cubrían una caja metálica cerrada con un candado, de unos treinta centímetros de alto por noventa de largo, similar a las que se utilizan en las cámaras de seguridad. Despejó la mesa con rapidez para hacer un poco de sitio y, tras colocarla enfrente, extrajo una carpeta de color negro en cuyo interior había un legajo tan grueso, que hubo de sostenerlo con las dos manos. Por lo que Harry pudo entrever, le pareció un testamento redactado a mano.

—A Lord Lacey le gustaba llevar sus asuntos por separado. Tanto los públicos, como los privados. Jamás me encargué de ningún caso ni tampoco de cualquier cuestión personal al margen de los deberes y obligaciones que nuestra firma había contraído con él. No niego que en alguna ocasión le haya asesorado en lo referente a algún problema familiar, pero lo hacía muy de vez en cuando. Sus esposas... su hija... Audrey, pobrecita. Y su testamento, claro. Su testamento. Como sabrá, Lord Frederick Lacey poseía la mayor fortuna de Europa, con excepción de algunas casas reales —su voz, tan débil y frágil como él mismo, iba y venía. El anciano calló por un momento y Harry, que no sabía qué decir, se mantuvo en silencio—. Tenía unos veinticinco años por aquel entonces. Y él no era mucho mayor que yo cuando nos conocimos —prosiguió—. Ya disponía de un buen capital. Aunque hoy no pareciese demasiado importante, la suma era enorme en 1930. Y redacté su primer testamento. Después me ocupé de todos los cambios que fue introduciendo. Últimamente no trabajo demasiado, como ya sabrá.

—Sí, algo he oído.

—Jamás encargó el trabajo a otro abogado y, evidentemente, nunca habría permitido que otro se enterase de nada. Hacía ya bastantes años que no hacía nada para él. La última vez fue... en junio de 1968. Aquella primavera Lord Frederick me ordenó que introdujese ciertas modificaciones en su testamento. Vino aquí, lo firmó y selló con lacre el sobre —lo alzó con las dos manos—. Aquí mismo, en este despacho. Se sentó donde usted se encuentra ahora. Aunque pueda parecerle extraño, lo recuerdo muy bien. Tomó el testamento, sacó otro de su maletín, guardó los dos dentro del sobre y, tras cerrarlo, lo guardó en esta caja. Me dio la mano y me dio unas palmaditas en el hombro como si yo fuese un amigo de toda la vida. Después se marchó y no volví a verlo en este bufete. Coincidimos en alguna ocasión más, pero nunca por motivos profesionales. Dada la importancia de su legado, me vi en la obligación de renovar la validez del documento, por lo que, cada cierto tiempo, le enviaba una carta para que me la devolviese firmada. Se trataba de una breve nota con la que certificaba que no existía otro testamento. Siempre lo hicimos por correo. La última la tiene aquí mismo. Como verá, tiene su firma y está fechada ocho meses antes de su fallecimiento —se detuvo. Harry presentía que ya no iba a decir nada más. Una lástima, porque aquella historia lo fascinaba. Sin embargo, aún debía explicarle por qué era tan importante que estuviese allí el embajador de Estados Unidos... o su representante.

—Cuando Lord Frederick murió —dijo, retomando el hilo—, dejó un testamento, una copia del cual usted tiene delante. En la medida en que se limita a indicar cómo deben repartirse el dinero y las propiedades, sus últimas voluntades no entrañan ninguna dificultad. Para serle sincero, carecen de todo interés, ya sabe a lo que me refiero. Lord Lacey vivió hasta la edad de ciento siete años. Demasiado viejo, ¿no es cierto? Sobrevivió a su hermano, a sus hermanas, a sus esposas e, incluso, a su única hija. Por eso, ningún pariente cercano está metido en esto, aunque sí ha dejado algunas sumas a algunos familiares, no importa lo lejanos que puedan ser. Pero no se trata más que de una pequeña parte de su inmensa fortuna. El resto quedará en manos de varias fundaciones y organizaciones benéficas. El reparto se hará de manera confidencial y, se lo aseguro, no suscitará ninguna controversia. Es más, sospecho que los medios de comunicación no estarán demasiado interesados en ello. Aun habiendo sido toda una celebridad en su juventud, Lord Frederick ha pasado desapercibido durante el último medio siglo. En vida, llevó todos sus asuntos con gran discreción, por lo que no se podía esperar otra cosa después de muerto —y posó las manos sobre las páginas manuscritas del testamento.

»Ha llegado el momento de explicarle por qué lo he hecho venir, ¿verdad? Lord Frederick iba siempre al grano y las instrucciones que me dio son muy claras. Cuatro días después de su muerte, es decir, esta mañana, he roto el sello. Hasta ahora, hace unas horas, su contenido me era completamente desconocido. Sabía que le gustaba anotar sus pensamientos. Muchas personas de nuestra generación lo han hecho hasta nuestros días. Era capaz de tomar notas incluso en el transcurso de una conversación. Quizás usted también lo haga. Sospecho que llevó alguna especie de diario íntimo —Sir Anthony pasó a Harry el documento con un leve papirotazo. Como éste pudo comprobar, el papel llevaba el membrete de Lord Lacey, si bien, a juzgar por el tipo de escritura, parecía un borrador más que otra cosa.

»Como puede ver, es bastante voluminoso. No hay duda de que se debe a su propia mano. Es su letra, doy fe de ello. Desde la fecha a la cruz. En la primera página hay una serie de instrucciones, también escritas por él, en las que me indica cómo se debe leer, lo cual, para unos abogados como nosotros —y miró a Harry, procurando que pareciese un elogio sincero— significa que debemos hacerlo público —sus dedos tamborilearon sobre el papel—. Pretendo hacerlo el próximo día laborable posterior a su fallecimiento. Como hoy es sábado, tendré que esperar hasta pasado mañana, lunes.

Harry miró la cubierta, a unos cuantos centímetros de las puntas de sus dedos. Leyó algunas de las primeras frases. Al cabo de un instante, prosiguió y, tras titubear, lo intentó por tercera vez.

—Bastante sorprendente, ¿verdad? —concedió Sir Anthony—. No lo he leído todo, pero convendrá conmigo en que la página que tiene delante es más que suficiente. Sólo Dios sabe qué más hay. Lord Lacey hizo más cosas en su vida, estuvo en otros lugares, conoció a personas importantes, notables e infames. Sólo Dios lo sabe, señor Levine.

—¿Por qué haría él algo así? ¿Qué razón pudo tener para...?

—Frederick Lacey era un hombre especial, señor Levine, muy especial. No como usted o yo. Estuvo muy cerca de acaparar todo el poder de este mundo. Usted puede reconocer su impronta por doquier. Aún hoy, su leyenda, sea verdadera o falsa, es tanto o más sorprendente que su extraordinaria vida. Sólo él supo la causa. Sólo él. No puedo responder a su pregunta y usted, tampoco. Sin embargo, de acuerdo con nuestras leyes, no tengo otra opción que hacer público este documento dentro de cincuenta y nueve horas. Comprenderá que debo cumplir con el compromiso que contraje con mi cliente aunque haya muerto. Sobre todo por eso. Con todo, imagino que el primer ministro será capaz de interceder por mí y lograr un aplazamiento que sólo determinará el gobierno de Su Majestad, si bien seré incapaz de explicarle a él o, incluso, a la reina por qué no lo he mantenido oculto. Para mí, supone un conflicto de intereses muy poco ético. El primer ministro sabrá qué hacer. A buen seguro optará por la mejor solución y se pondrá en contacto con el presidente de Estados Unidos. Las implicaciones de las desafortunadas revelaciones de Lord Frederick, que usted mismo puede ver aquí y ahora con sus propios ojos, así como de otras que encontraré a medida que lea cuidadosamente todo el documento, serán intolerables, aunque ¿quién sabe? —golpeó los papeles como si fuesen una especie de bomba—. Por eso he llamado a su embajador. No me queda más remedio que compartir con usted esta información para que su país pueda responder del modo más adecuado. Le aconsejo que haga llegar este documento a su presidente cuanto antes, pues de otro modo...

Harry ya no estaba atento. Las palabras de Sir Anthony se habían convertido en un zumbido. No sin un cierto escepticismo, comenzó a leer la primera página.

«Asesiné a ese hijo de la gran puta. Ojalá arda para siempre en el infierno, lo más lejos de mi dulce y querida Audrey.»

Doce

Después de que Conchita Crystal regresase al hotel, Walter se quedó un rato en el muelle. Había cesado de llover y el sol volvía a brillar en aquella calurosa tarde, como de costumbre. No muy lejos se divisaban algunos veleros que rielaban con una calma un tanto perezosa, algunos de ellos habían puesto proa hacia Saint Thomas y otros, en aparente deriva, se dejaban llevar por la brisa de un lado a otro, sorteando los bancos de arena cercanos a los islotes deshabitados que quedaban al norte. La tormenta había elevado la humedad ambiental, algo que no solía gustar demasiado a las gentes de allí, aunque él estaba encantado, ya que refrescaba un tanto el ambiente y lo hacía más suave. De pronto, casi sin proponérselo, recordó cuánto le gustaba el clima caribeño y lo poco que echaba de menos los fríos del continente. Además, no estaba tan mal ponerse una sudadera de vez en cuando, sobre todo cuando nadie te obliga a ello.

Aquella mujer, Conchita Crystal, la misma que viste y calza, le había explicado una historia de lo más curiosa. Al parecer, su sobrino, un tal Harry Levine, la había telefoneado desde Londres. Fuera de sí. Tenía algo importante, unas «pruebas» o algo así, le había dicho, y unos tipos con mucho poder estaban dispuestos a matarlo para arrebatárselas e impedir que saliesen a la luz. No cabía duda de que esas «pruebas» eran una bomba de relojería. Harry tenía en sus manos la confesión del hombre que había asesinado a JFK. Le había dicho cómo se llamaba, Frederick Lacey, pero no le sonaba de nada. Jamás le habían hablado de él, pero daba igual. Walter le preguntó la razón por la que aquel tipo se habría atrevido a tanto, pero Chita no supo darle ninguna respuesta. Si Harry conocía el secreto, se cuidó mucho de revelárselo. ¿De dónde habría sacado aquel documento? También lo ignoraba. ¿Quién se lo dio? ¿Cómo habría podido dar con él? Chita volvió a callar. Tan sólo acertó a darle algunos datos inconexos: que Harry había dejado Londres, que tenía el documento consigo y... que se encontraba en un paradero desconocido. «Está muerto de miedo —no hizo falta que se lo aclarase—. Sabe que *ellos* están tras la pista del documento y que, por supuesto, lo persiguen.» Le proporcionó las señas del apartamento londinense, así como de la embajada, y le informó de las reticencias del joven a tomar vehículos oficiales. «Seguro que se habrá ido por su cuenta. Le gusta pasear y monta en bicicleta. Ah, y en una de esas motos, las *scooter*. Se aficionó en Francia.»

—¿Qué cree que hará? No puede esconderse para siempre.

—Lo ignoro. Pero no me cabe duda de que lo encontrarán. Por eso he venido a verle. Usted tiene que hacerlo antes.

El encuentro en el muelle no dio para más. Ni una pista que le permitiese hacerse una somera idea de por qué Harry había caído en aquella trampa mortal. Cuando no le cupo ninguna duda de que Chita no tenía nada más que decirle, la animó a que le hablase un poco de su sobrino.

Así trabajaba. Le gustaba moverse con rapidez de lo general a lo particular. Nada de especulaciones: había que centrarse en los hechos. La información era lo único que contaba. Walter se dejaba llevar por su instinto, al margen de cualquier método. Siempre lo había hecho así. Su madre le había contado en numerosas ocasiones cómo él, siendo un niño, la había ayudado a encontrar las llaves. Jamás había perdido nada: ni zapatos ni calcetines ni siquiera los deberes. Cuando alguno de sus compañeros se olvidaba de dónde había aparcado el coche, se había dejado la cartera o, incluso, la botella de cerveza que había cogido de casa de sus padres, siempre recurrían al bueno de Walter Sherman. En Vietnam se dedicó a buscar gente porque... bueno, porque sí y basta. Siempre había una razón, claro, pero no un método que le indicase cómo lograrlo. Al principio, se limitaba a hacer lo mismo que en su vida cotidiana. De hecho, se dio cuenta de que existían ciertas similitudes entre sus *objetivos* —le gustaba emplear esa palabra para referirse a las personas cuya búsqueda le habían encargado—, unas pautas que podía seguir sin implicarse demasiado. Nunca emitía juicios sobre sus clientes y se limitaba a cumplir con su cometido.

A lo largo de más de cuarenta años, el instinto de Walter se había desarrollado mucho. Apenas se detenía en elucubraciones; sólo hechos —lo cual no quería decir, por supuesto, que no se detuviese a pensar y, sobre todo, previese los futuros movimientos de sus objetivos—. Sin embargo, tales conjeturas siempre se apoyaban en pruebas sólidas. Por eso mostró tanto interés por lo que Conchita Crystal le explicó sobre la vida y el carácter de su sobrino. Esperaba hallar algún detalle que le permitiese iniciar sus pesquisas. Era la manera con la que siempre comenzaba a trabajar: preguntaba a sus clientes, les pedía una fotografía, y dejaba que se explayasen cuanto quisieran en la narración de sus desdichas. Siempre se encontraba con lo mismo: un sordo temor que aleteaba en la mente de aquellas personas, el miedo a que la reputación de aquellas gentes, ricas y famosas, quedase manchada. Por eso hablaban tanto y parecían obsesionarse con los aspectos más nimios de lo ocurrido. Walter sabía que, en su mayor parte, se trataba de una muestra de su vulnerabilidad. En no pocas ocasiones le confiaban sus secretos sin apenas darse cuenta de lo que estaban haciendo. Walter escuchó en silencio las confidencias de Conchita Cristal. Aunque, en apariencia, le preocupó no detectar nada importante, prosiguió atento. Al fin y al cabo, necesitaba empezar por algún sitio.

Trece

Los europeos prefieren el té al café. En Turquía y Egipto se volvió loco buscando una taza de café decente. De café americano, claro. Cuánto le gustaba. A pesar de que había dejado de fumar a los treinta, un vicio que había adoptado durante la adolescencia, nunca se atrevió a abandonar el café. Algunas adicciones son mejores que otras. La cafetera eléctrica para seis tazas que adquirió en Filadelfia durante su primer año en la facultad todavía funcionaba y allí estaba, en su cocina londinense.

Encontrar un buen grano, requisito imprescindible para obtener una taza de café como la que puede degustarse en alguno de los miles de restaurantes Waffle South que jalonan las carreteras del Sur, era toda una aventura en Europa, incluso en Londres, a pesar de la larga tradición cafetera inglesa. De hecho, como Harry sabía, la primera cafetería de Londres la abrió un tal Edward Lloyd en 1637 en Tower Street. Aún existía con el mismo nombre que le dio su fundador, si bien había dejado de vender café al por menor. Durante la revolución industrial, los tostaderos tuvieron una gran importancia. La popular Jonathon's Coffee Shop se convirtió en el London Stock Exchange. Harry estaba al tanto de todo ello, así como del hecho de que el café era el segundo artículo más comercializado en todo el mundo después de la gasolina. Tras dar por fin con la mezcla que andaba buscando en la Monmouth's Coffee House, compró una buena cantidad y la guardó celosamente en la nevera. Harry era así. Su despensa siempre rebosaba de papel higiénico, servilletas, bolsas de basura, pasta dentífrica y otros productos que la gente menos cuidadosa deja que se agoten sin más. Asimismo, también contaba con mudas extra, camisas de gala, pilas para linternas, crema de afeitar y demás mejunjes con los que ensuciamos el agua del lavabo. Ni que decir tiene que los mantenía minuciosamente apilados y en un orden perfecto, listos para ser utilizados en cualquier momento. Sin duda, era cuidadoso, pulcro y meticuloso.

Mientras lo preparaba, se entretuvo pensando en su encuentro con Sir Anthony. La cafetera comenzó a borbotear con un sonido que ya le era familiar, como si se tratase de un lenguaje propio. Harry se adelantó como si lo hubiese presentido. El silencio parecía indicar que ya estaba listo. Tras apagarla, se acercó la azucarera y la dejó al lado de la leche, que acababa de sacar de la nevera. Aspiró el aroma del café recién hecho y vertió un poco en la taza, después añadió un poco de leche, el azúcar y removió. Desde el salón le llegaban los acordes de un concierto de violín de Vivaldi que estaba retransmitiendo la BBC.

Antes del primer sorbo, alargó el brazo por encima de la mesilla de la cocina y tomó el documento. No paraba de dar vueltas a aquello de «asesiné a ese hijo de la gran puta». Cerró los ojos y repitió la frase en voz alta. *Asesiné a ese hijo de la gran puta.* Le divirtió pensar en la distancia cultural que mediaba entre Frederick Lacey y él. Ningún estadounidense, ningún estadounidense *actual,* habría escrito «hijo de la gran puta». Le habría bastado con un simple y directo «hijoputa». Volvió a decir aquellas palabras primero en voz alta y luego, en un tono más discreto, casi susurrante, mientras mantenía los ojos cerrados y sus manos se apretaban contra la taza. «¡Hijoputa...! Lord Frederick Lacey asesinó al presidente John F. Kennedy.» Sus hombros se estremecieron con un escalofrío. Abrió los ojos, dio un trago largo a su café y dejó que la idea, que consideraba muy fantasiosa, diese vueltas en su cabeza. Lord Frederick Lacey asesinó al presidente John F. Kennedy. «¡Joder!», gritó. Comenzó a leer el documento pasando las páginas en busca de las referencias a Kennedy.

A medida que iba leyendo, se sentía peor. Las revelaciones de Lacey le habían provocado un aumento de adrenalina que apenas podía domeñar. Nada más leer las primeras líneas, la confusión y la perplejidad se apoderaron de él y lo mantuvieron inmóvil en la silla. Permaneció allí, tendido sobre la mesa, sobre el *Times* y el correo del día, sin apenas fuerzas para mover aquellos papeles. ¿Acaso no era un simple legajo?, se dijo. No: era una auténtica bomba de relojería programada para estallar pasado mañana. Harry ojeó la confesión de Lacey en busca del nombre de Kennedy, pero, mientras lo hacía, se encontró con otros, algunos muy familiares: Churchill, Hitler, Roosevelt, Stalin... Se mencionaba incluso al zar Nicolás II en más de una ocasión, siempre junto con otros, así como a ciertas personas —musulmanes, a buen seguro— que no le sonaban de anda. Quizás por ser un gran admirador de Billy Joel, le llamó la atención la aparición de un tal Solly Joel en algunas páginas fechadas en 1917. ¿Quién podría ser? Tomó nota mentalmente para volver más tarde a leerla. A juzgar por todo aquello, Lacey era muy aficionado a extractar citas que consideraba útiles o interesantes, a juzgar por la cantidad de comillas que salpicaban los párrafos, siempre acompañadas del nombre de su autor. Le llamó la atención que siempre lo hiciese con mayúsculas. «LA INDIGNACIÓN NO ES MÁS QUE UNOS SIMPLES CELOS A LOS QUE SE HA DOTADO DE UNA CIERTA AURA», H. G. Wells. Harry soltó una risilla sofocada cuando la leyó. ¿Se reconoció Lacey en una perla de sabiduría como aquella? Le llamaron la atención los nombres de Chaim Weizmann y Sir Herbert Samuel. Sabía quiénes eran. Tomó un papel y copió otra cita, esta vez en latín, para hacer una consulta más adelante. No se atribuía a nadie. «UNI DUBIUM IBI LIBERTAS.» No estaba muy seguro de su significado, pero, sin comprender por qué, pensó en Roy Orbison, quien solía ser muy tajante. Quizás había leído demasiado. «Hey —se dijo—, esto es grave.» No en vano, se trataba de la confesión de Lord Frederick Lacey, *quien había asesinado a Kennedy*.

McHenry Brown debía de estar en algún sitio, aunque Harry ignoraba dónde y tampoco sabía cómo contactar con él en caso de emergencia. ¡Por Dios, esta vez sí que era importante! Apenas podía contenerse. No cesaba de dar vueltas por la casa, yendo de la cocina al salón y vuelta. Repitió el paseo media docena de veces sin saber qué hacer, completamente confuso.

El informativo vespertino de la BBC dio la noticia: «Sir Anthony Wells —aquel nombre llamó su atención, aunque no pudo escuchar demasiado desde la cocina. Corrió de inmediato al salón, donde oyó cómo el locutor continuaba leyendo—: ... Golpeado hasta la muerte en su oficina esta mañana. Sin embargo, la Policía aún no ha hecho oficial la causa de su muerte. Sir Anthony se encontraba solo. Las autoridades no tienen constancia de que estuviese esperando a nadie —Harry creyó enloquecer. Sintió una especie de fogonazo—... Afirman no estar seguras del posible móvil. Aunque su despacho estaba completamente desordenado, no hay ningún indicio de robo...» En el cuarto de baño, Harry se remojó la cara. Se tapó los ojos con las manos y dejó que el agua fría se escurriese por el cuello. Poco a poco recuperó la calma. Volvió a la cocina, descolgó el teléfono y telefoneó a la oficina del embajador. Pidió en centralita que le pusieran con la secretaria personal de McHenry Brown.

—Elizabeth, soy Harry Levine. ¿La línea es segura? ¿Puedo hablar?

—¿Pasa algo? —su compostura era digna de la mejor dama inglesa—. ¿Desde dónde llama?

—Desde mi casa.

—¿Y es muy importante?

—¿El qué?

—¿Es muy importante? —repitió.

—¡Mucho! —aulló—. ¡Crítico!

—Ahora le llamo. Ahora cuelgue —el teléfono sonó al cabo de un momento. Harry respondió antes de que terminase el primer timbrazo. Elizabeth Harrison le informó de que hablaban por una línea segura.

—¿Qué sucede, Harry?

—¿Cuándo podría hablar con el embajador? Pronto.

—Bueno, esta tarde. No sé, no lo espero... Harry, ¿qué pasa?

—No puedo decírselo, Elizabeth, pero he de hablar con el embajador Brown y he de hacerlo ahora.

—No lo encontrará hasta esta tarde cuando vuelva... Aquí no. A su casa. Quizás a las ocho y media o a las nueve.

—¿Y no hay ningún número, alguna manera...?

—No, Harry. Hoy no. No tengo ningún número al que llamarlo. No sé cómo encontrarlo. Hoy no.

—¿Qué? ¿Me está diciendo que usted no tiene ningún número al que llamarlo? Creo que ése es el procedimiento habitual.

—No puedo permitírselo —repuso con frialdad.

—No... no entiendo... ¿Cómo que no hay un número? ¿Dónde está? ¡Esto es importante, maldita sea!

—Harry...

—¿Sí?

—Usted no sabe nada sobre el embajador Brown, ¿verdad?

—¿Qué? ¿Qué habría de saber?

—Vale, no lo sabe —se dijo a sí misma con un tono de voz en el que a Harry le pareció notar una pizca de diversión.

—Elizabeth, ¿de qué me habla?

—Del embajador. ¿De veras no lo sabe?

—Elizabeth...

—McHenry Brown es gay.

—¡Dios! ¿Y qué?

—Los sábados se encuentra con su amigo. Juegan al tenis y, bueno, se van... juntos. Pero no sé dónde. Algunas veces me dice dónde estará si cree que alguien puede necesitarle o si algo va a ocurrir, ya me comprende. Pero la mayor parte de las veces va... y hoy en particular... Hoy no había nada previsto.

—Entonces deme el número especial de la Casa Blanca. La línea directa o comoquiera que se llame.

—Harry, ese enlace se utiliza sólo en caso de extrema emergencia. Sólo pueden utilizarlo el embajador y el presidente.

—Lo sé. Por eso necesito el número. Tengo que hablar con el presidente. Sé que es muy pronto todavía, pero no puedo esperar a la noche. Se lo entregaré todo al embajador cuando esté de vuelta, pero lo necesito ahora. *Ahora mismo.*

—¿Está seguro? —su tono de voz le recordó al de la tía Sadie, lo cual hacía que se sintiera muy incómodo. Harry respondió con una firmeza tal que Elizabeth sufrió un escalofrío.

—Se trata de un asunto directamente relacionado con Sir Anthony Wells, de cuyo asesinato acaba de dar noticia la BBC. Es de importancia *crítica*. Necesito que me dé el número especial para solicitar instrucciones. ¿Me he explicado bien?

Marcó las cifras en el mismo orden, de acuerdo con las instrucciones que Elizabeth le había leído y que él mismo había seguido al pie de la letra. Para su sorpresa, no sonó ningún tono al otro lado de la línea. Nada más pulsar el último botón, escuchó...

—Por favor, identifíquese —dijo una voz masculina.

—¿Con quién hablo?

—Por favor, identifíquese.

—Me llamo... No, espere un momento. ¿Quién es usted? Soy yo quien hace la llamada y quiero saber quién es usted.

—Por favor, identifíquese...

—¡No cuelgue! —su voz indicaba que estaba a punto de desmoronarse—. Quiero hablar con el presidente de Estados Unidos. Para eso sirve esta línea. ¿Quién demonios es usted?

—Está hablando con Lawrence Albertson. Soy un asistente del presidente y mi tarea consiste en mantener abierto este enlace. Ahora, ¿podría identificarse e indicar su localización?

—Me llamo Harry Levine. Llamo desde Londres, desde la embajada estadounidense, para hablar con el presidente.

—No es una respuesta creíble.

—¿Qué?

—Su respuesta es incorrecta.

—¡De qué me está hablando! Soy Harry Levine, de la embajada estadounidense...

—No, señor, usted no está telefoneando desde la embajada de Estados Unidos en Londres.

—No, no, no. Tiene razón. Espere un momento. No llamo desde la embajada. No me había explicado bien. Lo que quería decirle es que soy de la embajada. Me llamo Harry Levine y trabajo...

—Sé quién es usted, señor Levine. ¿Desde dónde llama?

—Desde casa. Mi piso. Mi apartamento.

—Correcto. Gracias. ¿Cómo ha podido acceder a este enlace y cuál es el objeto de su comunicación?

—Necesito hablar con el presidente.

—¿Cómo consiguió el número, señor Levine?

—¿Quién dijo que era? ¿Lawrence qué? ¿Qué demonios pasa? He marcado este número para hablar con el presidente. Cómo lo haya conseguido y para qué no es asunto suyo. Ahora, póngame por favor con el presidente de Estados Unidos de una vez por todas.

—De ese modo no va a conseguir nada, señor Levine. Le repito que me llamo Albertson. Lawrence Albertson. Mi tarea es tomar nota de su comunicación, trasladarla al despacho presidencial y esperar una respuesta que puede ser escrita, en cuyo caso se la leeré, o bien un mensaje u orden que se le hará llegar por conducto diplomático. Incluso puede darse el caso de que no haya ninguna respuesta y, entonces, me veré obligado a notificarle que este enlace quedará completamente cerrado.

—¿Y el presidente no puede atenderme directamente?

—Señor Levine, jamás se ha dado el caso mientras yo trabajaba aquí. No obstante, estoy seguro de que cabe esa posibilidad. Si me indica de qué se trata, podremos empezar.

—Sólo hablaré con el presidente.

El presidente, sentado frente a su escritorio del Despacho Oval, debía tomar una difícil decisión. Lápiz en mano, iba de una casilla a otra, sin saber cuál marcar. Había meditado mucho sobre aquella cuestión. ¿Podría Georgetown igualar la diferencia de once puntos respecto a Temple? Era el único partido que le quedaba por decidir en la quiniela de la liga de baloncesto universitario. La jornada empezaría dentro de unas horas y ya era muy tarde: debería haber entregado el impreso ayer. «Tendrán que esperarse —se dijo; no se refería al partido, evidentemente, sino a la quiniela—. Al fin y al cabo, soy el presidente de Estados Unidos.» La voz de su secretaria, al otro lado del interfono, interrumpió sus deliberaciones.

—Señor presidente, Lawrence Albertson tiene una comunicación especial internacional —el piloto del teléfono verde en la esquina superior derecha de la mesa, que se había traído desde su antigua residencia como gobernador, comenzó a parpadear. Se trataba de la terminal designada para ese tipo de llamadas.

—Soy el presidente —dijo al descolgar el teléfono—. Diga, señor Albertson —asintió con la cabeza mientras dejaba escapar unos «hum» tres veces— ¿Eso es todo? —otro «hum» y luego, una sonora carcajada—. «No es asunto suyo.» ¿Eso dijo? Bien, vale, vale, Anderson. Pásemelo.

El siguiente sonido que Harry oyó fue la voz aguda, ronca y áspera del presidente.

—¿Qué sucede?

—Señor, me llamo Ha...

—Estoy al tanto. Ahora, dígame por qué estoy hablando con usted —el presidente no estaba para muchas bromas.

—Señor presidente, se trata de...

—No me ha entendido —le interrumpió—. Quiero saber por qué estoy hablando con usted y no con el embajador.

—No se encuentra disponible.

—Hay un largo trecho desde McHenry Brown hasta Harry Levine. No ha respondido a mi pregunta.

—Me hago cargo de que no soy el embajador...

—¿Me toma el pelo? Yo también me hago cargo. Como sabrá, no importa quién sea usted. No recibo demasiadas llamadas de los embajadores a través de esta línea. Se trata de un circuito telefónico bastante especial y no tengo ni la menor idea de por qué estoy hablando con un agregado de la sección de asuntos legales del departamento comercial. ¿Podría aclarármelo usted?

—Verá —Harry procuró respirar más calmadamente y, de paso, hacer menos ruido—: esta mañana he recibido un documento en el que se dan todos los detalles acerca del asesinato del presidente John

F. Kennedy y, al mismo tiempo, se me ha notificado que se hará público el próximo lunes.

—¿Cómo? ¿Que usted qué?

—He recibido un documento...

—Sí, ya lo he oído la primera vez. *Ha recibido* un documento que... ¿Está bromeando?

—A primera hora de la mañana, señor, me han llamado para notificarme que debía encontrarme con Sir Anthony Wells, quien me mostró el tal documento, una confesión para ser exactos, preparado por el hombre que planeó y se encargó del asesinato de...

—No puedo creerlo —la voz del presidente pareció alejarse, como si hubiese dejado caer el auricular. Harry se lo imaginó con los brazos extendidos, mirando con extrañeza el aparato, el ceño fruncido, mordiéndose el labio inferior y meneando la cabeza en señal de incredulidad—. Mire, da igual lo que sea: espere a que vuelva el embajador, no importa cuándo, y hable con él del asunto. Tan sólo tiene que entregárselo todo. Y en cuanto a usted...

—Señor presidente, esta mañana me han ordenado que me encontrase con Sir Anthony Wells, el socio más veterano del bufete Herndon, Sturgis, Wells & Nelson, quien me dio el documento y que ahora tengo en la mano mientras hablo con usted. Me lo entregó precisamente para que se lo hiciese llegar. Entre otras cosas, es una confesión manuscrita en la que Lord Frederick Lacey explica con todo detalle cómo asesinó al presidente John F. Kennedy. Asimismo, creo que debe saber que Lord Lacey fue el responsable de la muerte de Joseph P. Kennedy Jr. y, señor —Harry intentó contener la respiración para calmar un poco su corazón—... También acabó con Robert Kennedy —creyó oír un sonido involuntario, gutural de labios del presidente. Prosiguió—: Poco después del encuentro, Sir Anthony ha sido asesinado. Según los noticiarios, su despacho estaba completamente revuelto. Creo que quien lo haya matado habrá estado buscando este documento. En sus páginas se cuentan cosas que mucha gente no desearía saber. No bromeo, señor. Ni tampoco estoy chiflado. El tiempo es vital y esto no puede esperar al señor Brown. Estoy aterrado.

Años de adiestramiento, más de los que podría imaginarse, habían preparado al presidente para afrontar una emergencia. En el momento en que la reconocía, respondía conforme se esperaba. Como si lo hubiese deseado conscientemente, la respiración y el ritmo cardíaco se hicieron más lentos y se relajaron los músculos de los hombros, la espalda y los brazos. Su voz sonó más grave.

—Cuénteme todo lo que ha pasado desde el momento en que usted recibió la orden hasta que me ha telefoneado. Tómese su tiempo, hijo, y no se deje nada.

Catorce

—Algunos grandes nunca se retiran —Billy señaló a Helen, quien iba y venía sin cesar de la cocina a la barra. Por alguna razón que no le parecía demasiado clara a su novio, a Walter o Ike, se detuvo y se quedó mirándolo.

—¿Qué?

—Como Sinatra, ¿eh? —Billy esperaba alguna señal de conformidad por parte de la mujer con la que vivía. Algo que le hiciese sentir que tenía razón—. Nunca lo dejó. Continuó cantando hasta el final, ¿a que sí?

—Es verdad, Billy —le respondió y volvió a la cocina dando unos breves pasos de vals, aunque sin mostrar demasiado interés a lo que le había estado diciendo.

—Ya lo veis, chicos: hay un montón de gente que se resiste a tirar la toalla.

—¿Y qué me dices de Joe Louis? —le preguntó Ike mientras echaba el humo por la boca y la nariz. Una bruma inconfundible lo envolvió unos instantes. Daba la sensación de que su cabeza había comenzado a arder lentamente, aunque parecía tenerle sin cuidado—. Ese tipo jamás volvió —y arrancó a toser como nunca lo había hecho antes, o al menos así lo pensó Walter, aunque no valía la pena preocuparse demasiado. Hacía tiempo que todos se habían acostumbrado a los silbidos que dejaba escapar el anciano cuando intentaba respirar.

—¡Joder! ¡Por mi vida que no entiendo cómo esa mierda no te ha matado ya!

Ike no se dio por aludido. Se limitó a dar otra calada y exalar el humo lentamente, casi con delectación. Esta vez no hubo toses ni hipidos. Celebró su pequeña victoria con una gran sonrisa que cruzó su arrugado rostro mientras se perdía en un remolino de nicotina y monóxido de carbono que le inundaba los pulmones, el corazón e incluso el cerebro.

—Joey Louis se retiró siendo un campeón —remató. Su pecho había vuelto a la normalidad y retomó la conversación donde la había dejado—. Era el mejor en lo suyo. Pero cuando volvió, ya no tuvo nada que hacer. Rocky comosellame le dio por todas partes e hizo añicos su leyenda. ¿Lo sabías, Walter?

—Pasó lo mismo con Willie Mays —añadió Billy—. Se fue y volvió. No tenía nada que perder. Pero esos mierdas de la Liga Texana acabaron con él. Debería haberse quedado donde estaba.

—Pero Willy Mays sólo se retiró una vez —terció Helen, sin dar demasiada importancia al asunto. Ninguno se había dado cuenta de que estaba allí—. Nunca volvió a intentarlo.

—¿Estás segura?

—¿Que si estoy segura, Billy? Pues claro que lo estoy. Nunca se planteó volver.

—Bueno, quizás debería haberse retirado antes, porque al final tenía el depósito completamente vacío. ¡Qué vergüenza! —Billy pasó un trapo por el contador de la antigua caja registradora y luego colocó de nuevo la pizarra en su sitio.

—Sinatra tampoco acabó bien —afirmó Ike—. Se convirtió en una sombra de lo que fue. Pero nadie pudo con él y la gente continuaba pagando por verlo. Cosas del *show business,* ya sabéis. Pero no iba por ahí. Iba a hablaros del Brown Bomber. Lo dejó, volvió y... más le valía haberse quedado en casa. La pasta es la pasta, claro; como con Sinatra.

—A mí el que me llama la atención es Willie Mays —proclamó Bill—. Me da igual si se ha retirado o no —miró a la puerta de la cocina para ver si Helen rondaba por allí, pero no la vio—. El *Di hola, chaval* ya no es precisamente un niño y más que decirle hola, habría que pedirle que nos dijese adiós. Sabéis a lo que me refiero, ¿verdad? —estaba satisfecho con su juego de palabras. Ike y él se volvieron hacia Walter, quien seguía sin abrir la boca. Tan sólo se limitaba a sorber su Diet Coke mientras leía el *New York Times.* Al cabo de un rato se dio cuenta de que lo observaban y, sin levantar la vista del periódico, sentenció:

—Winston Churchill. Se retiró. Luego, volvió. Se retiró de nuevo, lo obligaron a volver y salvó el mundo de los nazis. No está nada mal para un viejales.

—¿Cuántos años tenía Churchill? —preguntó Billy.

—¡Pero si sólo era un crío...! —rió Ike—. No tendría muchos más que tú, ¿eh, Walter? —quien también soltó una buena carcajada a sabiendas de que Ike estaba al tanto de que no era tan mayor como Churchill—. Salvó el mundo de los nazis —repitió—. No está mal, no señor. No está nada mal. Me gusta. Pero necesitaría un poco de ayuda, me imagino.

—¿Quieres que te lo escriba?

—Por supuesto, señor. Escríbalo. Walter, ¿has visto a algún nazi por aquí? ¿Has mirado en el lavabo? Quizás todos estén en Caneel Bay —y sus risas se mezclaron con una tos cada vez más pertinaz.

Billy miró a Walter de reojo, quien hizo un gesto negativo con la cabeza. El barman, pálido y con barba de tres días, tomó una tiza y anotó en la pizarra LOUIS / MAYS / CHURCHILL.

En ese momento Helen abría la puerta de la cocina y se dirigió adonde Walter estaba sentado. Llevaba una botella de plástico llena de un líquido rosáceo. Pesaba tanto que se vio obligada a cogerla con las dos manos. La dejó tras la barra, al lado de la pequeña nevera y lanzó una mirada a Walter para darle a entender que sabía de lo que estaban hablando y le dijo:

—Aunque tiene un culo muy grande, no es alemana.

Quince

Siempre que sonaba el teléfono, incluso cuando se trataba de *ese teléfono,* se limitaba a responder con un breve *¿sí?*

—Hey, Louis —le dijo el presidente—. Hemos de vernos. Ven aquí cuando puedas.

—Estaré allí en veinte minutos —le contestó Devereaux. A sus cincuenta y cuatro años, era un veterano de la CIA. Su cargo, Director de Asuntos Regionales, era una filfa. Durante muchos años le habían puesto los títulos más dispares, algo habitual en un organismo que, desde su creación, en 1949, jamás había tenido un organigrama claro. Louis Devereaux comenzó como analista y, de manera paulatina, ascendió en el escalafón a medida que sus dictámenes se iban haciendo realidad. Sin embargo, logró pasar desapercibido. Quizás hubiese un par de senadores que, al escuchar su nombre, dijesen algo como «¿Devereaux...? Devereaux... Sí, me suena, pero no sé de qué». Le importaba más que se le tuviese en cuenta en el grupo de alto nivel, integrado por personas que sabían cómo dirigir todo aquello, quienes lo llegaron a considerar poco menos que un líder. El día en que el presidente lo llamó, era sin duda el jefe absoluto de la CIA. Evidentemente, no era de ese tipo de personas que suele aparecer en la televisión o en el Congreso como portavoz. Louis Devereaux tenía asuntos más importantes de los que ocuparse.

Los treinta y nueve hombres, ricos y blancos, que se reunieron a puerta cerrada en Filadelfia allá por 1787 para escribir la constitución, emplearon la expresión *su Excelencia* para referirse al presidente de Estados Unidos. Quizás una de las mayores contribuciones que hizo George Washington al país fue que se cambiase esa forma de tratamiento por la de *señor presidente,* mucho más adecuada a su juicio para una república de ciudadanos libres, pues no en vano *señor* era la denominación más extendida y, en consecuencia, más igualitaria. Muchos de los asistentes a la primera asamblea consideraban que el presidente debería tener una dignidad similar a la de un rey, si bien no cabe duda de que los Padres Fundadores se sorprenderían, y no demasiado gratamente, al ver la pompa que rodea a la actual presidencia, más propia de un imperio que de una república. Probablemente pensaron que *su excelencia* tenía una musicalidad especial. Sin embargo, el general George Washington, al igual que Hubert H. Humphrey doscientos años después, consideraba que el cargo era sólo un trabajo.

Louis Devereaux tenía muy en cuenta el poder y la fuerza que ejercían tales títulos y denominaciones. El más pequeño de una familia integrada tan sólo por mujeres siempre se llamó Louis y no Lou ni Louie. Nunca tuvo un mote. Su padre, Zane Devereaux, un hombre bajo de rasgos angulosos, era el último superviviente de una estirpe de hombres de negocios que renovaron el sistema bancario en el sur de Estados Unidos tras la guerra civil, a la que siempre se conoció en casa como *la guerra entre los dos países.* Durante la Gran Depresión, trasladó sus negocios desde Biloxi, en Mississippi, a Nueva Orleans. En las décadas siguientes, participó en proyectos de lo más dispares, desde la construcción de autopistas al tendido de redes de comunicación de alta tecnología, sin olvidar el sector inmobiliario y los transportes. Zane aumentó el patrimonio familiar hasta extremos insospechados. Su fortuna se contaba en cientos de millones. El Grupo de Comunicación Devereaux poseía catorce emisoras de radio y televisión en las ocho grandes capitales del sur, otras tres en California y una creciente red de telefonía móvil y transmisión por cable. El valor de la compañía superaba los mil millones de dólares. Cuando redactó su testamento, todas sus empresas estaban libres de deudas. En más de una ocasión se le pudo escuchar: «Te puedes dedicar a los préstamos. No es un mal negocio. Pero si quieres dormir a gusto por las noches, es mejor que te busques otro oficio».

Louis siempre mostró un respeto reverencial por su padre, al que siempre llamó *señor.* Muy pronto se acostumbró a dirigirse a los demás por su apellido, sobre todo cuando se veía obligado a mostrar su incomodidad o dejar bien claro que era él quien mandaba. Tras doctorarse, aprendió cuál era el valor de los títulos. No le molestaba que lo tratasen como *Doctor Devereaux,* siempre y cuando le resultase útil. Devereaux siempre supo sacar provecho de todo.

Tras colgar *el teléfono,* hizo una llamada desde otro aparato. Le bastó con pulsar un solo botón, escuchó el tono y, antes de que le preguntasen nada, masculló:

—Lo siento, Mandy. Creo que no podré ir.

—Bueno, ya habíamos hablado de ello, ¿verdad? —le dijo su hermana. Colgó sin despedirse. Ella nunca esperaba explicaciones ni excusas de ningún tipo. Nadie en su familia solía hacerlo; ni siquiera su madre. Todas confiaban en Louis y se sentían orgullosas de él. Con Zane Devereaux, era muy distinto.

Cuando Henrietta Devereaux, más conocida como Hattie, anunció a su marido que estaba embarazada, éste se asustó. Zane Devereaux no tenía hermanos y ya se había hecho la idea de que sería el último eslabón de la familia. Por aquel tiempo, hacia 1950, era el feliz padre de cinco hermosas niñas y aunque tenía algunos sobrinos, ninguno de ellos llevaba su apellido por ser hijos de sus dos hermanas.

No hubo ni un solo día en que Zane no dedicase unos minutos a compadecerse por aquella situación. Durante aquellos momentos de debilidad, se dejaba llevar por sus miedos y se desesperaba ante la idea de que todo su patrimonio quedaría en manos de unos extraños. Cuando un año después nació Louis, se consideró salvado. Ya no tendría que preocuparse por su legado.

Seguro de que todo estaba atado y bien atado, Zane descubrió el íntimo placer de delegar ciertas responsabilidades. Hasta aquel momento se había comportado como un banquero ejemplar, pero tras la guerra se propuso ampliar su patrimonio mediante la inversión en otros sectores, como el inmobiliario. Pronto nació el Grupo Promotor Devereaux, dedicado en un principio a las autopistas, si bien no tardó en expandirse por el incipiente mundo de las telecomunicaciones. Nunca reparó en gastos: siempre se rodeó de los mejores profesionales y supo aprovechar sus conocimientos para acrecentar su imperio. Más de una vez soñó con llevar a Louis a su despacho para decirle: «hijo, algún día, todo esto será tuyo».

Con apenas dieciséis años, Louis entró en Yale de acuerdo con el plan que su padre le había preparado minuciosamente. Tres años después, ya con la licenciatura en el bolsillo, pasó a la facultad de Derecho. Zane era consciente del papel que desempeñaban los juristas en la sociedad de su tiempo y deseaba que su hijo se familiarizase con los entresijos del poder. Sin embargo, cuando éste eligió la Universidad de Chicago en lugar de Tulane, comenzó a preocuparse.

Tres años después, con veintidós años, regresó con su flamante licenciatura en Derecho a la Universidad de Yale para preparar su doctorado en Historia de Europa. A su padre, la idea no le gustó en absoluto. Con veinticuatro, le dio el mayor disgusto de su vida: rechazó seguir sus pasos al frente del negocio familiar y entró en la CIA. Nunca se recobró del golpe y se dejó morir.

Louis se convirtió en el heredero universal de una inmensa fortuna. A fin de cuentas, se trataba de su hijo, el único que tenía. Sin apenas pestañear, vendió todo y repartió los beneficios con su madre y sus hermanas. A los treinta, era un hombre sin cargas profesionales ni económicas. A pesar de su atractivo, jamás se casó ni tampoco se lo planteó.

Quince minutos después de la breve conversación por teléfono, Devereaux entró en el Despacho Oval, donde se hallaba el presidente a solas.

—Buenos días.

—¿Le apetece un café o algo para comer? Sírvase usted mismo, Louis —y le señaló una bandeja repleta de donuts y pastelillos. Se sirvió una taza de café y se sentó en el sillón que quedaba a la izquierda del presidente. Por un momento pensó que el Despacho Oval siempre sería el mismo, daba igual quien gobernase—. He recibido esa llamada, la de Londres. De alguien que se hacía llamar Harry Levine. Trabaja en el Servicio Exterior. Un abogado adscrito al Departamento de Comercio. Me ha llamado a través de la línea de alta seguridad —tras una breve pausa, alzó la voz—. Por Dios, Louis, es increíble.

—Le ruego que me explique lo que ha sucedido —le sugirió en un intento de calmarlo. El primer George Bush no se habría permitido ninguna tontería en una situación de crisis. Al fin y al cabo, era un profesional. En fin. Uno podía escoger a sus amigos, pero no a su presidente—. ¿Cómo logró Harry Levine ponerse en contacto con usted?

—Eso no es asunto suyo —y soltó una carcajada mientras se levantaba de su asiento.

—¿Qué?

—Dijo: «Eso no es asunto suyo». ¿Puede creerlo? —continuó riendo—. Por Dios, no puedo tomármelo de ese modo. Se trata de algo serio, pero... no parece demasiado real.

—Le ruego que me explique lo que ha sucedido —le reiteró. El presidente, tras dar una vuelta alrededor de su escritorio, se sentó de nuevo.

—Levine ha recibido esta mañana una llamada dirigida al embajador Brown, quien se encontraba ausente, para que fuese de inmediato al bufete Herndon, Sturgis, Wells y Nelson, una firma muy prestigiosa, la mejor de Londres, para entrevistarse con Sir Anthony Wells, quien le entregó un documento que formaba parte del legado de Frederick Lacey. ¿Le suena ese tal Lacey? ¿Lord Lacey?

—Sí —un escalofrío le recorrió la columna vertebral. Se ajustó de inmediato la chaqueta. Esperaba que el presidente no se hubiese dado cuenta del rubor que había manchado sus mejillas—. Falleció esta semana.

—Eso. El martes, para ser exactos. Buena memoria, Louis. El caso es que dejó instrucciones sobre lo que debía hacerse después de su muerte. En el documento ése afirma que asesinó al presidente de Estados Unidos —Devereaux no dijo nada—. ¿Sabe algo al respecto?

—Bueno... Frederick Lacey y Joseph P. Kennedy fueron amigos durante los años veinte y treinta... No era un hombre de trato fácil, aunque se sentía muy próximo a su suegro. Le ayudó a escapar cuando el Ejército Rojo invadió Georgia. Durante un tiempo, corrieron rumores sobre sus aventuras, ya sabe: oro, diamantes, antigüedades, obras de arte...

—¿Hay algo de cierto en todo ello?

Devereaux soltó una breve carcajada.

—Quién sabe. Su esposa murió de sobreparto en 1926. Durante los veinte años siguientes, él y Kennedy tuvieron numerosos líos de faldas en toda Europa. La hija de Lacet, Audrey se llamaba, se suicidó.

En el verano de 1940. Por aquel entonces, Kennedy todavía vivía en el Reino Unido, donde era nuestro embajador desde 1937. Roosevelt lo mandó llamar de inmediato por sus simpatías hacia los alemanes. Kennedy creía que Hitler ganaría la guerra y Lacey se convirtió en una pieza fundamental para el triunfo de los aliados en Italia y Europa del Este. Puso a Churchill en contacto con la Mafia siciliana y la resistencia comunista. Tras la guerra, Kennedy y Lacey dieron por terminada su relación.

—Louis, nunca dejará de sorprenderme. ¿Cómo puede recordar todo eso?

—Bueno, no sabría explicarle. ¿Se acuerda de lo que le explicaron en las clases de Geografía del instituto? ¿Y de los nombres de sus compañeros de residencia en la universidad? ¿Y del número de teléfono de su primera novia?

—¿Me está tomando el pelo?

—No, hablo en serio.

El presidente explicó el resto de la conversación. No le llevó más de veinte minutos. Devereaux le escuchó con atención. Se sabía prácticamente de memoria el historial de todos los presidentes desde Truman. A todos les gustaba hablar sentados, salvo a Eisenhower, que siempre lo hacía de pie. A Ford le gustaba juguetear con una goma elástica, Carter solía hacer algún ruidito. Cada uno tenía sus puntos fuertes y, cómo no, sus carencias.

En la opinión de Devereaux, este presidente era más inteligente de lo que se pensaba, aunque no demasiado listo. Kennedy y Bush padre fueron los más sagaces, de eso no cabía ninguna duda, y Clinton... estaba demasiado sobrevalorado. Si hubiese de elegir al más tonto, optaría por Johnson sin pestañear. Se le conocía como EPA, El Presidente por Accidente. Todos recabaron los servicios de la CIA menos él.

—Louis, no entiendo qué pintamos nosotros en todo esto. En principio, el caso Kennedy está cerrado. ¿Qué interés habría en colocar a su familia en el punto de mira de la opinión pública?

—¿Qué pensaría usted si se enterase de que George Washington sintiese una irrefrenable pasión por los jovencitos? No, no se ría. Hablo en serio. Imagine que aparece una prueba irrefutable. Su imagen aparece en nuestras monedas; hay un sinfín de bancos, escuelas, facultades, bibliotecas, calles, puentes y túneles que llevan su nombre. Incluso una ciudad y un estado. ¡Es el Padre de nuestra Nación! Todo el mundo lo invoca: republicanos, demócratas, independientes, libertarianos, militantes de movimientos provida, partidarios de la eutanasia... Todos. ¿Qué ocurriría si nos enterásemos de que toda su vida fue una vulgar mentira?

—Ya veo.

—¿Entiende lo importante que es mantener vivo el mito de John F. Kennedy? —el presidente guardó silencio. El protocolo impedía a Devereaux proseguir hasta que le diese una respuesta, pero se atrevió a saltarse la norma—. ¿Osaríamos destruir su imagen? ¿La de Joe Junior, el héroe de guerra? ¿Y Bobby? Pobre Bobby. Robert Kennedy, el pecador arrepentido. ¿Se lo imagina allí, tendido en el suelo de la cocina del hotel Ambassador? El futuro presidente, quizás más amado incluso que su hermano, muerto. ¿Correrá el riesgo propiciar la destrucción de una de las familias más importantes de este país y, con ella, arrasar el prestigio de Estados Unidos?

Durante muchos años, el presidente se había acostumbrado a enfrentarse con problemas de difícil solución que atañían a los sectores más dispares: ejército, política exterior, empleo, Seguridad Social, equilibrio presupuestario, educación... Sin embargo, ahora no podía pedir consejo a nadie. No había ningún botón que pulsar. Era un buen político, pero aquella situación comenzaba a superarlo.

—Piense, señor, en que toda la gente que usted y yo conocemos tiene una excelente impresión de la familia Kennedy. ¿Cree que el aura que la envuelve podrá soportar una amenaza como ésa? No se trata de un simple lío de faldas, sino de un asesinato. No podemos revelar el nombre del asesino, pues de lo contrario arruinaríamos el mito.

El presidente se tomó un tiempo antes de contestar.

—Sí, me imagino que no es tan sencillo como para que Harry vaya a la embajada y diga: «Me han dado esto para usted, señor embajador. Es el diario de Lacey, pero no mató a nadie, ¿eh?». Pero ¿qué podríamos hacer?

—Si me lo permite, señor, quizás sea ésa la respuesta. Que Levine nos entregue el documento de la manera más discreta posible y nosotros nos encargaremos del resto. De todos modos, piense en que hay otros asuntos tanto o más peliagudos que la confesión del asesinato de Kennedy.

—¿A qué se refiere?

—Lo ignoro, pero un hombre como Lacey debió de tener una vida muy interesante. Trató con todo el mundo y trabajó para muchos gobiernos. No sólo fue el hombre más rico de su tiempo, sino también el más importante del siglo pasado. Sin él, nuestro mundo sería muy distinto. En esos diarios debe de haber todo tipo de anotaciones: nombres, lugares, fechas, acontecimientos, que a buen seguro alterarán nuestra visión de la historia. Ese documento es la verdadera caja de Pandora.

—Qué locura...

—¿Locura? Imagine lo que ocurrirá si todo eso sale a la luz. El caos.

—Bien, ¿y qué hacemos con Levine?

—Hemos de trazar un plan para que nos entregue el documento y salga de este juego lo más pronto posible—. Devereaux guardaba una baza oculta. No mencionó el nombre de Abby O'Malley, una vieja amiga gracias a la que estaba al tanto de la existencia de la confesión de Lacey. No habría sido una buena idea.

—Se me ocurre... —el presidente dio un bocado a una rosquilla—. Si Sir Anthony le ha entregado ese documento es porque lo tenía bajo su custodia. Y probablemente Lacey habría dejado por escrito la voluntad de que se hiciese público pasados unos días. Al estar en sábado, es muy probable que desease sacarlo a la luz... el lunes, quizá. Devereaux, usted es abogado. Dígame si me equivoco.

—Bueno, y usted también, señor presidente.

—Ah, sí. Los dos. Bueno —tomó otro dulce de la bandeja—, si ese documento dice algo tan horrible como que él mató a Kennedy, no podemos consentir que todo el mundo se entere, ¿verdad?

—Al parecer, eso es lo que el documento revela.

—No, no. No voy por ahí. Lo que quiero decir es: ¿por qué se tomó la molestia de dejarlo todo por escrito? ¿Por qué deseaba hacerlo público después de su muerte? ¿A qué viene tanto empecinamiento?

—No es fácil saberlo, señor presidente. Se ha hablado mucho de Lacey. Algunas de las historias que corren por ahí son verdaderas y otras, en cambio, falsas. ¿Quién podría decir cómo era? El caso es que tenemos un problema y debemos resolverlo cuanto antes.

—Levine está muerto de miedo. Lo noté en su voz. Le dije que esperase, pero no sé si habrá sido una buena idea.

—Tiene derecho a tener tanto miedo.

—Sí, pero ¿de qué?, ¿de quién?

—De quien haya asesinado a Sir Anthony Wells, para empezar. No se olvide de que debe de haber mucha gente dispuesta a hacerse con ese documento para evitar que su nombre aparezca relacionado con hechos que más vale mantener ocultos. Como no hemos podido leerlo, es imposible elaborar una lista de los sospechosos —Devereaux pensó en Abby O'Malley.

Justo cuando se disponía a proseguir su argumentación, la voz de Ethel Livingston, de la Agencia Nacional de Seguridad, brotó del interfono.

—Señor presidente, el embajador del Reino Unido acaba de telefonearme desde su coche. Es muy urgente. Creo que pasa algo grave.

—De acuerdo, Ethel. Hazlo pasar en cuanto llegue. Y venga usted también.

Deveraux y el presidente se miraron por un instante. Ninguno de los dos dijo nada. Poco después, la secretaria anunció la llegada del embajador, Brian Curtis-Moore, y la representante de la NSA. El diplomático, que a la sazón contaba ya setenta y ocho años, era uno de los más veteranos del mundo. Se notaba por la manera en que se paseaba por el Despacho Oval.

—Señor presidente —le tendió la mano—. Lamento mucho interrumpirle. Sin embargo... —se detuvo y miró a Louis Devereaux.

—No pasa nada, señor embajador. ¿Conoce al señor Devereaux?

—No lo creo. Mucho gusto, doctor Devereaux.

—Le garantizo que podemos tratar de cualquier asunto en su presencia... así como la de la señora Livingstone, de la Agencia Nacional de Seguridad.

—Disculpe, señor presidente, pero no creo que pueda hacerlo. Temo que se trata de un asunto demasiado delicado.

—De acuerdo —hizo una seña a Livingstone para que saliese. Devereaux permaneció de pie.

—Señor, me veo obligado a informarle del lamentable deceso de su excelencia el embajador de Estados Unidos en mi país, el Reino Unido de la Gran Bretaña —embargado por la emoción, el presidente le indicó que se sentase—. Ha ocurrido esta mañana, hora de Londres.

—¿Qué ha pasado?

—Ha resultado víctima de un homicidio.

—¿Qué?

—Me temo que se trata de un asesinato. Encontraron su cuerpo en un establecimiento de recreo cercano a Londres. Le golpearon con saña y, siento ser tan explícito, pero hay ciertas circunstancias de índole personal que no considero pertinente mencionar. Espero que comprenda la incomodidad que me supone... Verá, había otro hombre.

—Señor embajador, estoy al tanto de los gustos del señor Brown. Prosiga, se lo ruego.

—Por supuesto. También habían matado a su... *partenaire*. No a golpes, sino de un disparo a bocajarro. Los dos estaban desnudos.

—Bien.

—Me han confirmado que el personal del hotel ha actuado con la mayor discreción posible. No obstante, no disponemos de ningún indicio que nos lleve a sospechar de nadie.

—¿Su gobierno se ha puesto en contacto con nuestra embajada?

—No, señor presidente. Hemos preferido notificárselo a usted primero.

—Le agradezco mucho que haya tenido tanta consideración. Me doy cuenta de que se trata de un crimen horrible y de una gran gravedad. Comprendo también que debe investigarse y juzgarse de acuerdo con las leyes de su país. Sin embargo, le agradecería que nos permitiese recuperar el cuerpo del embajador cuanto antes. Asimismo, desearía que la prensa no hiciese ningún comentario sobre su vida privada. No sé si estaré pidiendo demasiado...

—En absoluto, señor. Le aseguro que yo mismo me ocuparé de todo.

—Me basta su palabra. No dudo de su buen hacer.

—La tiene, señor. Coincido con usted en que no es preciso decir nada a la prensa por el momento. No obstante, me veo obligado a mencionarle otro hecho igualmente luctuoso que afecta únicamente a mi país. Se trata de la muerte de Sir Anthony Wells. También ha sido asesinado esta mañana. No hace mucho celebró su centésimo cumpleaños, pero de nada le ha valido su edad. Al igual que a su excelencia el señor Brown, le golpearon salvajemente. Su despacho, donde lo encontraron muerto, estaba muy desordenado. Quizás haya una relación entre ambos sucesos. Un estadounidense, un hombre llamado Harry Levine, que trabaja en la embajada de su país, lo visitó a las diez. Dado el estado en que se encontraban sus dependencias, tal vez no sea demasiado aventurado pensar que Sir Anthony le hubiese entregado algo por lo alguien esté dispuesto a todo. Nuestros agentes de policía buscan a Levine para aclarar los hechos, pero de momento no han dado con él. En el caso de que usted supiese algo, le agradecería muchísimo que me mantuviese al tanto. No creo que haga falta reiterarle mi completa disposición para ayudarle.

—¿Qué tipo de relación?

—Le ruego que me disculpe, señor presidente. Creo que no le he entendido bien.

—¿Por qué supone que ese tal Levine podría sernos de ayuda? ¿Acaso piensa que tiene algo que ver con las muertes?

—Si desea que sea sincero con usted, señor presidente, lo ignoro por completo, si bien no dudo de que podría aportar cierta información que a buen seguro nos ayudaría a dilucidar el caso.

—Yo también lo creo. Me pondré en contacto con la embajada para que alguien se ocupe de todo y colabore con las autoridades de su país en la investigación de los hechos. En un momento como éste, nuestras naciones deben estar muy unidas. ¿Puedo hacer algo más por usted, querido embajador?

—No, señor presidente. Tan sólo me queda reiterarle el profundo pesar con el que el gobierno de Su Graciosa Majestad ha acogido tal noticia. El primer ministro y la reina desean transmitirle sus más sinceras condolencias —dicho lo cual, y tras realizar la despedida protocolaria, se marchó.

El presidente estaba tan confuso como enfadado. ¿Por qué los ingleses estaban tan interesados en hablar con Harry Levine? ¿También estaban al tanto de la existencia del documento? A juzgar por las palabras del embajador, no cabía duda. El embajador Curtis-Moore se había referido a *algo* que Sir Anthony quizás entregase a Harry. Sin embargo, le preocupaba más el hecho de que se hubiera relacionado a Harry con los asesinatos. ¡Con dos asesinatos! ¡Por

Dios!, ¿a santo de qué venía todo eso? De pronto, reparó en Devereaux, a quien le espetó:

—No ha mencionado a Lacey, ¿verdad? ¿Conocía a Curtis-Moore, Louis? ¿Y él, le conocía a usted?

—No, señor. Es probable que hayamos coincidido en alguna ocasión, ya sabe, un cóctel, una recepción... Alguna vez me lo he cruzado, pero jamás he estado tan cerca de él como hoy.

—¡Eso es! —el presidente dio una palmada.

—¿Le gustaría saber por qué me ha llamado doctor Devereaux?

—Sí, claro. ¿Por qué?

—Creo que los ingleses suelen ser bastante inteligentes, además de tener buena memoria.

—¿De qué me está hablando?

—Los agentes de inteligencia británicos deben de tener bastante información sobre él. Incluso es posible que sepan de la existencia del documento, por no hablar del asesinato de Kennedy. Pero no estamos seguros de dónde viene su interés por tener a Levine.

El presidente comenzó a preocuparse. A juzgar por su voz, aquel hombre parecía sincero. Es muy difícil fingir un miedo así cuando se habla por teléfono.

—No se preocupe. Levine volverá a llamar. Aunque ha escapado, probablemente aún no habrá salido de Londres. Quién sabe: a lo mejor está dando vueltas por el vecindario. Piense por un momento en que tal vez se haya dirigido a la embajada con la idea de que allí estaría a salvo y que, al verla rodeada por la policía, el MI6 y Scotland Yard, haya dado media vuelta. Levine debe de estar en alguna parte. Llamará, se lo aseguro. Tan sólo debemos esperar.

—Y entonces, ¿qué haremos?

—Déjeme hablar con él.

El presidente se mantuvo en silencio durante un par de minutos. Se diría que la situación no le gustaba en absoluto.

—Escúcheme bien, Louis. Ocúpese de todo esto, ¿entendido? —y, tras abrir la puerta que conducía al cuarto de baño, desapareció. Louis Devereaux no tuvo tiempo de responder. Tampoco hacía falta. Estaba claro que aquel presidente no era como Truman o Kennedy. De repente, recordó un verso de *Crimen en la catedral*, de T. S. Eliot: *¿acaso no habrá nadie que me libre de tan molesto sacerdote?*

Dieciséis

—Tengo que irme hoy. Esta tarde. No quería hacerlo sin decíroslo —Walter lo dejó caer como quien no quiere la cosa, aunque lo dijo en un tono de voz más alto de lo normal, incluso para lo que Ike y Billy estaban acostumbrados—. Estaré fuera unos días, pero volveré, ¿eh?

Billy, mientras alineaba unas copas de vino, gruñó algo parecido a un «vale».

—¿Adónde vas? —le preguntó Helen. Billy le lanzó una mirada que la hizo arrepentirse de haberlo hecho, aunque por desgracia ya no podía dar marcha atrás. Walter no respondió. Tras un breve silencio no demasiado cómodo, Ike terció:

—He oído que un japonés ha ofrecido a los Beatles treinta o cuarenta kilos si tocan para él, pero ellos han dicho que nanay.

—Bueno, creo que volvemos a las andadas —insinuó Billy al anciano. Helen quería decir algo, pero se contuvo y se alejó de la barra tapándose la boca con las manos.

—La mayor tontería que he visto en mi vida es la de aquel majara que intentó dar la vuelta al mundo montado en aquella especie de globo —Ike sufrió un repentino ataque de tos—. ¿Os acordáis? Se cayó como una piedra.

—Pues yo —replicó Billy mientras proseguía ordenando escrupulosamente las copas— jamás me imaginé que nadie hubiese escalado el Everest. ¿Para qué lo hicieron? No me malinterpretéis: el primero que lo hizo, vale, pero los otros... es estúpido...

—Creo que cada hombre hace lo que debe hacer —asintió Ike—. Aunque a veces eso no tenga ningún sentido. Así de sencillo. Es una tontería, pero no se puede hacer nada.

—Me iré esta tarde —repitió Walter—, pero volveré.

Billy no supo qué decir. Helen se había dado cuenta de que se trataba de una cuestión personal entre los tres amigos y prefirió guardar silencio. Ike dio otra calada y tosió de nuevo. Esta vez le hizo falta una servilleta. El humo se deslizó por su garganta y le hizo escupir algo de aspecto desagradable. Walter le echó un vistazo sin que el anciano se diese cuenta. Ike pugnaba por decir algo, pero no hubo manera. Cuando dejó de toser, se limitó a hacer un gesto con la cabeza.

Walter hizo un esfuerzo por no pensar en aquello, pero fue en vano. La primera vez que se sentó en aquel mismo taburete, en el antiguo Frogman's, no tendría más de treinta y tantos. Cuando Billy tomó el traspaso, rondaría los cuarenta, justo en la flor de la vida. ¿Tan rápido había pasado el tiempo? ¿Cómo pudo haber sido? No daba crédito. Aún se acordaba de todo lo sucedido en Saigón, hace ya un millón de años. El *Satisfaction* de los Rolling Stones. Podía oírlo. Todo un himno. Por aquel entonces no sabía que se trataba de una metáfora sobre Vietnam, aunque después lo vio todo más claro. *I can't get no, / I can't get no, / satisfaction...* Vietnam. Poco después de haberla grabado, en 1965, Mick Jagger concedió una entrevista. Walter la recordaba perfectamente: podía verlo allí, sentado en el Billy's. La imagen era tan clara como si la estuviesen emitiendo por televisión. Allá estaba Mick, casi un crío. Con aquel acento tan marcado que daba a sus palabras un ritmo casi sincopado: «tío, no me veo cantando *Satisfaction* con treinta y cinco tacos». «Las perspectivas que nos marcamos cuando nos hacemos jóvenes no valen nada», pensó Walter. ¿Acaso cuando apenas contaba veinticinco podía imaginarse que, treinta y cinco años después, se vería con un billete de avión en el bolsillo, una sencilla bolsa de viaje al hombro y dispuesto a salir en busca de alguien otra vez? Mejor no pensar en eso. Había pasado mucho tiempo. Demasiados recuerdos. De nuevo, sin saber cómo, se acordó de Gloria. *Glo-o-ri-a, my Glo-o-ri-a*. El estribillo de los Cadillacs atronaba en su mente... y en su corazón. Y entonces se le apareció Isobel. «Joder —se dijo—, he de parar esto como sea.»

—Una montaña siempre será una montaña —proclamó Ike mientras apuntaba a Billy, quien no estaba dispuesto a dejar tranquilo el Everest—. Pero no te olvides de la tontería ésa del globo. No, ahora que lo pienso... Lo más tonto fue meter a Cindy Birdsong en las Supremes. Una solemne tontería —y murmuró algo sobre Patti LaBelle.

—Pues yo sigo con lo del alpinismo —reiteró Billy—. Y no lo digo sólo por el Everest: me refiero al alpinismo en general. Si quieres llegar ahí arriba, ¡coge un avión, joder! Hay que ver cuánta gilipollez con eso de escalar montañas.

Los dos se quedaron mirando a Walter. Su plato estaba vacío: ni huevos ni tostada. Tan sólo quedaba un poco de Diet Coke. Un trago, nada más. Comenzó a juguetear con la botella, haciéndola girar con los dedos. Se dio cuenta de que lo observaban.

—Para gilipolleces, la nueva Coca Cola. La mayor tontería del mundo.

Billy dejó escapar una carcajada, tan fuerte que hizo salir a Helen de la cocina para enterarse de lo que estaba pasando. Tomó un trozo de tiza y se acercó a la pizarra, donde escribió en mayúsculas CINDY BIRDSONG / ALPINISMO / NUEVA COCA COLA sin dejar de reír.

Diecisiete

Harry tan sólo deseaba volver a casa; a la de verdad, en Roswell. Había abandonado su apartamento en el Soho, pues era demasiado arriesgado quedarse allí. Nada más oír las noticias sobre la muerte de Sir Anthony, supo que su vida corría peligro. Quien lo mató buscaba la confesión Lacey, que ahora obraba en su poder. Aunque el presidente de Estados Unidos le había ordenado que aguardase sentado su llamada, prefirió salir corriendo. «Me estará llamando», pensó mientras se daba cuenta de que no habría nadie. Daba igual. Había leído algunas páginas de aquel documento, la confesión de un hombre muerto. ¿Por qué había insistido en que fuese hecho público? Quizás —así se lo pareció— por un mero deseo de venganza. Frederick Lacey se proponía causar un daño aún mayor a los Kennedy desde su tumba. Había acabado con todos. *¡Con todos!* ¿A quién más podía atacar? Por otra parte, ¿quién podría temer que el mundo entero lo supiese? ¿Y quién puede estar tan desesperado como para matar por ello? ¿Tal vez los Kennedy... o alguien que actúa a sus órdenes? Sea quien fuere, Harry tenía muy claro que se había convertido en un objetivo tan importante como el documento. Por un momento se preguntó si Lacey se habría imaginado que sus últimas voluntades provocarían tal desastre. ¿Acaso previó aquel caos? ¿Eso era lo que deseaba? Harry no supo qué responder; apenas conocía el asunto y Sir Anthony ya no podría serle de gran ayuda. No había tiempo que perder. Tenía que largarse, y bien lejos. Preparó una pequeña bolsa, tomó la confesión y salió corriendo. En menos de cinco minutos, la policía se presentaría allí.

La embajada de Estados Unidos estaba rodeada. Como el solar era inmune a la legislación británica, sólo podría considerarse a salvo si lograba pasar la cerca. Sólo si la atravesaba. Todas las entradas estaban custodiadas por agentes británicos que daban la impresión de no estar demasiado al tanto de lo que ocurría. Harry no podía volver. La lluvia que había estado cayendo durante todo el día había dado paso a un sutil sirimiri. La temperatura, ya de por sí baja, no subiría al anochecer y el sol estaba a punto de ponerse. Tenía frío y estaba completamente empapado. Necesitaba hablar con el presidente de inmediato. Seguro que sabría cómo solucionar aquello. Sin lugar a dudas. Tal vez lo estuviese telefoneando en ese preciso momento, aunque ya no estaba allí. ¿Qué pensaría? «¡Dios!», murmuró. Cuánto le gustaría estar de nuevo en aquella planta baja de Roswell.

Hacía mucho tiempo que no oía la voz de tía Sadie llamándole para que subiese a cenar. Se había olvidado de su madre: ella sí que sabría qué hacer. Jamás consentiría que su hijo deambulase por las calles, perdido, bajo la lluvia, muerto de frío, a un millón de kilómetros de casa... Dio la vuelta y se dirigió hacia Saint James Square. Al llegar, se detuvo frente a una cabina telefónica.

—Por favor, iden...

—¡Albertson!, ¿es usted?

—¿Señor Levine?

—Sí.

—Le he estado llamando.

—Gracias.

—Levine —la voz del presidente sonó de inmediato—, ¿dónde se encuentra?

—En un pequeño café cerca de Saint James' Square.

—Quieren hablar con usted.

—Lo sé. Están por todas partes.

—Harry, vamos a sacarle de ahí, ¿de acuerdo?

—Sí, claro, señor presidente.

—Estoy al habla con otra persona. Se llama Louis Devereaux. Quiero que usted haga cuanto le diga. ¿Entendido?

—Sí, señor —la siguiente voz que pudo oír fue la de Louis Devereaux.

—No se preocupe, Harry. Tengo todo bajo control. Necesito que confíe en mí —su tono era muy similar al de una súplica.

—De acuerdo —balbució.

—¿Lo tiene? —al no responderle Harry, volvió a hacerle la pregunta—. ¿Lo tiene?

—Sí, sí.

—¿Lo ha leído?

—Sí, un poco.

—¿Lo de Kennedy?

—Sí.

—¿Y lo del resto, también?

—Sí. He visto montones de nombres que se suceden a lo largo de varios años: Lenin, Hitler, el rey Eduardo... Muchos. Pero no lo he leído todo. Ah, también habla del zar.

—¿Nicolás?

—¿Qué?

—¿También habla del zar Nicolás II?

—Sí, pero mire, ¿cómo...?

—Hay un restaurante indio —Devereaux habló con alguien más—. Se llama The Standard, en Westbourne Grove. Vaya allí. ¿Sabe dónde está?

—Sí. ¿Cuándo voy?

—En treinta minutos. Cuando llegue, el encargado tendrá un mensaje para usted. Es un anciano, un poco gordo, con el pelo cano. Indio, por supuesto. Le estará esperando. ¿Lo hará?

—Sí. ¿Qué tipo de mensaje me entregará?

—Tan sólo debe coger lo que le dé y seguir las instrucciones.

—¿Y entonces?

—Harry, confíe en mí.

—Sí, señor —aunque se hallaba muy lejos de estarlo. A Devereaux no le interesaba cómo se sentía Harry. Conocía perfectamente el tono con el que se daba una orden en una cadena de mando.

—De acuerdo. Voy hacia allá —se quedó con el auricular en la mano: habían cortado la comunicación.

Louis Devereaux se quedó mirando al presidente. «No sé qué haría sin mí», pensó.

—Señor, hay algunas cosas que deberíamos tener en cuenta. Y estoy seguro de que lo hará —dijo mientras comenzaba a irse.

—Louis, ¿adónde va? —señaló el teléfono; el mismo que había utilizado para hablar con Harry Levine.

—Voy a prepararlo todo para encontrarme con él.

—¿Y qué hará entonces?

«¿Cómo que qué haré entonces? —Devereaux no podía dar crédito a lo que oía—. ¡Pero será gilipollas! —volvió a pensar en T. S. Eliot—. ¿No quiere que acabe con el problema?»

—Tendré cuidado —sonrió. Unos minutos más tarde, se puso en contacto con Bambino.

Unos años antes, Devereaux dejó las oficinas de Langley gracias a George Bush padre. Cuando el imperio soviético se vino abajo por el peso de su propia estupidez, el presidente bajó la guardia. En una reunión celebrada en la Casa Blanca, comunicó sus propósitos a sus colaboradores más expertos. Algunos presidentes, entre los que se contaba incluso Lyndon B. Johnson, gritaron y soltaron más juramentos que Bush aquel día. Se encontraba de un pésimo humor y no había manera de apaciguarlo. El oso ruso era un enfermo terminal y, aun así, todo el mundo le decía que las cosas iban bien. Gorbachov sabría cómo salir de aquello, aunque nadie sabía cómo. Aquel oso se había convertido en un peluche.

—Pero ¿no hay nadie en sus departamentos que tenga un poco de cerebro? —gritó mientras señalaba a la delegación de la CIA—. ¿Qué tienen ahí dentro? ¿Serrín? ¿No hay nadie capaz de decirme que pasará ahora con los rusos? ¡Joder, que se han quedado fuera de juego! ¡Fue-ra de jue-go! ¿Y no hay ni un solo imbécil que esté al tanto? ¿Nadie?

—Señor presidente —le dijo un miembro de la CIA—. Tenemos un informe que preparó hace un tiempo, bastante tiempo... bueno, varios años... Devereaux. Todos pensamos que se había pasado un poco. Yo mismo lo leí y pensé que estaba chiflado. Pero ahora, visto en retrospectiva...

—¿Devereaux? ¿Quién demonios es ese Devereaux?

Devereaux había redactado y distribuido un informe entre los altos cargos de la Agencia en el que predecía, un tanto pomposamente, la caída de la Unión Soviética. Se le había pedido que analizase las posibilidades de desarrollo soviético hasta finales de siglo. Y lo hizo, aunque no quisieron hacerle caso. En lugar de ofenderse, se lo tomó como un trabajo más. De acuerdo con sus conclusiones, la Unión Soviética se desintegraría y desaparecería sin mediar una guerra. Quizás estallasen rebeliones armadas en algunas repúblicas, pero se trataría de casos aislados y sin muchas posibilidades de éxito. El complejo industrial-militar estaba al borde del colapso por culpa de la incompetencia y la corrupción. Los países de Europa del Este, así como las repúblicas musulmanas de Asia Central, se negarían a mantener sus lazos con los rusos —y éstos, por su parte, tampoco querrían nada con ellos—. Quizás incluso desaparecerían Hungría o la República Democrática Alemana. No habría tanques en las calles ni en la frontera rusa y la probabilidad de que la Unión Soviética invadiese alguna de las repúblicas rebeldes era prácticamente nula. Los militares rusos eran meros tigres de papel. De un papel fino y quebradizo. De acuerdo con su informe, la reunificación de las dos Alemanias actuaría como catalizador en todo este proceso. «El muro caerá», escribió mientras esbozaba una tímida sonrisa. A la Unión Soviética no le quedaban más de diez o quince años. Por otra parte, tampoco observaba con demasiada preocupación su arsenal atómico, cuya capacidad de destrucción ponía en duda. Sin embargo, el detalle más importante de este informe fue su fecha de redacción: Devereaux lo terminó durante el mandato de Jimmy Carter. Cuando a Bush padre le hablaron de ello, era demasiado pronto para reconocer que a ese analista «nadie le había prestado ninguna atención». Cuando el presidente dejó de hablar, nadie de los presentes se atrevió a decir nada.

—Váyanse ahora mismo —gritó y a continuación masculló algo sobre Devereaux, al que se refirió como «la única persona con dos dedos de frente en esta casa de locos».

Poco después, Devereaux visitaba por primera vez el Despacho Oval. La entrevista fue larga y muy productiva. En vista de la deriva que estaba a punto de emprender aquella superpotencia agonizante, era preciso acometer ciertas reformas en la política exterior estadounidense e hizo algunas sugerencias al presidente.

—Tenemos gente a lo largo de toda Europa e incluso en la misma Rusia, así como en las repúblicas asociadas —le explicó— que ha trabajado bien durante los últimos cuarenta años. Muchas de esas personas, la mayoría para ser exactos, jamás han pasado al otro lado y todavía se mantienen en activo. Por otra parte, hay otras, no demasiadas, que nos han ayudado aun sin saberlo sus respectivos gobiernos. Se trata de agentes, espías, informadores, colaboradores... que saben cosas sobre nosotros que podrían hacernos mucho daño si llegasen a hacerse públicas. Con algunas, aunque se trate de meras cuestiones personales, podrían chantajearnos. En otras palabras: por ahí fuera hay gente capaz de hacernos mucho daño si cambiásemos de estrategia.

—Gente que no podía hablar de esto antes —sentenció Bush.

—Porque era demasiado peligroso.

—Pero ahora puede, ¿verdad?

—Precisamente por eso, señor presidente. Hablo de gente que no podría sernos de ayuda, sino que, por el contrario, entrañaba un cierto riesgo.

Cuando se inició la conversación, había otras dos personas en el Despacho Oval y a las que Devereaux no conocía, si bien una de ellas debía de trabajar como secretario y el otro, como asistente. Bush se las quedó mirando y les hizo un gesto para que se marchasen. Tras quedarse a solas, Louis Devereaux y el presidente retomaron la conversación.

—¿Por qué me cuenta todo esto? —Bush había adoptado un tono de voz familiar con el que pretendía que Devereaux se sintiese más cómodo y que daba a entender el respeto que sentía por él. Louis no pasó por alto el detalle, pues había recurrido a esta treta en más de una ocasión—. ¿Qué piensa al respecto?

Devereaux se arrellanó en el sillón. Estados Unidos se veían en la necesidad de prescindir de los servicios de docenas, tal vez centenares, de personas que habían desempeñado toda clase de actividades durante la Guerra Fría. Algunos habían sido enemigos más o menos declarados y continuaban siéndolo. A otros se les podía considerar como amigos, si bien estaban al tanto de ciertos asuntos que impedirían que se les continuase tratando como a tales en el futuro. Todos y cada uno de ellos constituían una posible amenaza, por lo que habría que tratar cada caso por separado. Devereaux no se anduvo con rodeos. «Es preciso acabar con todos», sentenció, y propuso la creación de una red especial de agentes que se encargasen de la tarea.

—Llevará tiempo, mucho tiempo. Años quizás. Muchos son relativamente accesibles, pero otros seguramente estarán muy protegidos. No podemos recorrer Europa matando gente a diestro y siniestro, pues a medida que aumente la lista de «personal retirado», los supervivientes se darán cuenta de lo que ocurre. Hay que moverse con sigilo, aunque cuanto más tardemos en hacerlo, mayor será el peligro.

Aquella tarde, Louis Devereaux recibió la autorización directa del presidente para organizar una red de agentes que debía cumplir con una única misión: limpiar el continente. Tal como esperaba, disponía de fondos ilimitados y, como era de esperar, se encargó personalmente del primer trabajo.

Dieciocho

Bambino se puso en contacto con Devereaux un par de minutos después. Casi todos sus agentes eran femeninos, incluido Bambino, al que consideraba el mejor de todos. Ninguno de ellos pertenecía a la Agencia, ni tampoco a la Compañía, sino que se trataba de expertos independientes a los que enviaba a una misión de vez en cuando y de cuyo reclutamiento se encargaba él personalmente. Muchos no siquiera eran estadounidenses. Trabajaban por dinero y Devereaux disponía de un fondo inagotable que manaba con mucha facilidad. Todos recibían órdenes directas, por lo que sabían que no debían obedecer a nadie más. Les había asignado diversos nombres en clave que estaban relacionados con figuras del deporte a causa de la gran admiración que sentía por los atletas. Le maravillaban sus éxitos y, sobre todo, el aprecio y el respeto que solían mostrar por sus respectivas disciplinas, así como la determinación a la hora de dar lo mejor de sí mismos en todo momento. Sin embargo, sus apodos eran lo que más le gustaba. De hecho, se reprochaba a sí mismo no haberse puesto ninguno. Las mujeres que trabajaban para él en la DEVNET —una denominación más o menos oficial que sólo conocían unas cuantas personas— lo recibieron de acuerdo con sus características. Por ejemplo, el nombre en clave de una agente lituana, cuya abnegación la llevó a lograr éxitos con los que nadie antes hubiese contado, era *Caballo* en recuerdo de Alan Ameche, el gran defensa de los Baltimore Colts, un deportista que nunca se dio por vencido. Otra, de nacionalidad francesa, se hacía llamar *Aguijón,* por sus maneras, un tanto rudas, aunque siempre estaba dispuesta a cortarle las pelotas al más pintado. Su apodo se lo dio en honor a Ty Cobb. Bambino se ganó el suyo en Praga. Cuando escuchó la historia, Devereaux no dudó en concedérselo, pues ella era sin duda la persona para la que lo había reservado durante tanto tiempo. Nunca la había visto antes, ni siquiera cuando contrató sus servicios. Pero no se había equivocado: en una sola misión acabó con ocho objetivos. Los asesinó a todos, incluidos los cinco guardaespaldas, en la suite de un hotel que se encontraba en pleno corazón de la ciudad. Cuando hubo terminado el trabajo, se cambió de ropa tranquilamente, tomó el ascensor y bajó al bar, donde se tomó una copa antes de irse. Evidentemente, lo hizo para demostrar su poder, aunque también para ganar una cierta ventaja sobre sus compañeras. Por si fuera poco, tras rematar una faena, lo limpiaba todo cuidadosamente, por lo que valía por todo un equipo. Como el nombre *Baby* sonaba demasiado sexista —el hecho de tener cinco hermanas mayores lo había marcado hasta el punto de ser muy sensible al respecto—, Devereaux optó por *Bambino,* en recuerdo de Babe Ruth. La agente tenía su base de operaciones en Londres, donde una agencia de relaciones públicas le servía de tapadera. La situación en la que se hallaba Harry Levine requería a su agente preferida, pues no sólo se encontraba en la ciudad, sino que, por alguna razón, Devereaux intuía que no debía reparar en gastos.

En su apartamento, un pequeño piso de estilo un tanto profesoral, Bambino estaba a punto de servirse una taza de té. Con un gesto se había quitado los zapatos y los había lanzado al dormitorio. Tras silenciar el disco de Tom Waits que acababa de poner, se sentó para responder al mensaje que Devereaux le había enviado. Era el único que conocía el número de su localizador personal. En el Despacho Oval, sonó el teléfono que había al lado del sofá. Louis Devereaux lo descolgó.

Diecinueve

La autovía que lleva del aeropuerto de Atlanta hasta Roswell cruza la ciudad de una parte a otra. Walter había alquilado un coche y, en esos momentos, se dirigía por la carretera interestatal 85 Norte hacia el intercambiador que se encontraba al sur. Tras dejar atrás la salida de Freedom Parkway y pasar por delante del Martin Luther King Jr. Memorial en dirección al Carter Center —y a un viejo bar del que no podía olvidarse—, se dio cuenta de que no estaba solo. En el asiento trasero había un enorme gorila que confundió con Isobel Gitlin. ¿Lo habría visto desde la ventana de su oficina o mientras conducía por la autopista? Y si fuese así, ¿lo habría reconocido? «Cinco años», suspiró. Sus mejillas enrojecieron y se le hizo un nudo en la garganta. ¿Hacía ya cinco años desde que Isobel se había trasladado allí para desempeñar el puesto de directora en el Fundación para la Defensa del Consumidor? ¿Llevaba cinco años viviendo en Atlanta? Cinco años desde la última vez que la vio, en ese viejo bar, ése que tenía un montón de fotografías del dueño por todas las paredes. Ya habían pasado cinco años desde que terminó el asunto de Leonard Martin. Cinco años desde... Encendió la radio y la puso a todo volumen mientras tomaba el carril izquierdo del conector. Tras tomar el desvío, siguió la interestatal 75 que llevaba al norte de Tennessee y, luego, la 85, al este, hacia las Carolinas, por la que continuó hasta la salida GA Rt. 400, que le llevaba a la zona norte de los suburbios de Atlanta.

Sadie Fagan vivía en una vieja urbanización de suaves colinas, casas de madera y un gran lago que Walter debió rodear hasta dar con la calle. Ella y su marido adquirieron la suya en 1967. Se hallaba en la parte alta de la manzana, justo a medio camino de la piscina y las canchas de tenis. Al principio, era un lugar de ensueño y, bien mirado, aún lo seguía siendo. La gente de Atlanta buscaba en Roswell el mismo tipo de vida que hubiera podido llevar en Tennessee o Carolina del Norte. Evidentemente, no fue así, pero al menos quedaba más cerca: a unos quince kilómetros del centro de la ciudad, a pesar de que no hubiese ninguna autovía o carretera interestatal que permitiese ir directamente. A diario, Larry Fagan recorría la mitad del trecho por senderos flanqueados por árboles, luego tomaba un par de callejuelas y terminaba dando vueltas por las avenidas que surcaban el centro de la ciudad. No le llevaba más de tres cuartos de hora. Incluso cuando el tráfico era un poco más denso de lo normal el viaje continuaba siendo razonablemente corto. Para él, no tenía ni punto de comparación con lo que solía hacer antes: ir desde Brooklyn a Manhattan. Más de un compañero suyo pensó que estaba loco yéndose a vivir tan lejos. Cómo se notaba que ninguno había vivido en Nueva Jersey o Connecticut. Los Fagan estaban encantados con su casa y jamás pensaron en buscarse otra. Elana vivió, crió a Harry y murió allí. Y aunque en aquel momento la casa se había quedado un poco grande para los dos, continuaba siendo su hogar.

Cuando el desarrollo urbanístico de Atlanta llegó prácticamente a las orillas del lago Lanier, parte de la población se trasladó a Roswell, muy poco después de que Sadie se hubiese mudado allí. Por aquel entonces Harry no era más que un niño y la pequeña ciudad, con su centro histórico de calles adoquinadas y sus mansiones anteriores a la guerra todavía se mantenían en pie, no era más que una comunidad de vecinos bien avenida. Con el paso del tiempo, algunos de aquellos inmuebles se convirtieron en restaurantes de moda o salas donde celebrar bodas o reuniones más o menos especiales.

Las señas que Chita le había dado eran muy sencillas: Walter encontró la casa de Sadie sin dificultad, aparcó en la misma acera y llamó a la puerta. Una anciana de poca estatura pero corpulenta lo recibió con amabilidad y una sonrisa que, por extraño que parezca, le recordó a Ike.

—¿Señor Sherman? Por favor, entre, entre.

—Muchas gracias, señora Fagan.

—Pero entre, entre —Sadie condujo a Walter a través del estrecho vestíbulo hasta el salón, enorme para lo que son hoy los pisos. A juzgar por lo que veía, toda la casa debía de ser muy confortable. Sobre el sofá, cubierto con una tela, se amontonaban los cojines un tanto desordenados, lo cual le hizo pensar en que alguien se había tumbado allí hasta hacía poco, quizás para echar una cabezada. En una mesilla cercana, había un par de libros. No pudo leer los títulos, pero los lomos tenían esas arrugas tan características que indicaban que ya se habían leído. A su lado, el ejemplar del *Time* de esa semana y un par de mantas revueltas. El suelo estaba enmoquetado. Diversas fotografías familiares cubrían una de las paredes. Walter se fijó en una en la que aparecían Conchita, Harry y Sadie. Había sido tomada fuera de la casa, en el patio delantero, donde los tres posaron al lado del enorme pino que se elevaba sobre el césped.

Charlarían en la cocina. Sadie le pidió que se sentara. Frente a él, en una pequeña mesa de madera, tenía una taza de café medio llena y el *Atlanta Journal-Constitution* del día. Un poco más allá, justo en el centro, una fuente rebosante manzanas, naranjas, ciruelas y plátanos. Un suave aroma a aceite impregnaba el ambiente.

—¿Puedo ofrecerle algo?

—No se moleste, muchas gracias. Estoy bien.

—¿Una bebida fría, tal vez?

—De acuerdo. Un refresco *light,* si fuese posible, por favor.

Sadie Fagan sacó de la nevera una lata de Diet Dr. Pepper y, después de que Walter le diese las gracias, inició la conversación:

—Por lo que me ha explicado, Conchita le ha encargado que busque a Harry, ¿verdad? No sabía que hubiese desaparecido —el tono de su voz no le pareció a Walter demasiado preocupado, lo cual le llevaba a pensar que o bien sabía dónde se ocultaba su sobrino o bien que había hablado con él, tal vez no hacía mucho. Una de las dos opciones podía ser verdad o incluso ambas. Sin embargo, era demasiado pronto para afirmarlo. Además, cabía también la posibilidad de que no estuviese al tanto.

—¿Conchita no le ha comentado nada?

—No. No solemos hablar con demasiada frecuencia, ¿sabe?

—Pensaba que estaban muy juntas.

—Oh, sí, mucho. No, no quería decir eso. Tan sólo que no tenemos muchas ocasiones de charlar un poco —Walter se la quedó mirando—. Las dos estamos muy ocupadas.

Walter comenzó por contarle en qué consistía el encargo que le había hecho Conchita. Le aclaró que todo cuanto pudiese explicarle no era información de primera mano, sino fruto de las pesquisas que había hecho hasta el momento. Asimismo, no le ocultó nada de cuanto Conchita le dijo, incluida la historia del documento y su escapada desde Londres hacia algún lugar desconocido. Sin embargo, no le dio muchos más detalles: tan sólo mencionó que la muerte de cierta persona precipitó la huida. Por discreción, no quiso darle ningún nombre y ni siquiera se refirió a los Kennedy. Mientras le describía la situación, buscó alguna señal de asentimiento en la anciana. Observó con atención su mirada e incluso se fijó en las comisuras de la boca. ¿Sabría algo? Y, en el caso de que fuese así, ¿qué y cuánto sabría? Sin embargo, no apreció nada que mereciese la pena. Al parecer, hablaba con su sobrino al menos una vez a la semana, aunque no era extraño que pasasen bastantes días entre una llamada y otra. Ignoraba que Harry estuviese en problemas.

Walter se interesó por la vida que habían llevado los cuatro en la casa. «Hábleme de Elana», le pidió. Sadie comenzó por hablarle de cuando David fue reclutado, del embarazo de Elana, la muerte de David —o, al menos, eso es lo que les dijeron—, el nacimiento de Harry y su posterior traslado a Atlanta. A pesar de que Elana llevaba ya ocho años muerta, no costaba mucho ver cuánto la echaba de menos Sadie. No en vano, cambió de tema.

—¿Por qué lo contrató Conchita? Quiero decir, ¿por qué a usted? —procuró no sonar demasiado inquisitiva.

—Me dedico a ayudar así a la gente. Es mi trabajo.

—¿Así? ¿De qué manera?

—Busco a gente. A gente desaparecida.

—¿Desde hace mucho? —Walter comprendió la pregunta perfectamente. Sabía a qué se refería. Le gustaba aquella anciana, aun con aquella sombra sobre el labio.

—Treinta años —Sadie esbozó una sonrisa y lo miró de un modo que sólo una persona anciana puede hacer—. Cuarenta si tiene en cuenta mi temporada en el ejército.

—¿Vietnam? —y asintió con la cabeza en señal de simpatía.

—Sí.

—¡Qué lástima que no hubiese encontrado a David!

—Sí —convino Walter—, una verdadera lástima. Hábleme de él.

Sadie bebió un poco de té y comenzó a desgranar detalles sobre la vida de su hermano mientras Walter intentaba encontrar algún indicio que le permitiese comprender mejor a Harry. David Levine había muerto más de treinta y cinco años atrás. Vivía en Nueva York y, cuando Sadie Fagan se trasladó a Atlanta, apenas contaba diecisiete. A decir verdad, Walter tuvo la impresión de que Sadie no se acordaba demasiado bien de él, ya que cuanto más intentaba hablar de David, más se refería a Harry. De hecho, reveló más detalles sobre ella misma y su sobrino que sobre su hermano, cuyo recuerdo estaba desvaído por el tiempo, si bien no dijo nada que, por otra parte, se saliese de lo corriente. Tal vez, pensó, hubiese hablado con él aquella misma mañana, o quizás la víspera o anteayer.

—Si lo desea, hábleme de Harry.

El teléfono móvil de Walter sonó en medio del monólogo de Sadie, justo cuando le estaba explicando algunas anécdotas de la adolescencia de su sobrino y lo mucho que le gustaba Roswell.

—Siempre quería quedarse en casa. Ahí mismo —en ese momento Walter sintió un cosquilleo en el pecho mientras un agudo pitido pugnaba por hacerse notar.

—Disculpe. Contestaré desde ahí fuera.

—No se preocupe. Estaré en la otra habitación. Avíseme cuando quiera —tomó la taza de té, el periódico y salió. Walter abrió el teléfono, pulsó el botón y musitó un «¿diga?».

—Buenos días, Walter. ¿Puedo llamarle Walter? Usted y yo hemos de hablar.

—¿Quién es? —y añadió de inmediato, con un tono de voz amigable—: Puede llamarme cuando lo desee.

—Perfecto.

—¿Y con quién tengo el gusto de hablar?

—Me llamo Louis Devereaux. He seguido con mucho interés su trabajo durante todos estos años. Podría decirse que soy un admirador suyo. Por eso debemos hablar cuanto antes.

—¿Y qué puedo hacer por usted, señor Devereaux?

—Creo que podemos ayudarnos mutuamente, Walter. Hemos de hablar sobre Harry Levine. Me gustaría que nos viésemos esta noche. Quizás para cenar. Esta tarde llegaré a Atlanta. ¿Conoce Il Localino, en Inman Park? Es un pequeño restaurante. Se encuentra en Highland, una calle muy tranquila. Nos encontraremos a las siete. Cenaremos pronto; así tendremos tiempo para charlar largo y tendido. ¿Qué le parece? —Walter no tenía ni idea de quién era ese Louis Devereaux, pero tenía su número de móvil, estaba familiarizado con su trabajo, sabía que estaba en Atlanta y se había referido a Harry. Tenía bastantes razones para acudir a la cita.

—Lo veré a las siete, Louis —cerró el teléfono y se lo guardó en el bolsillo de la camisa.

La tía de Harry estaba fuera, en una terraza de cemento que daba al jardín, sentada en una silla de metal, frente a una mesa de cristal. Walter tomó el refresco, se puso a su lado y durante una hora la escuchó hablar de su sobrino.

Veinte

La irrupción de la alta burguesía en North Highland, concretamente en el distrito de Inman Park, en la zona este de Atlanta, comenzó en los años noventa. Los antiguos edificios de viviendas, de cuatro o cinco pisos, erigidos durante la Depresión o, en todo caso, anteriores a la Segunda Guerra Mundial, fueron rehabilitados, convertidos en apartamentos de lujo y vendidos a abogados, profesionales de comercio exterior, directivos de empresas de publicidad y hombres de negocios. Muchos de aquellos pisos resultaron demasiado pequeños para las familias numerosas, por lo que el barrio quedó libre de niños. Se abrieron carriles para hacer *jogging* y desplazarse con bicicleta, y los precios se doblaron una y otra vez. Los antiguos residentes, gente de clase obrera que compraban la ropa y el menaje en el mismo establecimiento, los Sears, acabaron por irse y brotaron bares, cafeterías y restaurantes aquí y allá. Los *yuppies* de Atlanta, los mismos que vestían polos de doscientos dólares de Hugo Boss y bebían café *espresso* hecho por sus flamantes cafeteras importadas desde Milán, se abalanzaron sobre el vecindario. Los hombres lucían con orgullo sus Rolex y siempre pagaban con tarjetas de crédito, daba igual cómo estuviesen vestidos. Las mujeres solían llevar ropa interior de Victoria's Secret y siempre tenían buen aspecto, incluso cuando chocaban con el coche. En la Emory Clinic, una sucursal del Hospital Universitario Emory, médicos y enfermeras se referían a Inman Park con el nombre de Herpeslandia. Y es que, por muchos máster de dirección de empresas que se tenga, las venéreas no perdonan.

Il Localino era uno de los cuatro restaurantes que ocupaban uno de los lados de aquella manzana de North Highland y que compartían un lujoso aparcamiento, con mozo incluido. Walter condujo hasta la entrada y el encargado, un estudiante de aspecto aseado, le preguntó a qué restaurante se dirigía. Tras responderle, el joven le entregó un resguardo y se quedó con la parte correspondiente, que colocó sobre el salpicadero. Walter pensó que era una buena manera de localizar el vehículo y, de paso, impedir que ciertos clientes, en el caso de que hubiesen bebido más de la cuenta, intentasen conducir de vuelta a casa. Louis Devereaux lo estaba esperando sentado en la mesa que había al lado de la ventana, justo en la esquina. Nada más entrar, se levantó y, con una gran sonrisa, le indicó que se acercase.

Walter se dio cuenta de que lo había estado observando desde que llegó al aparcamiento. Jamás debería dar un paso sin echar un vistazo a su alrededor. «Seré tonto —se dijo—. Me he comportado como un completo gilipollas.»

Louis Devereaux aparentaba unos cincuenta años, de porte elegante y buenos modales. Su rostro era anguloso, de nariz pequeña, labios finos, que parecían sonreír siempre hacia dentro, y mentón afilado. Una buena mata de pelo negro coronaba el conjunto. Por su aspecto, podría pasar completamente desapercibido si no fuese por el brillo acerado de su mirada. No era la primera vez que Walter se encontraba con alguien como él. Devereaux pertenecía a la estirpe del mismísimo diablo.

Era de Washington. Walter no tenía duda. En la capital todo el mundo viste de la misma guisa: traje azul marino, con tres botones y sin hombreras, y camisa y corbata de colores neutros y discretos. No se trataba, en absoluto, de prendas baratas, aunque no desentonaba demasiado en el vecindario. Walter se acordó por un instante de lo que el Holandés le dijo en Vientiane allá por 1971. Una tarde, en el hotel del bar, mientras observaban a los franceses que iban y venían de la capital de Laos, Aat van de Steen le espetó: «Un hombre que se viste para no ser visto es un hombre que no quiere decirte quién es». Aquella lección que aprendió en Laos le sería muy útil en Il Localino.

—Hola —Walter le tendió la mano por encima de la mesa.

—Encantado de conocerlo —repuso Devereaux. Tras el apretón, se sentaron—. ¿Le gusta este sitio?

—Perfecto —aunque ni siquiera había echado un vistazo alrededor. Un italiano, delgado y de edad avanzada, se les acercó acompañado de una joven que muy bien podría ser su sobrina o, incluso, su nieta. En la mano llevaba una botella de vino.

—Señores —les presentó la botella como si fuese un gran tesoro—, permítanme escoger este chianti para ustedes. Colle Bereto Chianti Classico, 1995. Un vino maravilloso, créanme, capaz de avivarles en invierno, refrescarles en verano... y hacer que las mujeres caigan rendidas a sus pies. Si no fuese de su agrado, no duden en decírmelo. Corre de mi cuenta —y, acto seguido, entregó la botella a la joven para que la desgolletase y la abriese. Después de extraer el tapón, el italiano comenzó por detallarles la carta, haciendo hincapié en cada uno de los ingredientes así como en el método de preparación para finalizar con su juicio personal acerca de cada uno de los platos. Por un instante, se quedó mirando a Walter y le dijo con la mejor de sus sonrisas —: le recomiendo un mero *piccata* con salsa de vino blanco, limón y alcaparras. Después, *linguini* al dente con almejas en salsa. ¿Le parece bien?

—Por supuesto —respondió con otra gran sonrisa.

—¿Desearían comenzar por una ensalada con piñones tostados y nuestra vinagreta Localino, famosa en el mundo entero?

—¿En el mundo entero?

—En el mío, sí.

—Si le parece bien, pasaré directamente al primer plato, gracias —repuso Walter.

—Y usted, señor... —el *maître* se dirigió a Devereaux.

—Creo que tendré bastante con un *filet mignon* y una guarnición de pasta de cabello de ángel.

—Excelente elección, señor. Finos medallones de *filet mignon* en *brandy* de la Italia Romagna, con champiñones y granos de pimienta. ¿Eso es todo? —Devereaux asintió y el anciano se dirigió a la joven, a la que indicó que sirviese las copas: primero a Walter, para que diese su aprobación, y luego, con una cantidad más generosa, a los dos—. Bienvenidos a Il Localino. Avísenme para lo que necesiten.

—Muchas gracias —repuso Walter—. Estoy seguro de que disfrutaremos de una cena maravillosa.

Devereaux lo observó por un momento y dijo:

—Debería haber echado un vistazo a su alrededor: delante, detrás... Mire... —Walter obedeció. Il Localino era un pequeño restaurante situado en la planta baja de un edificio bastante estrecho, hasta el punto de que las mesas casi se tocaban, con excepción de la que quedaba al lado de la ventana, donde justamente se habían sentado los dos. Disponían de todo el local para ellos. Podrían hablar con plena seguridad. En el centro había una fuente cuyo murmullo ayudaba a que las conversaciones fuesen un poco más discretas. Las paredes, oscuras, de ladrillo visto, estaban cubiertas con cuadros, fotografías y carteles antiguos. De hecho, el restaurante era tan pequeño, por no decir minúsculo, que apenas se podían dar cinco pasos en cualquier dirección. Sin embargo, gracias a algunas macetas estratégicamente dispuestas, se podía obtener un poco de intimidad aunque estuviese abarrotado.

—Tiene un cierto aire neoyorkino, ¿no le parece? Algo como la Tercera Avenida, el centro o incluso East Village...

—Encantador —sentenció Walter.

Devereaux dejó escapar una carcajada.

—Pues espere a que comiencen a cantar —bebió un poco de vino, hizo una seña de aprobación y se acomodó en la silla—. Estoy muy contento de encontrarme con usted. En serio. Jamás sospeché que tendría una ocasión como ésta.

—Espero decir lo mismo —su tono de voz era amigable—. Pero sigo sin tener idea de quién es usted —repuso sin mostrarse molesto.

—Ajá —rió—. Le gusta saber cosas, ¿verdad? ¿Acaso no se imagina cómo he podido conseguir el número de su teléfono móvil?

—No me preocupa demasiado. Las posibilidades son bastante limitadas. Me interesa más saber por qué me ha llamado. Por eso, dígame quién es usted y por qué me ha hecho venir... además de para disfrutar de una cena deliciosa.

—Sé que busca a Harry Levine. Yo, también —la sonrisa de Devereaux se convirtió casi en una mueca—. Verá: es difícil creer que estoy tras el mismo hombre que persigue Walter Sherman. Para mí ha sido toda una sorpresa. Y necesito su ayuda para dar con él.

—¿Me está ofreciendo un trabajo?

—No, no —replicó—. Ya tiene el suyo.

—Entonces, ¿quiere estar al tanto? ¿Es eso?

—Eso es. Exacto. Levine tiene dos tías. Una de ellas, una mujer de belleza excepcional, como estoy seguro que habrá notado, le visitó en Saint John. A la otra, acaba de verla aquí, en Atlanta.

—En Roswell.

—En Roswell, sí. Sadie Fagan no lo contrató, de eso estoy seguro, por lo que tan sólo ha podido ser Conchita Cristal. No se equivoque, Walter: me alegra saber que usted va tras las huellas de Harry. Yo no podría encontrarlo por mi cuenta.

—¿Y qué quiere de él? —preguntó mientras revolvía en el cesto del pan para, al final, escoger dos palitos de pan.

—¿Cuánto sabe acerca de Lacey?

—¿De quién?

Devereaux sonrió.

—Usted es de los buenos —había observado en los ojos de Walter un brillo que lo delataba. Aquel nombre le decía algo. Evidentemente, sabía quién era, pero Devereaux optó por dejar el asunto para más adelante para salvaguardar su orgullo profesional. Al cabo de unos instantes, al ver que no obtenía ninguna respuesta, cambió de tema—. Deseo encontrarlo por la misma razón que usted. Ambos estamos al tanto de lo que ha pasado, si bien ninguno de nosotros ha leído el documento ni tampoco tenemos una idea certera de lo importante que puede ser. Es muy probable que Harry tenga algo que contenga... ciertas informaciones que no deban hacerse públicas. Quién sabe lo que podría pasar... Cuando lo encuentre, estoy seguro, Walter, de que usted lo leerá. Entonces sabrá de lo que le estoy hablando. ¿De acuerdo?

—Me trae sin cuidado lo que Harry pueda tener. No pienso leer nada. No se preocupe.

—Por supuesto. Usted nunca quiere comprometerse demasiado, ¿verdad? Tan sólo se limitará a dar con él, por muy oculto que esté.

—¿Y quién no me dice que se esconde de usted? —espetó Walter mientras daba un mordisco a una barrita de pan untada en mantequilla con ajo y soltaba una leve carcajada.

—No. Trabajo para el presidente de Estados Unidos. Yo soy la persona con la que Levine intenta contactar. El único al que quiere entregar el documento; ese mismo documento por el que usted no parece tener demasiado interés. Pero no puedo hacer nada. Me llamó desde Londres y después desapareció. Sé que lo encontrará porque usted es la única persona en este mundo que puede hacerlo. Y quiero que me ayude.

—¿Por qué?

—Porque cuando encuentre a Harry Levine, yo me ocuparé personalmente de su seguridad. Eso es lo que me encargó el presidente... además de obtener el documento, y admito que ése es mi objetivo principal. Sin embargo, estoy tan interesado como sus tías en que Harry salga bien de ésta. Incluso si Conchita Crystal no le hubiese contratado.

—No trabajo para el gobierno, ni el FBI, ni la CIA, ni para otro tipo de siglas. De hecho —Walter volvió a sonreír, aunque de una manera muy irónica—, hace tiempo que me retiré.

—Sí, algo he oído —Devereaux bebió de nuevo y se limpió los labios con la servilleta—. Pero veo que ha vuelto a las andadas.

Casi habían terminado la botella de chianti. La comida que les habían servido tenía un aspecto excelente, su aroma era maravilloso y probablemente sabría mucho mejor de lo que les habían comentado. El mero estaba en su punto, se deshacía nada más pincharlo con el tenedor y lo habían cubierto con la cantidad justa de alcaparras y los *linguini,* al dente, perfectos. Devereaux también disfrutaba de su plato. Tras haber comido, éste explicó a Walter todo lo que sabía de él. A juzgar por sus palabras, o bien se trataba de un sincero admirador o bien de un buen actor. Sin duda, disfrutaba desgranando cada uno de los detalles de su historia. No tardó demasiado en adivinar que Devereaux era un agente de la CIA. Tal como había dicho, no le quedaban muchas opciones. Además, sabía mucho sobre él: estaba al tanto de su labor en Vietnam, de su relación con Gloria e incluso se refirió de pasada a su hija y a su familia de Kansas City —y, aunque no lo mencionó porque no hacía falta, podría haberle contado que no había presentado ni una sola declaración de impuestos desde hacía cuarenta años, lo cual convertía a Walter Sherman en lo más parecido a un fantasma. Tampoco quiso ofenderlo explicándole algunas anécdotas sobre sus clientes, aunque dejó caer el nombre de Leonard Martin en dos ocasiones. Walter se esforzó por mantener la compostura y, al llegar el momento del postre, pidió un café. El *maître* les ofreció un par de copas, por cuenta de la casa, y ambos aceptaron encantados. Mientras apuraba su brandy, Devereaux le preguntó:

—¿Hay algo en lo que pueda ayudarle?

—Por ahora, no. Cuando lo encuentre, ¿qué quiere que haga?

—En principio, nada de particular —le confesó en un tono muy distinto al que había mantenido a lo largo de la conversación—. Sé que no hará nada extraño, usted no suele trabajar así, y yo no le pediré que cambie nada. Tan sólo le daré un número de teléfono. Llámeme y les sacaremos de allí.

Walter no dijo nada; se limitó a asentir. Louis Devereaux entendió que con aquel gesto aceptaba la propuesta. No le comentó el plan que le había encomendado Conchita para ocultar a Harry en algún lugar donde nadie pudiese encontrarlo.

Devereaux insistió en pagar la cena, aunque se tomó su tiempo. Miró por encima del hombro de Walter y, al fin, llamó al *maître,* que había demostrado tener más paciencia que un santo. No tardó demasiado en volver con el cambio.

—Vamos —dijo—. Así está bien.

Walter se levantó, se dio la vuelta y, al quedar de pie, tuvo la sensación de que el restaurante se había hecho aún más pequeño. Entre él y la mesa que quedaba delante apenas podía pasar una persona. Mientras se dirigía hacia la salida, trastabilló en una ocasión para no chocar con una pareja que acababa de entrar y aguardaba al *maître* para que los acomodase. Nada más salir, sin saber por qué, se detuvo y Devereaux lo esperó en silencio.

—¿Walter? —le preguntó una mujer que estaba a un par de metros—. ¿Eres tú? —era Isobel Gitlin. Había cambiado. Cinco años pueden hacer con uno cualquier cosa. Aquella joven de veintinueve años se había convertido en una mujer de mediana edad. Había engordado bastante. La imagen que tenía de ella, embutida en un bikini negro y corriendo por Cinnamon Bay hasta rodar por la arena, aún se conservaba bastante fresca en su memoria. De hecho, ayer mismo había pensado en ella. Sin embargo, sus hombros se habían ensanchado, se había dejado el pelo largo y las canas comenzaban a clarearle las sienes. Llevaba el abrigo colgado del brazo. Sus caderas eran enormes. Por un momento, la recordó desnuda, recostada en la cama de The Mayflower, en Nueva York, durmiendo boca abajo entre las sábanas revueltas. Notó de nuevo el tacto de su piel, el suave aroma de la almohada, la dulzura de sus pezones...

—¿Walter? —repitió.

—Hola, Isobel —murmuró con la esperanza de que sonase bien.

—¡Walter, Walter! ¡Qué sorpresa! ¡Estás... fa... fantástico! —se le acercó para besarle en la mejilla. En ese instante recordó otro beso mucho más antiguo que le dio frente al Hilton de la Sexta Avenida de Nueva York hace muchos, muchos años. Se sentía contrariado—. Me gustaría presentarte a Otto Heinrich, mi marido —Walter tendió la mano y el acompañante de Isobel, un poco rezagado, se la estrechó sonriendo. Era un hombre regordete, un poco más bajo que Isobel, de unos cuarenta y cinco años, y prácticamente había perdido todo el pelo.

—Mucho gusto, Walter —un fuerte y firme apretón, como si no quisiese soltarlo—. Isobel me ha hablado mucho de usted.

—Encantado. Si me disculpan, he de marcharme. Ahora —y dejó a Isobel y su marido allí fuera para adentrarse de inmediato en la fría noche de Georgia sin darse la vuelta. Devereaux lo siguió y juntos anduvieron en silencio hasta llegar al aparcamiento. Walter entregó el resguardo y el mozo les trajo el coche.

—¿La conoce? —le preguntó Devereaux. Walter sintió un profundo estremecimiento. Intentó, aunque sin éxito, domeñar su ímpetu para aparentar una cierta frialdad. Por alguna razón sospechaba que aquel hombre conocía la respuesta, tal vez incluso antes de que Isobel se dirigiera al restaurante.

—Sí. Le pido disculpas por no haberle presentado —las palabras brotaron de manera involuntaria. No sabía qué decir.

—No se preocupe. Sé quién es Isobel Gitlin. No utiliza su apellido de casada. Otto toca el violin en la Sinfónica de Atlanta. Viven a un par de manzanas de aquí, en la avenida Austin, a un paso. Il Localino es su restaurante favorito. Pensé que le gustaría comer allí.

El coche ya estaba listo. El mozo, al salir, dejó la puerta abierta. Walter dio un traspié y tropezó con la rueda delantera. Apenas podía mantener la compostura. No sabía qué pensar.

—Estaremos en contacto, Walter. Y no se preocupe por mí. Me esperan en otro coche —Walter vio la limusina negra, aparcada al final de la manzana, con el motor en marcha. Tras hundirse en el asiento, dio la vuelta y condujo en dirección opuesta.

Veintiuno

—Oh, sí, claro que me acuerdo del presidente Roosevelt —dijo Ike—. Señor Roosevelt, lo llamábamos. Me parece estar viéndolo. Yo no era más que un chico, ya sabes, pero nos daba la impresión de que era una especie de rey, de un país muy lejano. No tenía nada que ver con nosotros, con nuestra pequeña isla. La guerra me hizo madurar —añadió—, tenlo por seguro.

—Nunca he prestado demasiada atención a los políticos —le respondió Billy—, excepto cuando se trata de alcaldes y comisarios. Vaya hatajo de ladrones. No hay ni uno bueno. Tan sólo saben robar. Ése es su oficio. Ya sabes de qué hablo: tú tienes un permiso de conducir y yo otro para este bar. Bueno, pues ellos tienen el suyo para robar —Helen lo miraba con orgullo.

—Me acuerdo de Nixon —terció ésta—. Al lado de ese tipo, Billy parecería un santo.

—¡Oye! Pero ¿qué dices?

—No, Billy —le hizo una breve carantoña y le estampó un beso en la mejilla—. No lo digo contra ti, sino contra ellos. Nixon sería la prueba de que todo cuanto dices es verdad. Son todos unos ladrones.

—Mira a Willie Sutton —dijo Walter—. Para ti sería un ladron. Pero decía que atracaba bancos porque... ¿no lo sabéis...? Porque había dinero dentro. Una verdad como un templo, ¿eh?

—De Nero —apostilló Ike mientras encendía otra de aquellas largas cerillas y aproximaba la llama a la punta de un habano un tanto arrugado que se había sacado del bolsillo de la camisa. Dio una larga calada y el humo comenzó a envolverlo mientras proseguía la charla—. Todos conocemos a ese tipo, el actor, pero yo me refiero al papel que interpretó en *Uno de los nuestros*. Se trataba de una historia real; sí, lo era. Había robado millones de dólares en el aeropuerto de Nueva York. En el Kennedy, creo que fue. Y nunca lo pillaron. Claro, se habían cargado a otros, pero eso no cuenta. Estamos hablando del robo, no de la seguridad, ¿verdad?

Walter se había sentado en su sitio de siempre. El grupo se reunió a la hora del almuerzo, como era habitual. Helen le había preparado un emparedado de salmón con un poco de brécol bien troceado. Ésa era toda su comida. No dejaba de pensar en el viaje a Atlanta: Devereaux, Il Localino, Isobel, Sadie Fagan... Si no hubiese sido por ella, no habría valido la pena. Había conseguido algo. Hablaba mucho, sí, y con naturalidad, sobre Harry. Algunos detalles tenían su importancia, pero no dejaba de inquietarle el hecho de que todavía no hubiese dado con nada que le permitiese llevar la investigación adelante. No lograba aclarar sus ideas. Devereaux lo había liado e Isobel, ¡maldita sea!, no había manera de quitársela de la cabeza. No tenía tiempo para eso. Necesitaba un poco de tranquilidad para ordenar todas las piezas. ¿Qué era eso que Ike acababa de decir? Robo, no seguridad. ¿Qué ladrón no vigilaría su botín?

—Robin Hood —dijo Walter con una sonrisa.

—¿Robin Hood? —repuso Ike—. ¿A qué te refieres?

—Los ladrones a los que su botín les trae sin cuidado, Ike. ¿No es eso, Billy?

—¡No! —le replicó—. Olvídate de Robin Hood. Estamos hablando en serio. ¿Qué hizo ese tipo? Dar vueltas por un bosque y asaltar a cuatro gilipollas. No tiene nada que ver.

—Vale —aceptó Walter—, entonces pasemos a los grandes —levantó la botella—: los Rockefeller, Bill Gates y toda esa panda.

—Una buena combinación —terció Ike.

—Sí —dijo Billy mientras iba a la cocina—. Son los más grandes, los mayores: nadamos en su barro.

—Joder, por eso —replicó Ike—, aunque no me molestaría quedarme con un poco de ese barro.

—¿Barro? —se extrañó Billy—. ¿Qué coño quieres decir?

—El lubricante... Es el lubricante con el que todo se mueve. Vale para cualquier cosa. Pero ve, hombre, ve. Sólo era una metáfora, si sabes lo que quiere decir... Si ellos se revuelcan en el barro, será por algo.

—¿Una metáfora? —Walter no sabía cómo tomárselo.

—Y de las buenas —repuso Ike.

—¿Lubricante? Ya sabes a qué lubricante se refiere, ¿verdad? —se burló Billy—. Jueces. El mejor lubricante. Si tienes a los jueces de tu parte, lo tienes todo a tu favor, créeme. Y yo los tendré —esta vez Billy e Ike se quedaron mirando a Walter de una manera inquisitiva, quien tan sólo pudo esbozar una sonrisa tonta y responder:

—Pennzoil.

—Joder, estás metido en un buen lío —le reprendió Ike.

Billy se limitó a anotar en la pizarra: BARRO, JUECES, PENNZOIL.

Veintidós

El restaurante del mirador del complejo turístico de Caneel Bay dominaba la vista sobre la playa, una media luna de arena blanca que el hotel tenía en propiedad. Un enorme techo piramidal de cedro protegía del sol los más de cuatrocientos metros cuadrados habilitados para huéspedes y comensales. Las construcciones de esa clase proporcionan un entorno muy agradable, sobre todo en aquellas latitudes donde abundan las lluvias y el sol calienta demasiado. Los cambios de temperatura y humedad hacen que la madera se contraiga y se dilate con cierta periodicidad, lo cual da pie a un sistema de aireación natural que actúa como un filtro y genera suaves corrientes de aire que disipan el calor. Se trata de un sistema de refrigeración bastante útil que ayuda a mantener las casas frescas. En el caso del restaurante, además, había otra ventaja: la ubicación, pues se hallaba justo donde las brisas marinas llegaban a tierra firme, lo cual lo convertía en uno de los lugares más agradables de la isla.

Walter, como siempre, llegó a la hora. Siempre decía que la puntualidad era un rasgo de excelencia. No le gustaba retrasarse. De hecho, la sola idea de acudir tarde a una cita lo ponía nervioso, por lo que no era extraño que se presentase con una cierta antelación. Hace años, tenía la mala costumbre de utilizar frases como «está bien» o «no pasa nada» cuando alguien se excusaba en esos casos. Aquel tipo de comportamiento lo consideraba una demostración de arrogancia. Jamás había humillado a nadie por una cuestión así, pero se negaba a aceptarlo como algo normal. De todos modos, la mujer mostró la misma consideración.

Cuando le llamó la víspera, se presentó como Aminette Messadou y le comentó que necesitaba hablar con él. Sobre Harry Levine.

—¿Por qué? —le preguntó.

—Será mejor que espere hasta que nos veamos cara a cara —por la voz, parecía joven, estadounidense, aunque con un leve acento. Walter pensó que se trataba de un problema técnico. Quizás el aparato no fuese de buena calidad.

—¿Y si le digo que no tengo ni idea de quién es Harry Levine o como se llame?

—Le respondería que sería una razón de mayor peso para que nos veamos —de nuevo esa ligera inflexión. Walter aceptó citarse con ella en Caneel Bay al día siguiente. De momento, se entretendría pensando en aquel extraño acento.

La reconoció de inmediato. Estaba sentada en una mesa cercana a la entrada principal, de espaldas a la playa. No era muy habitual encontrarse en el local gente que comiese a solas. Más bien se daba todo lo contrario y los camareros se veían obligados a coger sillas de otras mesas para acomodar a grupos bastante numerosos. Nada más entrar, Walter se detuvo unos instantes en el mostrador de recepción para observarla. A juzgar por la expresión de su cara y la postura que había adoptado, se imaginó que no se sentía demasiado a gusto. No cesaba de juguetear con los cubiertos ni de mover los pies de un lado a otro. Al parecer, lo reconoció de inmediato y se levantó un poco haciéndole una señal y sonriéndole con timidez.

—Buenas tardes, soy Walter Sherman.

—Aminette Messadou —dijo mientras le tendía la mano. Tras estrechársela con la mayor educación posible, Walter la invitó a que se sentara. Se la había imaginado joven, pero no tanto. Apenas habría cumplido los veinte años. Bonita, delgada, de brazos y piernas finos y largo cuello... Por su complexión se diría que era de origen mediterráneo, quizás de Asia Central. No se apreciaba ninguna marca, salvo un pequeño lunar cerca de la oreja, disimulado por una maravillosa melena negra. Walter no entendía demasiado de peinados femeninos, pero estaba seguro de que aquel habría costado una fortuna. Su sonrisa, sin embargo, parecía algo forzada. Daba la sensación de que estaba más nerviosa de lo habitual.

—No suelo citarme con extraños. Sobre todo cuando vienen a la isla y, encima, se atreven a invitarme a comer. Pero no se preocupe, me hago cargo de que usted no es de ésos.

—Por favor —le suplicó. En su rostro se adivinaba la tensión—, siéntese.

Se acercó de inmediato una camarera, una mujer negra de mediana edad, algo baja y bastante fornida. Les sonrió y, tras abrir su bloc, se dispuso a tomar nota.

—Señora —se dirigió a Aminette Messadou—, ¿ya ha decidido? —la joven pidió una hamburguesa con beicon, queso, cebolla, champiñones, lechuga y tomate acompañada de patatas fritas y un martini. Nada de ensalada y Evian, como Walter se esperaba. Después, se volvió hacia él—: ¿Y usted, señor Sherman?

—Un sándwich de pavo y una tostada de pan de centeno, por favor. Y, Margaret, sin mayonesa —la camarera volvió a sonreírles y se dirigió a la cocina.

—¿No bebe nada, señor Sherman?

—Ya sabe lo que bebo. Ahora, dígame: ¿quién es usted y para qué me necesita?

—Mi tío abuelo fue el gran Jamal-Adín. Su hermano fue mi tatarabuelo. Yo me llamo como su hija, Aminette Messadou, quien murió hace más de ochenta y cinco años de sobreparto. Toda mi vida está dedicada a honrar su memoria. Mi familia nunca la ha olvidado. El hombre cuya búsqueda le han encomendado, Harry Levine, tiene algo que perteneció al marido de Aminette, quien también fue un gran hombre, muy poderoso entre los suyos y respetado entre los míos. Por ello, ahora nosotros debemos recuperar lo que por derecho nos pertenece.

—¿Y...?

—Cuando encuentre al señor Levine, le agradecería que lo convenciese para que nos devuelva el documento.

—¿Tanto ansían ese... documento?

—¿Lo conoce?

—¿El documento?

—Sí.

—No. Pero permítame preguntarle qué desea de mí. ¿Cómo se ha enterado de quién soy y qué le lleva a pensar que yo estoy interesado en ese tal Harry Levine? —Aminette Messadou llevaba un vestido de verano de color verde lima confeccionado con un poliéster muy suave, de aspecto sedoso. El viento se enredaba entre sus pliegues y le acariciaba los hombros y el cuello, a los que el sol no había tocado. Se inclinó sobre la mesa y soltó una carcajada. Walter observó sus pechos, muy pequeños. Le pareció muy atractiva. Intentó atisbar alguna marca producida por el bronceado, pero no vio ninguna. Por un momento pensó que no era fácil decidir si aquella mujer se había bronceado. Con una piel como la suya, quién sabe. Igual no había tomado nunca el sol o bien lo hacía sin biquini. Por desgracia, no pudo imaginársela de aquella guisa.

—Vaya par —rió de nuevo. Su expresión parecía sincera—. Usted y yo estamos condenados a convertirnos en aliados, señor Sherman. No tenemos nada que temer el uno del otro. La tía de Harry Levine es una de las personas más famosas del planeta. La visita que le hizo a usted, el hombre que ha dedicado su vida a encontrar a gente desaparecida, no puede considerarse un secreto precisamente...

—¿Ha visto alguna vez a Lord Frederick Lacey? —por un instante, el nerviosismo e incluso el miedo afloraron en los ojos almendrados de la joven. Al ver que Margaret se disponía a traerles la comida, volvió a su asiento. Después de servir la Diet Coke de rigor a Walter, prosiguió con la conversación—: No. Nunca lo conocí. Aunque era uno de los nuestros. De mi familia.

—¿Y por qué necesita ese documento? ¿Dice algo interesante?

—No puedo decírselo. Para serle sincera, lo ignoro. Pero me dijeron que si usted me hacía una pregunta como ésa, sería mejor que continuase sin saber nada.

—Hum —Walter dio un bocado a su sándwich y miró divertido cómo la joven se disponía a lidiar con la enorme hamburguesa. La mordió con los ojos cerrados sin apenas darse cuenta de que parte del jugo, el queso y el tomate se deslizaron por la parte de abajo hasta casi mancharla. Walter se contuvo a duras penas. Era demasiado divertido. ¿Cómo debía tomarse aquellas palabras? Optó por ser más directo—. Su gente ha enviado a una niña para hacer el trabajo de un adulto. Una niña encantadora, no lo dudo; tan bella como un atardecer en Saint John, pero una niña al fin y al cabo —de este modo, le insinuó que haría caso omiso de sus amenazas.

—Le aseguro... —apenas podía hablar con la boca llena.

—No creo que usted esté en condiciones de asegurarme nada —bebió un poco más, dio un bocado al sándwich y masticó con toda tranquilidad. La pelota se hallaba en el campo contrario... en el caso de que lo hubiera. Sea como fuere, se sentía con todo el derecho del mundo a comportarse así. ¿Quiénes eran los que se habían atrevido a enviar a una niña como ella? Esperaba con ansia el momento en que ella se dejase de tonterías y le dijese de una vez lo que pensaba realmente. No disponía de tanto tiempo y, además, el día era magnífico. Cuando se terminase el sándwich, se iría sin decir nada.

—Se lo diré porque usted es conocido por su discreción. Es un hombre de ley.

—¿Va a contarme la verdad?

—No conozco otro modo. Como habrá visto, tengo cierta reticencia a hablar del asunto, pero no por ello digo mentiras. Ni las diré.

Jamal-Adín Messadou fue un líder respetado en Georgia, en Daguestán, la tierra de sus antepasados, donde contaba con muchos seguidores, así como en Azerbayán, donde también era muy conocido. Tal como le contó Aminette, aquel hombre fue el responsable de que en 1917 las tres regiones se alzasen contra los bolcheviques y fundasen la Federación Transcaucásica primero y, tras el colapso, Georgia declarse su independencia el 26 de mayo de 1918. Durante aquellos años, casó a su primogénita con un joven británico, Frederick Lacey, «un militar de reputación intachable alistado en la Marina. Durante toda mi vida he oído hablar mucho de él, aunque no estoy segura de cuál era su rango ni tampoco de sus tareas. Para mí es un misterio». La libertad de Georgia duró poco. Los británicos y los estadounidenses, al igual que los turcos antes, la abandonó en manos de la Madre Rusia. Una a una, fueron cayendo las repúblicas que no reconocieron ni el gobierno del zar ni el de los bolcheviques: Lituania, Moldavia, el Don, Ucrania, Azerbayán, Daguestán, Armenia... Todas. Georgia, también. En febrero de 1921.

Jamal-Adín organizó la retirada de sus tropas, pues no podía hacer nada ante el avance del Ejército Rojo. El sobrino del León de

Daguestán condujo a sus hombres a través del paso de Klujori hasta llegar a la costa, en el último bastión que le quedaba a la Georgia libre, la antigua fortaleza turca de Sujumkal. Se había perdido toda esperanza. Nadie dudaba de que una sangrienta derrota les aguardaba. Aminette narró la historia de una manera que Walter encontró irresistible. Sin apenas darse cuenta, habían transcurrido ante sus ojos más de ochenta años. Por muy trágicos que le pareciesen los acontecimientos, no dejaban de fascinarlo. Aquella joven poseía una gracia especial a la hora de relatar la grandeza de lo que pudo ser Georgia y del orgullo que sentía su familia por haber formado parte de aquel sueño.

Cuando comenzaba a cundir la desesperación entre las tropas, el yerno de Jamal-Adín, Frederick Lacey, acudió en su ayuda. Bajo sus órdenes, una pequeña flota de navíos logró salvar a la mayor parte de la población tan sólo unas horas antes de que llegase el ejército soviético. Además se cargaron «algunos efectos muy importantes para mi familia, señor Sherman, cuya propiedad hemos reclamado durante mucho tiempo».

—No logro entenderlo —replicó Walter—. ¿Por qué no lo hicieron nada más llegar a un puerto seguro?

—Eran tiempos difíciles. Mi pueblo estaba en el exilio, completamente desamparado. Muchas de nuestras pertenencias se repartieron. Otras, en cambio, fueron puestas a buen recaudo. Ahora ha llegado el momento de recuperarlas.

—Pero ¿por qué Lacey no se las devolvió? No tiene sentido.

—Cuando le he asegurado que jamás he conocido a Lord Lacey, le decía la verdad. En mi familia siempre nos hemos referido a él como un hombre muy especial, algo extraño, pero muy respetuoso con el hermano de mi tatarabuelo, Jamal-Adín. Cuando Lord Lacey perdió a su mujer, justo el día en que nació su hija, buscó en su suegro el consuelo que necesitaba y lo encontró. Cuando éste murió, no mucho después de que desapareciese la Georgia libre con la que siempre soñó, Lacey decidió no revelar el paradero de sus propiedades. Ya le he dicho antes que, para mi familia, Lord Lacey nos merecía todo el respeto, aunque no se portase bien tras la muerte de su amada esposa y su suegro.

—Así pues, usted cree que en los diarios de Lacey se menciona el lugar donde se hallan las joyas de su familia, ¿no es cierto?

—Sí, pero no he hablado de joyas.

—Tan sólo era una manera de hablar. No se lo tome al pie de la letra.

—¿Nos ayudará?

Walter la miró a los ojos. Dios, pensó, si alguien pudiese envasar aquel brillo y venderlo, se convertiría en la persona más rica de la

Tierra. En aquel momento, no podía hacer nada por ella, pues ni tenía el documento ni a Harry. Si quería convencerlo de que colaborase, primero debía dar con él.

—Quién sabe lo que deparará el futuro —le respondió. Aminette se limitó a decirle que estarían en contacto. Después, la invitó a cenar en Billy's, oferta que declinó, pues debía abandonar la isla de inmediato. La esperaban en alguna parte.

Veintitrés

Tan pronto lo vio entrar por la puerta, el anciano se dirigió hacia él. Harry también lo reconoció —Devereaux lo había descrito perfectamente—, aunque no acertó a comprender cómo aquel indio estaba tan seguro de quién era. Pensaba que bastaría con acercarse al mostrador para preguntar si alguien le había dejado un mensaje. Harry ignoraba que el asesor de la Casa Blanca había enviado su fotografía por fax a la diminuta oficina que se ocultaba tras la cocina del Standard. Por eso le estaban esperando.

—Ah, el señor Levine —le espetó con ese acento cantarín que a Harry le gustaba tanto. Daba la impresión de que se alegraba mucho de verlo y se puso a charlar con él como si fuese un cliente cualquiera—. Aquí tiene su encargo —le entregó una bolsa de papel. El aroma del curry flotaba en el aire—. Tenga cuidado, señor Levine. No se queme, ¿eh?

—Gracias —le entregó algo de dinero. Pensó que, en aquellas circunstancias, era lo más indicado.

—No, no —rehusó el anciano con una sonrisa—. No se preocupe. Buen provecho —Harry cogió la bolsa, se dio la vuelta y se fue. Desapareció en las brumas del atardecer aún frío y húmedo. De nuevo, se veía condenado a deambular por las calles. Sin saber por qué, quizás de manera instintiva, levantó el brazo para tomar un taxi.

Dio al taxista las señas de su propio apartamento. No tardó mucho en convencerse de que había cometido un error imperdonable. Si estaban buscándolo, no sería nada raro que informasen a todos los conductores de dónde vivía. «¿Cómo puedo ser tan tonto?», se reprochó en silencio. Pero ya era demasiado tarde. Se encontraba muy cómodo en el asiento trasero del coche y decidió abrir la bolsa. Dentro había uno de esos envases que solían utilizarse para comida preparada. Aunque estaba caliente, no quemaba. Al levantar la tapa, reconoció el olor del pollo en una salsa que no era curry pero le resultaba familiar. La comida india no se encontraba entre las favoritas de Harry. Al parecer, no había nada más dentro de la bolsa. De todos modos, cuando el indio le recomendó que tuviese cuidado, le señaló el fondo. Qué extraño. Ni ahora ni entonces el envase estaba tan caliente como para quemarse. Lo levantó y, allí abajo, encontró un trozo de papel doblado por la mitad. Lo cogió y le echó un vistazo. Había un número escrito. Tal vez un número de teléfono.

—Déjeme aquí, por favor —indicó al taxista.

—¿Está seguro, señor? No es un buen lugar.

—No se preocupe. Así está bien, gracias.

Cuando el taxi se alejó, Harry se acordó de cómo no hacía mucho se había visto obligado a telefonear al presidente desde una cabina. «Dios», pensó, había llamado al presidente de Estados Unidos *dos veces aquel mismo día*. Sin embargo, el número que le había proporcionado el indio correspondía a una terminal de Londres. Harry abrió su móvil y marcó las cifras. Escuchó un pitido y alguien descolgó.

—Diga... —una voz de mujer.

—Ho-hola, soy Harry.

—¡Harry! —gritó. Por su tono, se diría que se alegraba de oírlo, como si lo conociese desde hacía mucho tiempo—. Pensé que nos veríamos más tarde. ¡Estoy tan contenta de que me hayas llamado...! Nos esperan en Waterstone's dentro de veinte minutos. Nos veremos allí, querido.

No pudo decir nada. Había colgado. ¿En Waterstone's dentro de veinte minutos? ¿A qué demonios se refería? Cayó en la cuenta de que quizás ella temía que hubiesen intervenido la línea y grabasen su conversación. Con todo aquel trajín, yendo y viniendo del Standard y luego tomando el taxi, se había olvidado del peligro. La cabeza le daba vueltas. De nuevo sintió miedo. ¿Waterstone's...? Claro, la librería. Veinte minutos. Allí estaría.

En menos de un cuarto de hora llegó a Piccadilly Circus. Había dejado de llover. Que fuera sábado le traía sin cuidado: tan sólo se trataba de una de aquellas frías tardes del invierno londinense. Conocía bien la librería, pues había ido varias veces. Entró y dio una vuelta entre las estanterías. «¿Y si todo fuese una broma?», se dijo casi en voz alta. No sabía a quién buscar y tampoco estaba muy seguro de si quedaría como un tonto. Sea quien fuere aquella mujer —muy joven a juzgar por su voz; apenas veinte años—, estaba seguro de que lo reconocería de inmediato, como el indio. Estaba hojeando un ejemplar de *Tiempo de esperanza,* de C. P. Snow, cuando una mano se posó suavemente en su brazo.

—Harry, ven conmigo —le dijo sin perder la calma. Por un instante, no supo qué hacer. Su cuerpo se balanceó de una manera un tanto ridícula de un lado a otro—. No pasa nada. Estás a salvo conmigo. Aquí nadie te busca.

—¿Está segura?

—Segura. Si supiesen dónde estás, no tardarían en cogerte, ¿no te parece? —por el modo en que lo miraba, no podía más que asentir. ¿Cómo no estar de acuerdo?

—Vale —cerró el libro y se fue con aquella mujer. Jamás se había sentido tan vulnerable. Tenía la impresión de que caminaba desnudo.

Cuando no era más que un quinceañero, tuvo que someterse a una operación por una lesión en sus partes que había sufrido mientras jugaba al fútbol. Al abandonar Waterstone's, se acordó de la impotencia que experimentó cuando lo conducían al quirófano. La idea de que alguien trabajase bisturí en mano en aquella zona no era demasiado halagüeña. Su integridad, por no decir su hombría, estaba en manos unos extraños que empuñaban toda clase de instrumentos cortantes. Ignoraba lo que iba a pasar, pero durante un momento aquel jovencito consideró la posibilidad de que le cortasen las pelotas. Por suerte, cuando volvió en sí, las tenía en su sitio. La experiencia tuvo su lado positivo. Del mismo modo, se dejó llevar por aquella mujer que lo había cogido del brazo sin haberse presentado y aparentaba conocerlo desde siempre.

—¿Adónde vamos?

—A mi coche.

—¿Cómo se llama?

—Tucker Poesy. Date prisa —le exigió—. Tengo frío.

—¿No le parece un nombre de chico?

—¿Tengo pinta de serlo? —le preguntó en un tono desafiante.

—No —dijo sin comprender por qué había sido tan inoportuno. Aquella chica se parecía a las que había conocido en la facultad de Derecho, aunque era más atractiva. Era bastante baja, quizás un metro sesenta, delgada, de complexión ligera, con una melena que le llegaba hasta los hombros. Llevaba un abrigo muy fino bajo el cual se adivinaba un vestido negro de cuello alto, algo extraño para aquel invierno. Debía de tener unas piernas bonitas. El resto, hubo de imaginárselo. A juzgar por sus formas, su pecho no era demasiado grande. Definitivamente, no se trataba de una estudiante de Derecho. Su cuerpo era de bailarina, fibroso y bien torneado. Quizás lo fuera.

Había aparcado el coche, un antiguo Aston Martin, en la esquina. Nada más verlo, Harry pensó que tendría unos veinticinco o treinta años y, a pesar de su estado, era muy cómodo. Incluso aquel olor a cuero que exhalaba le gustó.

—¿Lo has cogido todo? —le preguntó mientras conducía—. ¿Dónde les has dado esquinazo?

—¿A qué te refieres? ¿A la ropa? No he podido...

—¿Dónde has dejado el documento?

—¿Qué documento?

—Vale ya, Harry. Estoy al tanto de todo. Devereaux me lo ha contado. Piensa que eres importante y quiere asegurarse de que el documento está a salvo.

—Lo está.

—Dónde... —consideró que era mejor no decir nada más. Condujo en silencio mientras Harry no dejaba de mirarla. Su abrigo se había deslizado hasta dejar sus piernas al descubierto. Tenía razón: era una bailarina. Al acelerar, se le marcaban los músculos. No le cabía ninguna duda de que, si le dejase tocarlos, los notaría duros como una piedra.

—¿Adónde vamos?

—A mi apartamento. Por ahora, es el lugar más seguro de Londres.

—¿Bailas?

—¿Qué?

—Que si eres una bailarina.

—No. ¿Por qué lo dices?

—No sé. Sólo... sólo lo he pensado. Olvídalo.

—Soy relaciones públicas. Tengo una pequeña empresa, pero con buenos clientes.

—¿Cómo has... llegado a trabajar con Devereaux?

—No te gustaría saberlo, Harry. Créeme.

Hasta el momento, no se había fijado demasiado en la ruta que habían seguido, pero cuando ella aparcó y echó el freno, se dio cuenta de que estaban en una calle que le resultaba familiar, cerca de Bond Street, en el distrito de Mayfair. Los *buenos clientes* de Tucker Poesy no pagaban nada mal. Su apartamento era cálido, mucho más de lo habitual en Londres. Con el paso del tiempo, muchos estadounidenses que residen en el Reino Unido acaban por adoptar ciertas costumbres británicas, como por ejemplo mantener la calefacción apagada. Harry era uno de ellos. Los jerséis, que en Estados Unidos no suelen llevarse dentro de casa, eran de uso frecuente allí salvo en los meses de verano. Tucker Poesy se desprendió del abrigo nada más entrar en casa. Harry la imitó. La joven llevaba un vestido sin mangas, muy ceñido y más fino de lo que había pensado. Sus pechos eran más grandes de lo que había pensado; el vientre, plano y los brazos y las piernas, bien torneados. No era su tipo. Le gustaban un poco más rellenitas, como las turcas, las indias o las europeas del Este. Tampoco le desagradaban las nórdicas —de hecho, había tenido algunos escarceos con suecas y noruegas bastante memorables—, pero no le atraían en absoluto las estadounidenses. No le interesaba mantener ninguna relación sentimental con ninguna de sus colegas en la embajada. Por un momento, se sorprendió por pensar de ese modo en aquellas circunstancias. Lo achacó al cansancio y la agitación que sentía.

—Siéntate.

—Temo cerrar los ojos y quedarme dormido.

—No te preocupes. Si quieres echarte un rato, adelante. Voy a preparar un poco de té.

Harry se dejó caer sobre la cama que había frente a la ventana. Aquel apartamento le recordaba al cuarto de una residencia de estudiantes: muebles anticuados, aunque bastante bien conservados. Los suelos eran de madera. No brillaban demasiado, pero estaban limpios. Una enorme moqueta de color marrón cubría la zona del dormitorio. Una fotografía de Andreas Gursky dominaba todo el salón. Parecía un estadio o algo parecido, atestado de gente. Al observarlo con más atención, se dio cuenta de que se trataba de la Bolsa, llena de compradores y vendedores. Habría cientos de ellos. Había papeles por todas partes. Abajo, a la izquierda, se leía, *Cámara de Comercio de Chicago*. En frente, un par de reproducciones de Van Gogh, una al lado de otra. El resto de la pared estaba cubierta por estanterías. Harry estaba demasiado cansado como para leer los títulos del lomo. Dos lámparas de pantallas oscuras emitían una luz tenue sobre el sofá mientras otra, que a buen seguro utilizaría para leer, iluminaba una pequeña mesa de comedor.

—Antes de que te eches a dormir, Harry, dime dónde está el documento. Yo iré a buscarlo mientras descansas.

—En un sitio seguro.

—No lo dudo, pero ¿dónde está? —Harry sospechaba algo; aquella mujer había empleado un tono de voz poco amistoso. Tenía que mantenerse despierto a cualquier precio. ¿Quién era aquella Tucker Poesy?

—¿De dónde eres, Tucker?

—¿Que de dónde soy? —Harry supuso que de Connecticut, Maryland o, tal vez, Virginia. El tipo de chica que solía venir de Vassar o Brown—. De Lincoln, en Nebraska.

Se sorprendió. Nunca había estado allí, pero siempre se lo había imaginado como un lugar lleno de mujeres rollizas, rubias y de piel sonrosada que acababan por estudiar en esas universidades del medio oeste que tienen más de treinta mil alumnos, equipos de fútbol y departamentos de Medicina Veterinaria. Sin embargo, todo cuanto pudiese saber de aquella joven no le iba a gustar.

No le había mentido: venía de Lincoln, sí. Las excusas y las mentiras no eran lo suyo. Ni siquiera sabía mantener una conversación de lo más convencional, por lo que no le ocultó nada, si bien le aclaró que había dicho Lincoln porque allí fue donde vivió sola por primera vez. De hecho, había nacido en un pequeño pueblo del mismo estado. Su padre era granjero, aunque no de ésos que tienen su propia explotación y se levantan cada mañana antes de que salga el sol para desayunar un plato de huevos revueltos, pan recién hecho y una taza de café, besan a su amantísima esposa y se dirigen al campo para cumplir con otro día de duro trabajo. Ni en sueños. Su padre era un simple jornalero al que le habían alquilado una pequeña parcela y un borracho de mierda. Su madre apenas hablaba y, cuando su padre traía algunos dólares a casa, ella se los gastaba en vino barato. Tenía un par de hermanos algo más mayores. Con el paso de los años, el trato empeoró. A los doce se atrevió a levantarle la mano para evitar más palizas. Ya no soportaba el hedor a whisky y cigarrillos. A los dieciocho, se marchó, no sin vaciarle el cargador de su treinta y ocho, una enorme pistola con la que había estado practicando desde hacía varios meses. Le agujereó el cráneo de un solo disparo. Fue la primera persona a la que mató y jamás sintió el menor remordimiento. Aunque su madre estaba segura de que había sido ella y sus hermanos lo sospechaban, la policía ni siquiera se lo planteó. Tucker Poesy tenía unos cuantos amigos.

En Nebraska no hay demasiado trabajo para una asesina a sueldo, por lo que se trasladó a Chicago. No tardó mucho en recibir el primer encargo. En la vida real, los mafiosos no viven en lugares retirados, escoltados por leales sicarios. Más bien ocurre lo contrario: suelen ser personas tristes, solitarias y transidas por el miedo. Con cierta frecuencia, un ciudadano de vida más o menos convencional fantasea con la muerte de alguien y recurre a los servicios de un profesional. Sin embargo, no es fácil contactar; no se le telefonea y ya está. Eso sólo ocurre en las películas. De hecho, sólo quienes poseen un poder y unos ingresos superiores a la media pueden contratarlos. Bien mirado, es un trabajo cómodo y bien pagado. A pesar de todo, a Tucker Poesy no le costó demasiado: buscó el lugar adecuado y preguntó si tenían algo para ella. No en vano, se dice que todos los chicos malos viven en Chicago. Le ordenaron que asesinase a un hombre de negocios de la ciudad y no hizo pregunta alguna al respecto —no era asunto suyo—. Tan sólo necesitaba su nombre y una fotografía. Al día siguiente, gracias a un disparo limpio en medio de un edificio atestado de gente, comenzó a labrarse una buena reputación.

Nueve años después, con sólo veintiocho, le ofrecieron un trabajo en Europa y aceptó sin pensárselo, pues ya había dado demasiadas vueltas por Estados Unidos. Era la primera vez que salía del país y, como le gustó la experiencia, decidió quedarse. Louis Devereaux recabó sus servicios para acabar con alguien a quien se consideraba intocable. Fue en Praga. El tipo, un mafioso de nuevo cuño, se hacía acompañar siempre por una escolta de guardaespaldas —siete en aquella ocasión—. Sin problemas. Se hizo pasar por una de las encargadas de la lavandería. Tras llamar al timbre de la *suite,* entró con un traje envuelto en una funda de plástico. Mató a los dos sicarios que la atendieron. El silenciador de su nueve milímetros estuvo a la altura de las circunstancias. Al no ver a nadie más, gritó «servicio de habitaciones». Alguien le respondió desde la habitación. Su checo no estaba mal. Un tercer guardaespaldas se le acercó y no tardó en caer de un balazo en el pecho. Aguardó un momento antes de entrar en la otra sala.

El hombre al que debía asesinar se encontraba sentado ante una lujosa mesa de mármol, comiendo con el resto de sus hombres. Calculó sus posibilidades: había nueve balas en el cargador y había gastado tres. Le quedaban seis para abatir a cinco personas más, por lo que decidió ir directa a por el pez gordo, que parecía desarmado, y luego encargarse de los otros cuatro. Sin embargo, dada su posición, podría errar algún disparo y fracasar en el intento, por lo que aprovechó la aparente calma para acercarse lentamente y matar a cada uno sin miramientos. Cuando llegó al borde de la mesa, sobre ella yacían los cuerpos exánimes de cuatro hombres a los que no dio ni tiempo de reaccionar. El mafioso apenas se había dado cuenta de nada. Con un giro rápido, se puso detrás de él y le asestó un tiro de gracia en la nuca. Le había sobrado una bala. Después, tomó tranquilamente la escalera de servicio, se dirigió al cuarto de limpieza, se quitó el uniforme y bajó al bar, donde degustó una deliciosa copa de chardonnay antes de dirigirse al aeropuerto. Devereaux estaba encantado con ella y le propuso trabajar para él en exclusiva, oferta que aceptó con sumo gusto. Eligió Londres como base de operaciones y Devereaux creó una pequeña agencia de relaciones públicas para que le sirviese de tapadera. Cuando encontró a Harry, llevaba tres años al servicio de la CIA. Nunca había sido tan feliz.

—Necesitamos el documento. El señor Devereaux desea que me lo entregues. ¿Quieres que te acompañe o prefieres que vaya sola?

—Te lo traeré yo, pero déjame dormir media hora, ¿vale?

—De acuerdo. Cierra los ojos, pero no te descuides del fuego. El agua está a punto de hervir. Voy al lavabo un momento.

—Lo haré. Cuando el agua esté lista, la serviré.

Tucker Poesy se descalzó y cruzó el dormitorio en dirección al cuarto de baño. En cuanto cerró la puerta, Harry se levantó de la cama, cogió su abrigo, colgado junto a la puerta y, sin apenas hacer ruido, abandonó del apartamento. Ya en la calle, corrió con tanta rapidez como pudo.

La tetera comenzó a silbar. «Mierda», se dijo cuando, al llegar a la habitación, vio que Harry ya no estaba. «¡Joder!» Tomó el teléfono y llamó a Louis Devereaux, en Washington. Le explicó todo lo que había pasado: cómo se encontró con Harry, adónde habían ido y de lo que habían hablado. Cuando le contó que le había dado esquinazo, no sintió ninguna vergüenza.

—Creía que era fiable. ¿Qué debo hacer ahora?

—No te preocupes. Lo conozco. Sólo debes seguirle. Hay alguien que te llevará hasta él. Se llama Walter Sherman.

—¿Quién es ése?

—Alguien que jamás habría deseado conocer. El Localizador. Ten cuidado, ¿me oyes?

—Sí.

—Te enviaré todo lo que necesitas saber sobre Sherman. Dentro de una hora podrás recogerlo en el local del Indio. Te avisaré de cuándo sale hacia Europa. Quizás en un par de días. Mientras tanto, procura no cometer otro error.

Veinticuatro

La conoció en enero de 1988, en Nueva Orleans, adonde se había desplazado para dar un concierto en el Superdome. Fue entonces cuando recibió aquella llamada. Voló desde Washington con la esperanza de que su vieja ciudad natal seguiría siendo tan húmeda y calurosa como siempre. Sin embargo, aterrizó en medio del día más frío del invierno, con una temperatura cercana a los cero grados y un viento helado procedente de Texas que le hizo sentirse como en la capital, lo cual no le gustó en absoluto. Conchita Crystal se hospedaba en el Maison de Ville del barrio francés. Por aquel entonces, el terrorismo internacional se había convertido en un tema de conversación bastante habitual. Pese a sus connotaciones ideológicas, se trataba de una actividad muy lucrativa que poco o nada sabía de fronteras. Muy pocos lo llamaban por su nombre y preferían hablar de secuestros, robos e, incluso, bandidaje, palabras todas ellas mucho más descriptivas. De vez en cuando, llegaban a la mesa de Devereaux algunos informes en los que se hablaba de atracos o asesinatos que parecían tener implicaciones políticas, algo más que probable en algunos casos, si bien en otros no lo era tanto. De todos modos, no constituían una prioridad ni para él ni para nadie en Langley. Su cometido principal consistía en revisar todo cuanto se redactaba para asegurarse de que no había ninguna inexactitud. A juzgar por lo que había podido saber, nada de cuanto había leído tuvo una repercusión importante en las altas esferas, lo cual no dejaba de ser extraño, ya que la CIA poseía el personal suficiente como para tomar medidas en cualquier momento. En una ocasión, Deveraux supo de una operación en la que estuvieron implicados agentes de la policía de Frankfurt y Estambul. Al parecer, se apresó a los culpables, se los deportó y encarceló sin que hubiese el menor problema, un hecho que, sin lugar a dudas, no se habría tolerado en Estados Unidos.

Sin embargo, la información que recibió a principios de 1988 le hizo cambiar de opinión. Para el grupúsculo que estuvo al tanto de la operación, el caso de Conchita Crystal supuso la primera aparición del terrorismo islamista en el país. Nadie en la sede central quiso saber nada de ello. Una norma no escrita estipulaba claramente que todo debía mantenerse en secreto y Devereaux, aun sin tener un cargo preeminente, gozaba de una posición notable. Quizás por ello se le permitió concertar una entrevista con la señorita Crystal.

La estrella lo esperaba, tal como se acordó la víspera. Sentía una cierta curiosidad por conocer aquel hombre que había saltado todas las barreras para llegar hasta ella. Sin demorarse demasiado, le explicó quién era y le dejó bien claro que necesitaba verla de inmediato. No le dio más detalles. Tras colgar, se dirigió al aeropuerto para tomar el primer vuelo hacia Nueva Orleans. Llamaron a la puerta. Conchita abrió y Devereaux se presentó y, sin dejarle responder, le indicó:

—Pero hablemos en el jardín. No se puede imaginar la poca intimidad que puede haber en una habitación.

—Me parece muy bien, señor Devereaux, pero hace...

—... Frío. Lo sé. Póngase una chaqueta o un abrigo. Si no tiene nada a mano, le prestaré la mía, pero hemos de hablar afuera.

Como era de esperar, Conchita tenía un abrigo, de eso él estaba seguro. Minutos después dieron un paseo y se sentaron alrededor de una mesilla que se hallaba en el centro del jardín. Aunque hacía bastante frío, el día era muy agradable. Ya había pasado la hora del desayuno y estaban completamente solos.

—Cuando hace buen tiempo, este lugar se llena a rebosar.

—No lo dudo.

—Me sorprende encontrarla aquí. Creía que...

—Mi equipo se hospeda en el Hilton —sonrío—. Los dos siempre solemos ir acompañados a todas partes, ¿verdad?

—Bueno, es una manera de decirlo.

—Sin embargo, me temo que usted no habrá hecho ninguna reserva para los suyos, ¿a que no? Me gusta este hotel. Si quiere, cuando terminemos, puedo enseñárselo.

—Gracias. Estaré encantado. Siempre he tenido mis reticencias con el Vieux Carré. Como bien sabe, señorita Crystal, se dice que el Maison de Ville es el edificio más antiguo de Nueva Orleans. Este jardín, por ejemplo, fue trazado después del terrible incendio de 1786. Dígame, si no le molesta demasiado, ¿por qué ha alquilado una casita de dos habitaciones en lugar de una *suite*?

—Porque me gusta. Pero, vaya, sabe muchas cosas sobre este hotel, ¿eh? ¿De qué quiere hablar realmente? Usted ya ha estado aquí antes, ¿verdad?

—No. Nunca. Aunque podría explicarle lo que escribió Tennessee Williams sobre este lugar. Solía hospedarse aquí. De hecho, ecribió *Un tranvía llamado Deseo* en la habitación número nueve.

Se lo quedó mirando a la espera de que continuase hablando.

—¿Y...? —repuso.

—Y que cuando estoy en Nueva Orleans, que no suele ser tanto como me gustaría, me voy directamente a casa —le devolvió la sonrisa, del mismo modo que se hace a un amigo—. Pero no ha respondido a mi pregunta: ¿por qué una casita y no una *suite*? —Chita no dijo nada—. ¿Y bien?

—Bueno, nunca se sabe cuándo se necesitará otra habitación. Podría presentarse un amigo de improviso y...

—¿En la otra habitación?

—Por supuesto —afirmó la superestrella—. Por si no lo sabía, estoy casada.

—Más bien, separada. Uno de estos días llegarán los papeles del divorcio.

—Ya veo que está al tanto de todo. De todos modos, no olvide que no se hará público hasta haberlo tramitado por completo.

—Claro, señorita Crystal. Sé cosas que no todo el mundo sabe. Por eso estoy aquí.

Se lo tomó con bastante calma. No hizo ninguna mueca ni tampoco aparentó estar ofendida. Devereaux le explicó que un grupo de radicales musulmanes que operaban desde Yemen habían planeado secuestrar a ciertas celebridades. En esos momentos, disponían de una lista bastante breve. De hecho, sólo figuraba un nombre: el suyo. Se trataba de una célula muy pequeña de la que no existían antecedentes ni referencias, si bien la información provenía de una fuente muy fiable y entre las personas con quienes trabajaba cundía una cierta inquietud, ya que tres días antes había fracasado una operación con la que se proponían detenerlos. A Devereaux le preocupaba que ella se hubiese convertido en un objetivo inminente.

—Creo que corre un grave riesgo.

—¿Y qué quieren hacer conmigo?

—Decapitarla —Devereaux esperaba que reaccionase tal como se había imaginado. Por un instante, Chita dejó de respirar y su rostro, su bello rostro moreno, empalideció. Fue la primera vez que Devereaux se permitió apreciar lo hermosa que era—. Quieren atacar ciertos símbolos de la cultura occidental y no han encontrado un referente mejor que usted.

—¿Y qué puedo hacer?

—En principio, cancele el concierto. Diga que se ha indispuesto. En el caso de que sea preciso, le facilitaremos informes médicos que lo corroboren. Después, nos gustaría llevarla a algún sitio donde podamos tenerla vigilada.

—¿Adónde?

—Delaware. A uno de nuestras casas. Rodeada por más de veinte hectáreas de campo. No sólo es completamente segura, sino que jamás la hemos utilizado antes y, a decir verdad, posee todo tipo de comodidades. Le aseguro de que no le desagradará.

—¿Y quién estará conmigo?

—El resto del equipo.

—¿Qué equipo?

—El mío.

—¿Y por cuánto tiempo?

—No lo sé. No creo que sea demasiado. Una semana, quizás dos. Pero no mucho más.

Así fue cómo se conocieron. Chita permaneció en la casa de Delaware durante once días. Devereaux iba a verla a diario y hablaba con ella, a veces durante varias horas. No tenía por qué hacerlo, y ella se dio cuenta enseguida. Devereaux no quería estar demasiado lejos. No podía. Muchos hombres desearían estar en su misma situación. Chita se acostumbró muy pronto a su presencia. No en vano, desde los quince años recibía todo tipo de requerimientos, lo cual le había ocasionado algún disgusto que otro. No en vano, aún le pesaba el fracaso de su segundo matrimonio... y no había llegado todavía a la treintena. Ahí fuera había un ejército de hombres esperándola. Sin embargo, Louis Devereaux era diferente. Con él, se sentía verdaderamente protegida —la situación no era para menos—. El undécimo día, cuando se presentó en la mansión para informarle de que no debía temer por nada, pues los terroristas habían muerto, se sintió más segura si cabe. El hecho de que Devereaux hubiese mandado que los matasen por ella se convirtió en un afrodisíaco irresistible. Fue la primera vez que Chita se dejó llevar y se ofreció a Louis, quien se mostró tan dispuesto como cualquier otro hombre. Todo terminó al atardecer.

Aunque algunas personas estaban al tanto de sus gustos musicales, pocos se imaginaban de que a Devereaux le gustase tanto el viejo rock de los sesenta y los setenta: los Allman Brothers, Bob Seger y, sobre todo, The Band, un poco más suaves, aunque no había nada como la interpretación en directo que hacían de *The Weight,* una canción que mucha gente escuchaba con un fervor reverencial, casi religioso, como si la hubiese compuesto el mismísimo Bob Dylan. Devereaux, sin embargo, sabía que tan sólo trataba de un viaje a Nazareth, en Pennsylvania, cuna de la fábrica de guitarras Martin. Durante mucho tiempo solía cantarla al hilo de esa memorable grabación. El estribillo con el que comenzaba se repetía una y otra vez en su cabeza, sin que hubiese modo de parar, a veces incluso cuando se encontraba en medio de alguna reunión importante. Cuando ocurría, lo mejor era no hacer nada.

Al llegar a Nazareth / me sentía medio muerto...

En aquel momento, al cabo de tantos años, mientras cantaba a dúo con Robbie Robertson, preparó un pequeño plato con queso y galletitas saladas.

Y y y / enchúfalo...

Muy cerca, dos copas con chardonnay bien frío, preparadas. Un minuto después, ponía la bandeja sobre la cama.

—Estás en todo, Louis.

—Para ti, cariño, nada es suficiente. Te entregaría la luna y las estrellas si me lo pidieses.

—¿Podrías?

Los dos rieron, sin saber qué responder.

—Eres tan hermosa... —y mientras la contemplaba le alcanzó una de las copas. La sábana cayó a un lado de Chita y se quedó en el suelo. Miró a Devereaux y en sus ojos vio algo que jamás había encontrado en otro hombre. Daba igual qué ocurriese después, jamás desconfiaría de él y estaba completamente segura de que todo saldría bien. ¿Cómo podría dudarlo? Aquel hombre era más de lo que había imaginado. De acuerdo, ella se había convertido en un icono de la cultura popular, un bien de consumo, un producto del marketing y la publicidad. Pero Louis era un hombre con todas las de la ley que no sólo sabía cómo funcionaba el mundo, sino que, en cierto modo, lo controlaba. Además, había matado por ella. ¿Quién sería capaz de hacer algo así por ella? ¿Cuántos había dispuestos a correr ese riesgo?

Por un momento, se acordó de Marilyn Monroe, cuando todavía era la señora DiMaggio. Había vuelto de una gira de apoyo a las Fuerzas Armadas por Corea. Aún le zumbaban los oídos del estruendo con el que la habían recibido.

—¡Joe! —chilló excitada—. Había más de veinticinco mil hombres gritándome y lanzándome piropos. ¿Puedes imaginar algo así?

Sin pensárselo dos veces, DiMaggio la abofeteó.

Chita estaba segura de que nunca sucedería algo así con Devereaux. A pesar de la imagen que le confería su celebridad, él poseía algo mejor: poder. Un poder que parecía hecho a su medida, como un traje. Y se sentía tan cómodo con él, como si se hubiese vestido después de un afeitado y una buena ducha caliente.

—Vámonos —le dijo ella, sin mediar más palabras. Sin embargo, él se le acercó y le tomó la cara entre sus manos—. ¿Quieres que volvamos a hacerlo otra vez? —le preguntó con una risilla—. ¿O eres uno de esos hombres que necesitan un poco más de tiempo?

Louis Devereaux dejó suavemente la copa en un extremo de la mesilla de noche, se estiró y la tomó entre sus brazos para colocarla sobre su pecho. Nada le gustaba más que verla así, de ese modo, con sus pechos a unos pocos centímetros de su boca y cubierto por su sonrisa.

—Te quiero. Lo sabes, ¿verdad?

—¿Has encontrado el oro por fin? ¿Realmente está ahí?

—Lo está. No te preocupes por nada, cariño.

Veinticinco

El Mercure de Draak, en Bergen op Zoom, dominaba la plaza del Grote Market. Era el hotel más antiguo de Holanda. Su primer huésped durmió allí en 1397, si bien poco quedaba del edificio original. Cuando Harry Levine se presentó en recepción, casi seiscientos años después, se habían renovado las instalaciones por completo, si bien continuaban en pie la fachada original y los edificios adyacentes, que se habían comunicado para hacer el interior mucho más espacioso. El hotel, una vez realizada su transformación, fue decorado con motivos propios del siglo XVII: antigüedades, papeles pintados, lujosos adornos florales, todo dispuesto de manera que realzase su espectacularidad, tanto en las estancias como en las áreas comunes. Con todo, no era demasiado grande. Contaba sólo con cincuenta habitaciones, un bar muy agradable y un pequeño restaurante. El tradicional desayuno holandés, compuesto por café, queso, jamón y panecillos se servía en la planta baja a primera hora de la mañana. En algunas ocasiones — de siglo en siglo más bien—, se ofrecían además huevos duros y zumo de naranja.

Bergen op Zoom no sólo tenía un nombre maravilloso, de esos que pueden paladearse como si se tuviese una pastilla de chocolate en la boca, sino que, para Harry Levine, era un lugar muy especial. Hacía tiempo que la ciudad se había hermanado con Roswell. Aquella extraña alianza entre dos lugares tan distantes, con un océano de por medio, le había llamado la atención tiempo atrás. Tales asociaciones no pasaban de ser un brindis al sol —al fin y al cabo, el suburbio de Atlanta no tenía nada que ver con su correspondiente holandesa—, pero tras su fuga de Tucker Poesy necesitaba ir a alguna parte. Nada le habría hecho más feliz que encontrarse en Roswell, lo cual, como puede imaginarse, era impensable. El vuelo era demasiado largo y no dudaba de que lo descubrirían antes de aterrizar. Necesitaba llegar al aeropuerto como fuese y tomar un avión que lo llevase a alguna parte. Escogió el primer destino que se le ocurrió. Voló hasta Amsterdam y desde allí, después de una hora y media en tren, más allá de Rotterdam, llegó a Bergen op Zoom. Se registró en el hotel, donde pudo dormir a pierna suelta durante cerca de siete horas seguidas. Al salir de la ducha, telefoneó a su tía.

—Tía Chita, me alegra mucho hablar contigo —le dijo en español.

—¿Dónde estás? Estoy muy preocupada. ¿Estás bien? —echó un vistazo a su alrededor. Harry la había llamado a su móvil y, en ese momento, no estaba sola en la *suite*. Había pasado la noche con Devereaux y, a la mañana siguiente, se había marchado a Nueva York. Uno de sus agentes, el encargado de negociar sus derechos de imagen para la publicidad, se encontraba en el vestíbulo del hotel Plaza acompañado por tres de sus asistentes. Aquella semana iba a resultarle muy incómoda. Le habían programado tantas citas con gente tan distinta que antes de empezar ya estaba harta de periodistas y representantes. Sin embargo, aprovechando la tesitura, reservó una *suite* y avisó a todo el mundo de que los recibiría allí mismo. De ese modo podría cumplir con todas sus obligaciones de la manera más cómoda posible, algo más que probable si se tiene en cuenta que contaba con un comedor privado para doce personas, una cocina completa y un par de dormitorios —uno de los cuales dejaría vacío— colindantes con un pequeño vestíbulo. Por extraño que pudiese parecer, las *suites* con una sola habitación se le antojaban demasiado pequeñas y, tal como dejó bien claro a la hora de hacer las gestiones, siempre a nombre de Linda Morales, deseaba tener unas buenas vistas a Central Park.

Al recibir la llamada de su sobrino, se excusó por un momento, se dirigió a su dormitorio y, tras cerrar todas las puertas cuidadosamente, continuó hablando con él.

—¿Dónde estás, Harry? —le preguntó, esta vez en inglés.

—Continúo aquí.

—¿Dónde?

—No puedo decírtelo. Es más peligroso de lo que te imaginas.

—Me dejas muy preocupada. Dime dónde estás.

—Es mejor que no lo sepas.

—¿Estás todavía en Londres?

—No, ya no. Tan sólo quería que supieses que estoy bien. Díselo también a la tía Sadie. Seguro que estará muy preocupada. Ya la conoces.

—Se lo diré. ¿Estás a salvo?

—Eso espero. Todo esto es de locos. No me puedo fiar ni de la gente que se supone debería ayudarme. No me imagino cómo he podido llegar a esto.

—Tienes algo. Algo muy importante. Algo que muchas personas no quieren que salga a la luz.

—Sí, lo sé. Lo he leído. No puedo decirte nada pero... Por tu seguridad, es mejor que no sepas nada. Han asesinado a gente por esto, tía. ¿Sabes a cuántos?

—Me lo imagino. Pero no te preocupes por mí. Ahora sólo pienso en tu integridad. Quiero que me escuches con atención. ¿Me entiendes? —y pasó al español—. ¿Me oyes?

—Sí.

—Bueno —y le explicó que había contactado con alguien que lo ayudaría; alguien que lo llevaría a un lugar donde estaría completamente seguro—. Se llama Walter Sherman. Confía en él. *Sólo en él.*

—Tía —Harry respondió en inglés—, no intentes ayudarme. Ahora no. Estoy bien. Sé lo que hago —ella ignoraba que seguía las órdenes precisas del presidente. Pensó que era mejor no contarle nada más—. No envíes a nadie tras mis pasos. No podrá encontrarme.

—Lo hará, no lo dudes —le respondió en un tono que sonó como el de una madre—. Y cuando llegue, confía en él. Sólo en él. ¿Me oyes, Harry?

—De acuerdo. Confiaré sólo en él. Te lo prometo —después, con una voz temblorosa que la hizo llorar, le dijo—: te quiero, tía.

—Que Dios te acompañe, Harry.

Veintiséis

Cuando el viento sopla suavemente sobre las olas a primera hora de la mañana, se forma una suave brisa que llega hasta la puerta del Billy's. Aquel día, como de costumbre, Helen había servido a Walter un plato de huevos revueltos con su tostada. Tampoco podía faltar su Diet Coke, a la que dio un buen trago. A su lado, le esperaba el *New York Times*. Billy's era el primer lugar de Saint John al que llegaba el periódico cada mañana, después de que lo desembarcasen del transbordador que lo traía desde Saint Thomas. La isla era ciertamente muy pequeña y todo el mundo se conocía, por lo que era de dominio público que a Walter Sherman le gustaba leerlo mientras desayunaba.

Helen conectó el equipo de música. Billy necesitaba escuchar un poco de música. Era de esas personas que encienden la radio nada más levantarse, justo antes de ir al baño y luego entran en la cocina. De hecho, no se había montado en un coche que estuviese completamente en silencio desde que era un quinceañero. Estaba completamente enganchado. En la trastienda, en un pequeño despacho que quedaba detrás de la cocina, tenía una estantería repleta de cedés. Solía tener una docena o más en el bar que ponía sin parar hasta que se cansaba y entraba a por nuevos. Walter e Ike jamás se atrevieron a decir nada. Su gusto era muy variado: no tenía ningún estilo predilecto y, además, siempre le gustaba dar alguna sorpresa. ¿Quién sabía lo que pondría después? Quizás Van Morrison, Rosemary Clooney, Thelonious Monk o, por qué no, Miles Davis. Por aquel entonces, Helen ya vivía con él y Billy se acostumbró a la selección que ella le preparaba cada mañana. Walter se entretenía viéndola manosear el aparato. Aquel día, tras programarlo, se dio la vuelta y, de pronto, se oyó el vozarrón de James Brown, el padrino del soul, el hombre más trabajador del *show business,* como le gustaba que lo llamaran, increpando a Walter, quien lo acogió con agrado. «No puede ser verdad», pensó.

It's a man world. It's a man world.
But it wouldn't be nothing. Nothing
without a woman or a girl.

«Es un mundo de hombres, sí, pero no valdría nada sin una chica o una mujer.»

—¿Un café? —le preguntó Helen.

—Vale. A veces suelo tomar alguno, a modo de postre, después de cenar. Pero casi nunca por la mañana.

Helen asintió y volvió a la cocina, donde se encontraba Billy revisando el pescado fresco —mero, atún, caballa— que acababan de traerle hacía menos de un cuarto de hora.

No había nadie en el bar. Ike estaría a punto de aparecer. De pronto, sonó el móvil de Walter. Lo sacó del bolsillo de la camisa y atendió a la llamada.

—¿Sí?

—Me ha llamado, Walter. Acabo de hablar con él. Le he dado su nombre, pero no me ha querido decir dónde está. Se ha marchado de Londres. Me lo ha dicho. Pero no sé dónde se encuentra ahora. ¡Vaya, dé con él, por favor! ¿Dónde puede estar?

—Chita, cálmese. Pienso que ya sé dónde. No se preocupe. Lo encontraré —a Walter le resultó extraño que hablase así con un cliente, aunque fuera Conchita Crystal. Tranquilizarla no entraba dentro del trato. De hecho, la simpatía y la compasión tampoco. La implicación personal constituía el peor de los pecados. Le bastaba imaginarse consolando o sintiendo pena por un cliente o su *objetivo* para sentir un escalofrío. Buena parte de su éxito lo debía a la frialdad y el distanciamiento con el que trabajaba. O así lo había creído durante cuarenta años. A pesar de todo, prosiguió—: Voy a dar con él, de eso puede estar segura. Se lo prometo.

—¿Cuándo parte de nuevo?

—Pronto. Tan pronto como me sea posible. Al comenzar le cobré los veinticinco dólares diarios, ¿o no? —le pareció oír un sollozo al otro lado de la línea.

—¿Qué veinticinco...? —dijo mientras se aclaraba la voz y aspiraba con fuerza. Estaba llorando.

—Ya lo he alquilado. Lo he hecho. En el quinto...

—¿... Pino?

—Eso es. En el quinto pino. *El gran sueño*. Pero ya sabe que soy más alto que Bogart. Y estoy más bronceado. Además, usted no se parece demasiado a Lauren Bacall.

—Oh, Walter, no me ofenda —sabía que no lo había hecho, pero se sintió mal con sólo oírselo decir.

—Usted es mucho más hermosa —se le escapó. En ese momento, sintió un escalofrío en su nuca y una oleada de calor le enrojeció el rostro. «A ver si he metido la pata», pensó.

—Gracias por todo —repuso en español.

—De nada —le contestó en el mismo idioma.

—Estabas hablando con Chita Crystal —le espetó Ike. Aunque no se trataba de una pregunta, había sonado como tal. De hecho, había

164

pronunciado su nombre con un cierto retintín. Walter se lo quedó mirando. El anciano se dirigía a su mesa de siempre. Su nieto Johnson, al que todos conocían como Sonny, lo había ayudado a bajar del *jeep* y lo había acompañado hasta allí. Para él, Billy's era un lugar más entrañable que su propia casa. Cuando se hubo sentado, Sonny le estampó un beso en la calva, sonrió y, tras saludar a Walter desde lejos, se marchó—. Un buen chaval. De los que ya no quedan.

—Tienes razón, Ike. En ambas cosas: Sonny es un buen chico y ésa era la mujer con la que hablaba por teléfono.

—¡Qué lástima que no tuviese treinta años menos!

—¿Treinta? Pero ¿cuántos años crees que tiene? ¡Si apenas habrá cumplido los cuarenta!

—¿Los cuarenta? Vale. Pues, entonces, ¡qué lástima que *yo* no tuviese treinta años menos! —bromeó mientras se encasquetaba su gorra de béisbol. Esta vez era de color amarillo y estaba muy arrugada. En la parte delantera se distinguía un logo multicolor parecido a un dibujo. Era una caricatura de los Jackson Five. De cuando Michael Jackson era tan sólo Michael.

—Bonita gorra.

—Del Victory Tour. Jacksonville, Florida, 1984 —le explicó mientras se la ajustaba para protegerse los ojos del sol.

—¿Florida? ¿Victory? ¿De quién habláis? —Billy salía de la cocina para encender el ventilador que quedaba a unos pasos de Walter, más o menos a la altura del segundo taburete. Llevaba una enorme fuente llena de huevos duros en una mano para los clientes y una taza de café en la otra para él.

—De 1984. Un buen año. Quizás no el mejor, pero no estuvo nada mal. No, señor; nada mal.

—¿Y? —repuso Billy—. ¿Cuál fue el mejor?

—1937 —repuso Ike sin dudarlo. Después encendió otro cigarro con una de aquellas largas cerillas de madera. Tosió un poco, aunque no demasiado, como cuando uno se aclara la garganta y retomó el hilo—: Fue el año en el que conocí a Sissy. Ya sabéis a qué me refiero. Evidentemente, había estado con otras desde que apenas era un crío, pero en 1937 la vi por primera vez y me di cuenta de lo hermosa que era. Entró en una sala... como ésta, claro que no era un bar, ni siquiera un restaurante, porque éramos un par de chiquillos, pero la vi entrar y, no sé cómo explicarlo... parecía que todo se iluminase. La luz del sol se colaba entre las nubes después de una lluvia torrencial. Los cielos parecían haberse abierto. Sabéis lo que quiero decir, ¿verdad? Todo parecía claro y brillante. Tan sólo tenía dieciséis años. En 1937 —y lo repitió una vez más—: en 1937.

—Bueno —terció Billy—. No hay duda de que ése fue el mejor año. Puedes darlo por seguro. Sí, señor.

—¡Vaya con el buen Billy! Un hombre afortunado siempre piensa que el presente es su mejor momento —Ike dio una calada sin que se advirtiese nada raro. Exhaló una bocanada de humo y unas volutas de un espeso color azul se dirigieron perezosamente hacia donde se encontraba Billy.

—¡No me eches eso aquí dentro, hombre! —aulló. Luego, se dirigió a Walter—. Y tú, deja de comer, aparca el periódico y dinos cuál fue tu mejor año —Ike se lo quedó mirando. Los dos esperaban la respuesta.

—El próximo —repuso con aplomo sin soltar el tenedor ni levantar la vista.

—¡Joder! —se quejó Billy.

—Si eso es lo que esperas —añadió Ike—, así sea. Pero de poco sirve para nuestra conversación. Estamos hablando de años que hayan pasado y no te dejaremos tranquilo hasta que nos digas uno.

—No puedo.

—¡Venga, hombre! —le suplicó Billy.

—Debe de haber uno —le replicó Ike, aunque por el tono de voz con que Walter había hablado no le pareció que habría ninguna respuesta. No para una pregunta como aquélla.

—No puedo. De verdad —se excusó Walter.

—Bah, dejadlo tranquilo —les ordenó Helen, quien llevaba un rato allí sin que nadie se hubiese dado cuenta—. Dejadlo en paz.

Billy gruñó y Ike hizo algo parecido. Walter no diría nada al respecto.

—Voy a escribir algo y no se trata de una tontería —proclamó Billy. Echó una ojeada a Ike en busca de algún gesto de aprobación, ánimo o lo que fuere. El anciano estaba prácticamente envuelto en una nube de humo, aunque esta vez procuraba enviarlo en otra dirección, al otro lado de la plaza. Cuando se dio por aludido, hizo una señal de asentimiento. Era cuanto Billy necesitaba. Tomó un trozo de tiza azul que había al lado de la caja registradora y garabateó las palabras 1937, SEGURO NADA.

—Nada —se mofó.

—Me quedo con *nada* —dijo Helen, propinó a Billy una palmada en el trasero y se volvió a la cocina mientras cantaba *It's a man's world...*

Veintisiete

Sadie Fagan se lo había contado todo. Tardó un poco en unir todos los puntos, pero ya lo tenía claro. Walter nunca daba una puntada sin hilo y no le gustaban las prisas, si bien en aquel momento sintió una leve impaciencia. Anhelaba recoger cuanta información le fuese posible y, luego, volver a Saint John, sentarse en la terraza y poner la mente en orden mientras contemplaba las evoluciones de la luz sobre el oleaje o cómo el sol se filtraba entre las nubes. A veces seguía con la mirada las pequeñas motoras que se aventuraban por entre los islotes. Allí, bien cómodo en su silla de mimbre, con una bebida fría en las manos, dejaba que las piezas del rompecabezas se fuesen combinando. La solución solía aparecérsele ante los ojos como una imagen muy vívida que le indicaba cuál era el siguiente paso que debía tomar. Y así lo hacía.

—Volverá sano y salvo. A casa —le respondió Walter después de que Sadie estuviese hablando de su sobrino durante media hora o más—. ¿Dónde cree que iría si estuviese realmente en peligro?

La anciana no titubeó: a casa. Todo cuanto le había explicado era de gran utilidad. Ahora tan sólo debía conocer las causas. Para Harry Levine, su hogar se había convertido en lo más importante.

Al día siguiente, mientras desayunaba, Walter se preguntó por cuál sería el lugar donde Harry se sentiría más cerca de Roswell. De pronto, se dio cuenta de que Sadie se lo había dicho. En el transcurso de su detallada, y en ocasiones encantadora, historia sobre la vida de su familia en aquel suburbio de Atlanta, comentó casi de pasada que Roswell, al igual que otras pequeñas urbes de Estados Unidos se había hermanado con una localidad europea. Como no solía tomar notas, hizo un esfuerzo por refrescar su memoria, aunque no le fue de mucha ayuda. Recordaba el nombre, en parte porque su trabajo consistía en eso precisamente —acordarse de todo— y, sobre todo, porque le había parecido tan peculiar que a duras penas lograría olvidarlo. Bergen op Zoom. No estaba seguro de lo que significaba, pero lo tuvo en cuenta. Bergen op Zoom era uno más de los muchos datos que debía atesorar. Quizás fuese importante o quizás no. Como tenía la costumbre de asegurarse de todo aquello que consideraba valioso, decidió telefonear a un viejo amigo, Aat van de Steen, de Amsterdam. Se conocieron hacía ya mucho tiempo: en Vientiane, en 1971. Con los yao.

Vientiane no era una ciudad tan atractiva como Saigón, o así le pareció a Walter la primera vez. La capital laosiana, a diferencia de la vietnamita, no estaba repleta de millares de veinteañeros estadounidenses sedientos, calientes, bien armados y con ganas de jarana. El Saigón de Walter era una ciudad electrificada hasta el paroxismo, una amalgama de plástico, luces brillantes, colores abigarrados —azul, dorado, amarillo, rojo sangre—, sexo, droga, rock'n'roll y muerte. La violencia es un lenguaje universal. Se mata y se muere a diario. Muchos soldados estadounidenses iban a Saigón para luego volver a la jungla, repleta de casamatas y francotiradores emboscados, de donde muchos ya no volvían. Pero daba igual: siempre había carne fresca. Aquella ciudad era insaciable. Vientiane, por el contrario, era silenciosa y reservada. Mucho más antigua y confortable a pesar de que no había demasiados teléfonos y los cortes de agua y luz eran bastante habituales. El tráfico se reducía a un coche o algún autobús que pasaban de muy tarde en tarde. Sus habitantes caminaban sin prisas. De colores apagados, los edificios se sucedían en una gama un tanto monocorde de verdes y marrones. Bien mirado, mientras que todos caminos de Vietnam llevaban a Saigón, en Laos no había ni siquiera un mal sendero por donde circular.

Vientiane se extendía en una de las márgenes del Mekong, en un valle de flores aromáticas, lluvias suaves y brisas cálidas, mecido por siglos de soledad y aislamiento. La libre y pacífica Tailandia, que una vez fue el odiado reino de Siam, quedaba al otro lado del río. Durante cerca de doscientos años, el ejército siamés lo cruzó en varias ocasiones para saquear la antigua ciudad, a la que incendiaron en más de una ocasión. Los laosianos no perdonaban ni olvidaban tan fácilmente, por lo que continuaban viendo a sus vecinos con desconfianza. A lo largo del siglo pasado, se fueron aposentando numerosos extranjeros, en su mayor parte franceses de mediana edad que solían hablar el laosiano bastante bien así como otros idiomas de la región. Eran muy diferentes de los americanos que pululaban por Vietnam, a los que se consideraba visitantes muy poco gratos, rudos y crueles conquistadores que en algún momento deberían abandonar el país. Los franceses *vivían* en Indochina y, si bien su caso no era similar al de los británicos nacidos y criados en la India —de los que algunos jamás pisaron suelo inglés—, existían no pocos elementos en común. Muchos de los franceses indochinos, sobre todo cuando tomaban unas cuantas copas de vino de su querida tierra, se tenían por más asiáticos que europeos. Después de todo, Laos era suyo —o eso decían—. A Walter le gustó Vientiane nada más llegar aquella primavera de 1971.

Aunque había visto aeropuertos peores, aquel estaba muy cerca de los primeros puestos de la lista. La torre de control, si es que se la podía llamar así, identificó su vuelo, de la Southern Air, como procedente de Birmania a pesar de que había salido de Saigón. Se trataba de un viaje rápido: se había levantado a las seis y media en Vietnam y llegó a Laos para el desayuno. Su pasaporte y demás documentación lo presentaban como Fred Russo, un ingeniero de Chicago. No dejaba de parecerle irónico aquello de Freddy Russo.

Su misión en aquel país era sencilla. Esta vez debía encontrar a un holandés llamado Aat van de Steen. No le habían dado ninguna explicación al respecto. Tan sólo tenía que contactar con él y volver con cualquier mensaje que deseara darles, daba igual lo que dijera. Era muy probable que estuviese, le contaron, con los yao. El problema era dar con ellos. «Está en Laos —le aclaró el coronel—. En alguna puta parte del puto Laos.» Walter dispuso de tres días para prepararlo todo. «Te llevaremos a donde quieras. Tan sólo tienes que pedirlo.» Al cabo de veinticuatro horas, Walter les dijo: «He de ir a Vientiane».

Los primeros asentamientos se remontaban al siglo IV, o al menos eso es lo que Walter pudo leer. La historia del pequeño país arranca hacia 1349 o 1353, según la teoría que se crea, cuando el emperador Fa Ngum fundó un reino al que llamó Lang Xang, *el país del millón de elefantes*. A pesar del nombre, Walter no pudo ver a ninguno de aquellos animales. Los yao llegaron a Laos poco después, procedentes de China, en un intento desesperado de hallar algún lugar donde vivir seguros. Durante un tiempo hallaron la paz en las montañas de Laos, donde permanecieron por más de quinientos años. Con ellos trajeron una cultura pacífica basada en la agricultura, el estudio y el pensamiento religioso que pervivió y se desarrolló en su nueva tierra de adopción. Hablaban una lengua poco conocida, el mianés, si bien, a juzgar por la documentación que habían entregado a Walter, también dominaban el laosiano, el khum y el hmong hua, las más habladas de Laos. Sin duda, se trataba de un pueblo culto. Incluso era posible que hubiese alguien que hablase inglés. En el principio, cuando los yao llegaron a Laos, apenas eran unos cuantos. Sin embargo, tras varios siglos de asentamiento, no mostraron demasiado interés por crecer demasiado. Es más, sus técnicas de control de natalidad se revelaron muy eficaces. Estaban convencidos de que, si lograban mantener una población lo bastante reducida, estarían más seguros y así se lo enseñaban a sus hijos, hasta el punto de que, entre todos los pueblos que habitaban el país —los lao lum, los lao theng y los yao—, éstos eran la minoría más débil.

Walter se imaginó que no habría nadie en el cuartel. No se equivocó. Tenía muy claro, a pesar del poco tiempo del que había dispuesto para preparar aquella misión, que los antiguos yao tenían razón: para un pueblo como aquel, la defensa era la mejor opción. Los chinos no pudieron perseguirlos una vez se internaron en Laos y sus nuevos enemigos, al considerarlos demasiado escurridizos, no tardaron demasiado en buscar otros objetivos mucho más prometedores. Los yao se bastaban para mantenerse. Granjeros en su mayor parte, se enorgullecían de haber vivido en las montañas durante más de seis siglos, algo que no satisfizo demasiado a los ojeadores enviados por la CIA y el ejército estadounidense, que se las vieron y desearon para dar con ellos.

Hacia 1970, la Agencia Central de Inteligencia disponía de más de treinta agentes activos en Laos. En Washington se hacían bromas al respecto. Se decía que, a pesar de habérseles asignado un presupuesto sin límite, la CIA había gastado más de la cuenta. En la sede central se creía que todo el mundo tenía un precio, sin excepciones: se podía comprar a cualquiera, incluidos los yao. Al fin y al cabo, aquella tribu perdida en las montañas no podría resistirse a la tentación de disfrutar de algunos placeres que le brindaba la civilización más moderna y poderosa de la Tierra. Estaban seguros de que ocurriría como en el resto del mundo. La CIA distribuía por todo el planeta enormes sumas de dinero hasta el punto de que la lista de sus colaboradores no parecía tener fin. No les cabía la menor duda de que los yao caerían en sus redes, tal como ocurrió con los hmong, la etnia más numerosa del país. Para los chicos de Langley, los hmong eran la antesala de los yao. Su economía estaba centrada en el opio y, en la medida en que se dedicaban tanto al cultivo, como al refinado y su posterior comercio, sus ingresos dependían de la adormidera. A fin de que colaborasen con Estados Unidos en su lucha para evitar que el comunismo se expandiera por todo el mundo, la CIA aceptó con agrado participar en el tráfico de heroína. Teniendo en cuenta que los yao vivían también del cultivo de la adormidera, los estadounidenses pensaron que no les costaría demasiado convencerlos. Tan sólo había que contactar con ellos. Y ahí es donde entraba el Holandés.

Aat van de Steen era un joven traficante de armamento que había cerrado algunas operaciones en Europa del Este. De acuerdo con la información de la que disponía la CIA, Van de Steen había vendido armas a grupos rebeldes de Georgia y Estonia, además de proveer a los soviéticos de piezas de artillería procedentes de Estados Unidos. Desde que era niño, el Holandés había hecho gala de una gran astucia y, sobre todo, un buen par de pelotas. Su nombre solía mencionarse con respeto en algunos círculos. «Jesús —exclamó en una ocasión un alto cargo de la CIA—, ¿cómo puede ser que ese chico venda tanto a los rusos como a los chechenos y continúe con vida?».

Cuando apenas contaba veintitrés años, Aat van de Steen hizo su primer trato en Laos. Aunque para ello hubo de viajar a Indonesia, la transacción se planificó en Washington. Debía contactar con los yao, enterarse de las armas que podrían necesitar e informar luego a su cliente indonesio. En este caso, tan sólo sería un intermediario. Sin embargo, sus enlaces en Indonesia le dejaron bastante claro que no iban a discutir sobre el precio. Sea cual fuere la capacidad de aquellas gentes para manejar el armamento que iba a proporcionarles, Van de Steen quería encargarse personalmente de la entrega. Habría que pagar, eso sí, en dólares y por adelantado. En Amsterdam. Sin duda, era un tipo listo. Se había enterado de que el dinero venía de la CIA, pero no le importaba en absoluto. No era la primera vez que trabajaba así, sin que el cliente mostrase su verdadera identidad, y la CIA sabría cómo comportarse. La discreción nunca le había preocupado demasiado. La Agencia se había convertido en la mayor compradora de voluntades del mundo. Con tanto dinero, ¿quién iba a negarse? Por eso estaban tan seguros de su éxito.

Van de Steen se dirigió a Laos. Viajó al interior, en dirección a las montañas, en busca de los yao y nunca más se supo de él. Los indonesios comenzaron a ponerse nerviosos. La CIA aguardó, a pesar de que tampoco se mostraba demasiado satisfecha. Alguien en Langley escribió un informe en que se le daba por desaparecido. O muerto. Quizás lo habían matado los yao, los hmong, las serpientes o quién demonios sabe. Había pasado más de un mes. Fue entonces cuando se enteraron por boca de uno de los cabecillas hmong de que un blanco, cuya descripción coincidía con la del holandés, había sido visto en compañía de algunos yao. La noticia era bastante reciente, pero ninguno de los agentes de la CIA destacados en el país había conseguido hablar nunca con aquella gente. Tanto en Vientiane como en Washington, todos sabían que vivían en las montañas, pero ignoraban dónde. Nadie de la CIA iría a buscarlos. «Esto no es como en *Viva Zapata*», dijo alguien. Sin embargo, otro mencionó al *Localizador,* un sargento del ejército que se hallaba en Saigón y del que tenía muy buenas referencias. No hizo falta nada más. Al cabo de unas horas, citaron a Walter Sherman y, tres días después, se encontraba echando una cabezada tras disfrutar de un buen desayuno en un antiguo y elegante hotel del centro de Vientiane.

* * *

Aat estaba dispuesto a hacer cualquier cosa para ayudar a su amigo. No importaba qué; no preguntaría nada. Una docena de años después de lo ocurrido en Vientiane, Walter encontró a su hermano, que huía despavorido a causa de unas deudas de juego. Jan van de Steen jamás se imaginó que el prestigio de Aat lo habría protegido. Tres semanas después de haberse trasladado Holanda, se dirigió a Canadá, donde dio con él y lo devolvió sano y salvo a casa, como si se tratase de un hijo o, más bien, un marido pródigo. Walter se negó a cobrarle nada. Ni tan siquiera los gastos. «Somos amigos», repuso. Ahora era él quien necesitaba que el Holandés le hiciese un favor: que comprobase si Harry Levine estaba en Bergen op Zoom. No dio más detalles ni razón alguna. No era necesario. Van de Steen le contestó que lo telefonearía en cuanto averiguase algo. Cuando lo hizo —no había transcurrido ni una hora—, no paraba de reír. En efecto, el tal Levine estaba en Bergen op Zoom y, lo que más gracia le hacía a Aat, ¡se había registrado en el hotel con su verdadero nombre! Tras darle las gracias, Walter le informó de que se pondría en contacto con él en cuanto llegase.

—*Ik zal je meenemen naar Yab Yum dan krjg je de beurt van je leven!* —le contestó—. ¡Eso es fantástico, amigo mío!

Walter se quedó mirando el auricular por un instante y soltó una risilla. No había entendido nada de lo que Van de Steen le había dicho, salvo la referencia al Yab Yum, uno de los burdeles más caros de Holanda.

Veintiocho

Aquella misma tarde, Walter salió de Billy's, zarpó en el transbordador que iba de El Peñón a Saint Thomas y, desde allí, se subió en el primer avión para Nueva York, desde donde volaría, en Lufthansa, hasta Amsterdam, tras una breve escala en Frankfurt. Aprovechó la travesía sobre el Atlántico para dormir un poco. Le gustaba viajar en la clase *business* de aquella compañía —ya lo había hecho antes— porque, entre otras cosas, le dejaban dormir todo lo que quisiera a menos que indicase lo contrario. A diferencia de otras, que prácticamente insistían en que aprovechases al máximo las consumiciones que te ofrecían tras haber pagado cerca de doce mil dólares, los alemanes se contentaban con cobrarte quinientos y que echases un sueñecito durante una hora. Siendo más joven, antes de conocer a Gloria, hubo un tiempo en que a Walter le aterraba volar. Estaba obsesionado con la posibilidad de que el avión se estrellase y, evidentemente, muriera a resultas del accidente. No había manera de convencerlo de lo contrario. Cada vez que debía tomar un vuelo comercial, le asaltaba todo tipo de temores. En su opinión, cada uno de los aviones en los que había viajado corría el riesgo de caer. En una ocasión, voló de Detroit a Chicago con la plantilla completa de los Detroit Pistons. Se trataba de un viaje corto, de poco más de media hora, y el tiempo era magnífico. Aun así, ya se imaginaba el titular del *Chicago Tribune* del día siguiente: LOS DETROIT PISTONS MUEREN EN UN ACCIDENTE DE AVIÓN. En la noticia, semienterrada, estaba esta frase: «Entre los numerosos muertos, se ha descubierto el cuerpo de un hombre sin identificar». No dejaba de resultarle extraño que jamás le hubiese preocupado sobrevolar las junglas de Vietnam dentro de un helicóptero, sobre todo cuando las balas y los cochetes zumbaban a su alrededor. Pero bastaba con pensar en aquel *cielo amigo* para idear la peor historia. Con el paso del tiempo logró sobreponerse al miedo e incluso ayudó a Gloria a que perdiese el suyo. Con todo, le quedó un poso del que nunca consiguió librarse.

De todos modos, no estaba preocupado: el aterrizaje en Schiphol, el aeropuerto de Amsterdam, siempre había sido muy agradable. En algunos casos —bastante más frecuentes de lo que se pensaría—, las maniobras requieren descensos en espiral en los que el avión pasa por escarpadas cordilleras. Aún no se había acostumbrado a la idea de que Schiphol se hallase en un país cuya cumbre más alta sobrepasaba a duras penas los cien metros. De hecho, la pista discurría por el lecho de un antiguo lago que los holandeses drenaron a principios del siglo pasado para convertirlo en un complejo sistema de canales y acequias que se extendían a lo largo de varios kilómetros. La recuperación de la tierra firme es todo un arte en Holanda y Schiphol es uno de los ejemplos más admirados en el mundo entero. El lecho, completamente desecado, se convirtió primero en una base militar que sirvió como aeródromo durante la Primera Guerra Mundial. Como no era más que una gran extensión de barro, los pilotos franceses, a los que no les gustaba en absoluto, lo llamaron Schiphol-les-bains, un nombre que se mantuvo con el paso de los años hasta que el transporte aéreo se modernizó lo suficiente como para obligar a las autoridades a convertir aquel lugar en uno de los aeropuertos más concurridos de Europa.

El cambio de huso horario hizo que el viaje de América a Europa pareciese durar un día más de lo previsto. Por si fuera poco, los agentes de la aduana estaban muy preocupados por la creciente amenaza terrorista y extremaron los controles. Un último imprevisto ocasionó que el tren a Rotterdam saliese con retraso. Cuando llegó a Bergen op Zoom, hacía treinta horas que había salido del bar de Billy. A pesar de haber dormido durante buena parte del trayecto, se encontraba muy cansado. Sin embargo, tenía prisa. Por suerte, no había demasiados hoteles donde alojarse. Aat le comentó que había encontrado a Harry en el primero por donde buscó, lo cual no le sorprendió demasiado. Harry Levine se comportó del mismo modo que esos niños pijos que salen de Houston, Kansas City o donde coño vivan sus padres y se van a Nueva York. Siempre van al Plaza. Quizás le hubiese costado un poco imaginarse que se habría escondido en Bergen op Zoom, pero una vez allí, dar con él iba a ser un juego de niños.

En el Mercure de Draak, tal como Aat le comentó, Walter comprobó que Harry se había registrado con su nombre real. ¡Qué inocente! Había mostrado su pasaporte y había dicho: «Me llamo Harry Levine». ¿Qué otra cosa podía haber hecho? Probablemente no había pensado en la posibilidad de hacerse pasar por otro. No era la primera vez que Walter se encontraba con un caso así: muchas personas que mostraban un talento muy especial para huir y mantenerse ocultos solían cometer el mismo error. Lo telefoneó desde el vestíbulo.

—Con la habitación del señor Levine, por favor —le dijo a la operadora.

—Sí, señor —le respondió y, al cabo de un momento, el teléfono comenzó a sonar.

—¿Sí? —dijo Harry un tanto reticente. Antes de descolgar, había pensado en la posibilidad de no responder a la llamada.

—Soy Walter Sherman. Acabo de llegar —Harry comenzó a explicarle algo, pero Walter le interrumpió—. Por teléfono, no. Enseguida estoy ahí.

* * *

—Mucho gusto —respondió Walter mientras le estrechaba la mano. «¡Dios! —pensó—. Este chico me saluda con un "encantado de haberle conocido". A nadie le "encantaría" encontrarse con alguien en una situación como ésta.» Por si fuera poco, le costaba creer que lo hubiese invitado a pasar con tanta facilidad.

—Llama a recepción y diles que te preparen la cuenta. Recógelo todo y vayámonos de aquí —miró a Harry, su objetivo. Tenía mejor aspecto que en las fotos, aunque no dejaba de ser el típico treinteañero estadounidense. No demasiado alto, un poco moreno y bastante bien parecido, aunque no se salía de lo normal. Si quienes lo buscaban se tomasen en serio su trabajo, no tardarían mucho en dar con él.

No todas las personas a las que había debido encontrar tenían el mismo aspecto que en las fotografías que le proporcionaban. Muy a menudo, éstas solían ser demasiado antiguas y no servían para nada, sobre todo cuando se trataba de adolescentes. La instantánea de una chica de catorce años —tomada a veces durante la cena del Día de Acción de Gracias o al lado del árbol Navidad— apenas guardaba ningún parecido con la joven que, tres años después, mucho más desarrollada, con un par de nuevos *piercings,* un tatuaje y el pelo teñido. Con el paso del tiempo, y a medida que iba resolviendo casos, Walter había desarrollado la habilidad de sacar partido a ciertas fotografías que, en circunstancias similares, otros habrían descartado. El hecho de que esos *otros* solían integrar las filas de los departamentos de policía le garantizaba su posición en el mercado, así como una notable fuente de ingresos. Simplemente, se encargaba de llegar adonde los demás no podían. De todos modos, algunas de aquellas fotos eran completamente inservibles. No obstante, en una ocasión estuvo a punto de desfallecer en el intento. Hacía cuatro años de aquello. El tipo se llamaba Leonard Martin y no había ni un solo agente de policía en Estados Unidos que no estuviese dispuesto a detenerlo. Martin les había dado esquinazo, incluido a Walter, quien jamás pensó que llegase a conseguirlo. Las fotografías del Leonard Martin oficial y las del real eran tan distintas... La sola mención de su nombre le provocaba una sensación muy desagradable. Leonard Martin... Michael DelGrazo, el *cowboy* con sombrero de ala ancha... «Qué hijoputa —pensó—. Estoy en la entrada de la habitación de Harry Levine, en uno de los hoteles más antiguos del mundo y lo único que hago es pensar en ese mierda de Leonard Martin.»

—Acabo de llegar —repuso Harry—. Sólo llevo unos cuantos...

—Te has registrado con tu nombre.

—¿No está bien?

—No, Harry. No es una buena idea. Recógelo todo y vamos a mi habitación hasta que se me ocurra adónde iremos después.

—¿En cuál estás?

—No me hospedo aquí. Venga, cógelo todo —Walter se dio cuenta de que Harry era una persona muy ordenada. El cuarto de baño estaba tan limpio que parecía que nunca lo hubiese utilizado. La pasta de dientes, el cepillo y la botellita para el enjuague bucal estaban al lado de un vaso de cristal; la maquinilla de afeitar, la crema, la loción y las cuchillas de recambio, en el lado opuesto. Junto a la ducha, Harry había colocado el desodorante, un cepillo para el pelo y un peine. Las toallas, perfectamente dobladas y alineadas, daban la impresión de no haberse utilizado, si bien Walter apreció ciertos detalles que lo convencieron de lo contrario. Harry las había vuelto a colocar en su sitio original, pero se apreciaba un ligero cambio en el volumen de uno de los lados. Un tipo muy meticuloso, no cabía duda. Lo que vio a continuación ya se lo esperaba: en la cómoda había dispuesto la ropa interior siguiendo un criterio muy lógico: los calzoncillos en el primer cajón y las camisetas, en el segundo. Encima del mueble reposaba un suéter.

—Mira, Harry. Mételo todo en tu bolsa y vámonos... antes de que lleguen.

—No pueden estar tan cerca —¿a quién se refería?—. ¿O sí?

—Puede que estén en el vestíbulo, a punto de tomar el ascensor.

—¿Qué? Vámonos.

—Será mejor que pienses siempre que tus perseguidores están cerca y no lo contrario. ¿Acaso no te he encontrado? —Walter abrió la cómoda y comenzó a sacar los pantalones, una chaqueta y las camisetas y las metió de mala manera en la bolsa de viaje que había sobre la cama. A pesar de que Harry parecía un poco enfadado, hizo lo mismo. Después, se agachó y sacó de debajo del somier un maletín.

—¿Es eso?

—Sí. Aunque lo mantuve oculto en Londres, antes de venir a Holanda lo recuperé.

Harry telefoneó a recepción para que le preparasen la cuenta. Hizo todo cuanto Walter le había indicado.

—Cárguelo todo a mi tarjeta de crédito y envíe la factura a mi domicilio.

Un minuto después, bajaron a toda prisa por las escaleras, cruzaron las cocinas y salieron por la puerta trasera.

Segunda parte

Da igual si se trata de Dios o del Diablo:
tienes que servir a alguien.

BOB DYLAN

Veintinueve

El día en que Anna Rothstein se fugó de Memphis para casarse con un chico llamado Eddie O'Malley, su padre, Saul, se preocupó por la salud mental de su esposa. Doris Rothstein comenzó a chillar en la cocina. Su hermana Irene estaba en camino, pero aún no había llegado. Siempre se ayudaban en momentos de crisis. Y en esa ocasión, tal como pensó Saul, el problema era grave. La palabra *impotencia,* a pesar de que no era muy agradable, se le apareció de inmediato. Saul Rothstein no era de esas personas que se suelen sentirse desamparadas. A pesar del colapso emocional de su mujer, vio que... aquello, ese cúmulo de *putas* circunstancias... constituía un desafío en toda regla para las reglas de la familia Rothstein. *¡Y yo, Saul Rothstein, dicto esas reglas!* La llamada de Anna lo había enfadado. No podía creer que se hubiese enamoriscado de aquel Eddie comosellame. ¿Qué podía ofrecerle un mecánico de diecinueve años para que decidiese marcharse de casa?

Aquella mañana, Anna salió a las siete en dirección al instituto tras decir en casa que regresaría tarde. Había quedado con una amiga. Saul no tardó demasiado en darse cuenta de que esa *amiga* era un mequetrefe irlandés que afirmaba ser el marido de Anna. Saul apretó el auricular mientras murmuraba: «No me jodas. No me creo nada de lo que dices, pequeño hijoputa».

Los recién casados volvieron en coche a su hogar, en Memphis, desde el pequeño pueblo de Mississippi donde habían contraído matrimonio, un lugar llamado Langston, al sur del estado, cerca de Louisiana, tan pequeño que casi nadie había oído hablar de él. Al parecer, el tal Eddie O'Malley vivía en un piso de los alrededores del aeropuerto. Anna mencionó de pasada algo sobre dos compañeros de piso a los que había echado para tener un poco más de intimidad. Del señor y la señora O'Malley no se sabía nada. Había que acabar con aquella tontería de inmediato.

¿Qué tipo de gilipollas vive en Mississippi? Rothstein dedicó unos minutos a buscar una respuesta precisa a la pregunta y, poco después, se dirigió al despacho de un viejo amigo, el honorable Milton Fryer, el único juez judío de Memphis. «Pero ¿cómo pueden permitir que se casen dos chiquillos?», el preguntó. Anna sólo tenía dieciséis años y, por lo que ella le había dicho, el O'Malley ése, diecinueve. Aunque Saul no podía demostrarlo, tenía la certeza de que aquel tipo era aún más mayor. Suplicó al juez Fryer que lo ayudase y, en menos tiempo que el cemento tarda en secarse, anuló todo cuanto algún imbécil de Mississippi hubiese dispuesto. Anna Rothstein —ahora O'Malley—, volvió a casa. Su madre, Doris, estuvo llorando durante semanas sin que ni siquiera Irene pudiera ayudarla. Saul prefirió mantenerse al margen.

Anna Rothstein era una chica muy atractiva, alta —uno ochenta, más o menos—, de ojos garzos y cabello castaño, casi rubio. A los catorce, estaba completamente desarrollada y, a los dieciséis, con un poco de maquillaje y un vestido bonito podría haber pasado muy bien por una joven de veinte. Era brillante y no cabía duda de que se había converido en la hija favorita de su padre. No en vano, era mucho más inteligente que su hermano mayor. Se parecía mucho a su padre, algo que todo el mundo decía y que a ella le encantaba, aunque no por aquel entonces. Buscó consejo para enfrentarse a la decisión del juez. Conocía mejor las leyes que su propio padre. Sin embargo, el mejor amigo de Saul, Milton Fryer, no pudo ayudarla.

—¿De verdad quieres a ese... Eddie O'Malley? —le preguntó su padre.

—No se trata de eso —le replicó Anna—. Lo que está en cuestión ahora es la legalidad de tu anulación, a todas luces fraudulenta. Tú y Milton Fryer sois amigos, por lo que cualquier juez, que no sea el tío Milty, se daría cuenta de inmediato de que hay un conflicto de intereses. Como sabes, papá, el sistema legal del estado de Tennessee no se creó para tu beneficio personal. Además, no me he casado en este estado, por lo que no afecta la jurisdicción. Mi matrimonio, contraído en Mississippi, no puede ser revocado por ningún juez de aquí, por muy amigo de mi padre que sea, y más en ausencia de mi marido, de mí o de cualquier representante legal. ¿Sabes a lo que me refiero? —Saul no pudo hacer nada. Estaba tan orgulloso de su hija...

—¿Y qué es lo que quieres, Anna? ¿Acabar con tu madre?

No hubo más que decir. En 1953 aquella joven judía de dieciséis años nacida en Memphis, Tennessee, aceptó la voluntad de sus padres y anuló su matrimonio. Sin embargo, mantuvo el apellido O'Malley. Nunca pensó que había ido demasiado lejos e hizo bien. En su opinión, su abuela habría hecho lo mismo.

Un par de años después, cuando dejó Memphis para ir a la Universidad de Tennessee, Anna O'Malley cambió su nombre por el de Abby. Le gustaba cómo sonaba. Dedicó cuatro años, repleto de éxitos, a las Ciencias Políticas y su padre dio gracias a Dios por no haberse vuelto a casar. Nunca más se supo de Eddie O'Malley y su recuerdo acabó por desvaírse. En otoño de 1959, Abby O'Malley se matriculó en la facultad de Derecho de la Universidad de Chicago. Fue la primera mujer que se encargó de la edición de la revista de Derecho y también la mejor de su promoción. Le gustaba vivir en Chicago y, tras licenciarse, aceptó un trabajo en la Farmers Mutual Insurance Company. Tal como solicitó, le asignaron la investigación de posibles fraudes. Le gustaban los desafíos. Tenía un talento especial para relacionar hechos y pruebas aparentemente inconexos para descubrir móviles ocultos. El fiscal general Robert F. Kennedy la reclutó para su división contra el crimen organizado, conocido como el «escuadrón Jimmy Hoffa». Abby tenía un olfato muy sensible para el fraude, uno de los mecanismos más habituales de la Mafia a la hora de operar a escala nacional. Bobby Kennedy estaba encantado con ella. No tardó en trasladarse a Washington D.C., donde encajó a la perfección. Era joven, atractiva, ambiciosa e inteligente. Poco después, el presidente fue asesinado y todo cambió en el Departamento de Justicia.

Bobby Kennedy tan sólo podía pensar en una cosa: ¿quién había asesinado a su hermano? Para responder a tal pregunta, reclutó un pequeño equipo de excelentes abogados del Departamento. Abby O'Malley era uno de ellos. En menos de un año, con apenas cumplidos los veintisiete, Robert Kennedy le encargó que llevase la investigación en privado. Para ello, realizó las gestiones necesarias para que la trasladasen a la delegación de Boston. De ese modo, tendría acceso a las fuentes que le pudiese proporcionar la familia y evitar que alguien de Washington sospechase del verdadero trabajo al que se dedicaba la ayudante principal del Fiscal General. Poco después, Abby abandonó su cargo y fue contratada por el departamento jurídico de una firma especializada en inversiones privadas controlada por los Kennedy. Aquel puesto era la tapadera perfecta para llevar a cabo las gestiones necesarias que permitiesen averiguar la identidad de la persona o las personas responsables de la muerte del presidente. Le habían asignado un presupuesto ilimitado para ello y supo aprovecharlo: en 1968 dio la investigación por finalizada. El misterio había quedado resuelto. Apenas un mes antes de que Bobby Kennedy fuese también asesinado.

Tras la muerte, la familia asignó nuevos quehaceres a Abby. Después de haber informado a Bobby de la existencia de un documento en el que Lacey lo explicaba todo y de haberse asegurado de que éste lo mantenía oculto para protegerse, su nueva misión consistía en hacerse con la confesión para destruirla. Debía conseguirla a cualquier coste. Que Bobby hubiese muerto no cambiaba nada. Es más, desde ese momento, aquella mujer que pasaba por ser una abogada de alto rango que trabajaba para una firma de inversiones puso todo su empeño en cumplir una sola misión: preservar el aura que rodeaba a los Kennedy.

Rose sufrió una grave depresión después del asesinato de Bobby. Durante sus arrebatos de melancolía, hablaba mucho con Abby, quien solía escucharla entre lágrimas como sólo una madre sabe hacerlo. Se confiaba a ella en unos términos en los que ni siquiera se atrevía con su confesor, el cardenal Cushing, pues pese a sus convicciones católicas, era ante todo un ser humano. Si se quería mantener viva la llama de Camelot, había que mantener vivos y unidos a todos sus miembros, y aquella mujer, que antes había hecho gala de un entusiasmo y una energía inagotables, había perdido la esperanza.

—¿Acaso no tiene bastante? —le comentó entre sollozos en una ocasión. Abby nunca supo si se refería a Dios o a Frederick Lacey—. ¿Es que quiere acabar con todos nosotros?

—Nadie lo conseguirá, Rose —la consolaba, aunque no estaba segura de su respuesta. ¿Cabía la posibilidad de que Lacey no fuese más que el instrumento de la ira de Dios? ¿Rose tenía razones de peso para temer a los dos?

—Oh, sí. Creo que pueden ser los dos. Ahora irán a por Jack. Ahora que Bobby se ha ido... —Rose se detuvo unos instantes. Abby pudo ver cómo su pecho se estremecía. El dolor que aquella mujer sentía por la muerte de su hijo preferido se convirtió en carne viva. Abby esperaba que de un momento a otro comenzase a invocar su nombre. *¡Bobby Bobby Bobby!* Pero no fue así. Rose Kennedy se enjugó los ojos y la nariz con un pañuelo de papel, se aclaró la garganta y prosiguió—: Sin Bobby, nadie podrá proteger a Jack. Lo destrozarán.

—No. No lo permitiremos.

—¡Las mujeres, Abby! ¡Las mujeres lo echaron a perder! Se lo dije, pero nunca me hizo caso. Le decía: «Eres el presidente de Estados Unidos. ¡Compórtate como debes!». Pero nunca me escuchó y su padre... Nunca se ocupó de eso. Ya ves, Abby. La aventura con la Monroe. Y las otras. Jackie tampoco hizo mucho. Entró en nuestra familia y si no fuera por los niños, yo... —se contuvo en el momento preciso.

—Rose, jamás he pensado que todo eso pudiese mantenerse oculto para siempre. Incluso los asuntos más privados del presidente. Habrá gente que lo investigue e incluso que lo saque a la luz. No se preocupe por ello. Hay cuestiones más importantes, cosas que no conocemos, sobre todo por lo que respecta a sus amigos: tratos, favores, quién sabe qué... Pero no se preocupe. Se lo prometo. Los americanos aman al presidente Kennedy sin reservas por una sola y única razón —miró a Rose con la esperanza de que la matriarca de la familia le prestase atención—. Lo aman porque su presidente fue asesinado. Y lo mismo pasa con Bobby. Los aman por el final tan trágico de sus vidas, por haber muerto antes de tiempo. Nada de lo que pueda revelarse lo cambiará... a menos que se sepan las circunstancias en las que se desarrolló todo y se descubra que Frederick Lacey estuvo detrás de todo.

—Pero Abby... —su voz recuperó el tono agudo habitual.

—No hay peros que valgan —Abby le tomó las manos—. La mayor parte de los americanos, la gran mayoría de la gente que puebla el planeta, cree que el presidente fue asesinado en aras de una conspiración. Lo sabe. Sé que usted lo sabe —Rose asintió en silencio—. Mientras no se confirme nada sobre esa pretendida conspiración y no aparezca ninguna prueba, mientras la gente no sepa quién mató realmente al presidente Kennedy, la leyenda estará a salvo. Y Camelot, también. Todo por lo que usted ha luchado estará a salvo. Sólo Lacey puede cambiarlo.

—Dios mío —Rose volvió a estallar.

—Déjelo todo de mi cuenta. Me ocuparé de todo.

Había que conseguir aquel documento de manos de Lacey. Aquel hombre era intocable, pero la confesión, no. Abby estaba dispuesta a todo y así se lo explicó a Rose. La matriarca de los Kennedy era la única que conocía aquella terrible verdad... salvo Louis Devereaux. Era de sobras conocido que Abby se ocupaba de los asuntos importantes de la familia y que su autoridad jamás se ponía en duda. De hecho, después de que Rose se encontrase con sus hijos en el seno de Nuestro Señor, prosiguió con su labor.

Abby conoció a Louis Devereaux en 1971, que a la sazón contaba veinte años, durante una estancia en Chicago. Había aceptado la invitación de su antigua facultad de Derecho para dar un seminario sobre diversas cuestiones legales que duraría un par de días. Al terminar una breve disertación sobre la Cuarta Enmienda, el entonces redactor en jefe de la revista de Derecho de la facultad, un joven de Louisiana llamado Louis Devereaux leyó un ensayo en el que defendía que ésta no podía aplicarse al presidente de Estados Unidos. Según afirmaba, había ciertas circunstancias en las que debería concedérsele un poder ilimitado para llevar a cabo ciertas investigaciones. Por un momento, Abby no supo si estaba bromeando, pero se sintió fascinada por la habilidad de aquel muchacho para presentar sus argumentos. Su idea de que el presidente —cualquier presidente— podía irrumpir en una oficina o un domicilio sin ninguna garantía y, además, arrogándose una pretendida inmunidad constitucional no era más que un chiste. A pesar de ello, no se dio cuenta de que el resto de los ponentes mostraban una tímida y sutil aceptación. Louis hizo gala de una fuerza especial. Sin duda, tenía un gran futuro por delante. Aunque no los hubiera convencido, le habían prestado atención y, sobre todo, su tesis los había impresionado. Más tarde, Abby lo detuvo en el pasillo. Le sorprendió que Louis no estuviese demasiado convencido de las ideas que acababa de presentar. Había algo que no acababa de gustarle. Abby admiraba a las personas con un cierto sentido del absurdo, pues también lo poseía. No le reprochó aquel momento de diversión, sino que reconoció su valía y le entregó su tarjeta.

«Estaremos en contacto», le dijo. Fue sincera y él se dio cuenta de ello. Abby no era una de esas personas que elogian a todo el mundo y a Louis no le agradaban los cumplidos. Había un interés mutuo. Devereaux reconoció en Abby la misma fuerza y el mismo espíritu de abnegación que había visto en su madre y sus hermanas. No tenía ninguna duda de que le inspiraba respeto y admiración. Los dos compartían los mismos puntos de vista, no en términos absolutos, aunque sí en lo que se refiere a los objetivos finales. Ambos eran ambiciosos y sabían que su lugar estaba en lo más alto. Y estaban dispuestos a ayudarse para conseguirlo. Jamás se traicionarían.

Cuando se enteraron de que John Ehrlichman utilizó un ensayo que Devereaux publicó en la revista de la facultad —y en el que ampliaba su argumentación sobre las limitaciones de la Cuarta Enmienda— para defender con arrogancia la tesis de la excepción constitucional ante el comité del Senado para el caso Watergate, ambos estallaron en carcajadas. Años después, cuando Louis tuvo la ocasión de escuchar las grabaciones, sintió una gran decepción. «Muy buena idea, John —afirmó Nixon—. ¿De dónde lo has sacado?» Ehrlichman repuso con calma que era completamente suya.

En 1975 Abby conoció a David Lowenthal, un profesor de Bellas Artes de Harvard tímido, amable y a veces un tanto místico con el que no tardó en casarse. Escultor de cierta fama, vivía tan intensamente su búsqueda del arte y la belleza, que su matrimonio discurrió de una manera apasionada pero discreta, casi íntima, hasta el punto de ignorar todo sobre el trabajo de su esposa, quien, por otra parte, no se sentía en absoluto incómoda ante esa situación. De hecho, jamás se preocupó por avivar la curiosidad de su marido en lo referente a esa cuestión. No era de esas personas que, al llegar a casa, comentan cómo les ha ido el día. A pesar de todo, ambos se adoraban. No necesitaban más. En más de una ocasión, en alguna de las fiestas a las que acudían en Boston, David Lowenthal no sabía qué decir cuando le preguntaban a qué se dedicaba su mujer. Azorado, solía responder que hacía «algo relacionado con inversiones».

Abby O'Malley era una mujer paciente. Era consciente de que Frederick Lacey se marchitaba lentamente y de que viviría más de lo que cualquier persona merece. El día en que al fin muriese, ella pondría en marcha el plan que había preparado durante todos aquellos años. Hacerlo no le llevaría más de unos minutos.

Treinta

El Heerensgracht estaba tan helado como los demás canales. En el ambiente se apreciaba el tenue aroma del hielo y desde el mar del Norte soplaba un viento frío y cortante. El tráfico habitual —unas cuantas lanchas de pequeña envergadura, algunas barcazas no muy atiborradas de turistas y taxis acuáticos iban y venían del Museo Van Gogh al Mercado de las Flores— había quedado interrumpido hasta la primavera. En Amsterdam hacía un tiempo de perros. Walter se había equivocado de chaqueta. Había olvidado lo desagradable que podía ser el invierno holandés. La ciudad estaba tan hermosa como siempre, pero estaba aterido, por mucho que debajo de la cazadora llevase un grueso jersey. Por suerte, el apartamento del número 310 de la Herensgracht estaba bastante cerca si se tomaba un taxi en la estación central.

El tren procedente de Bergen op Zoom había llegado al atardecer. Walter llevaba tanto tiempo allí metido que las instalaciones se le antojaron demasiado familiares. Le costaba imaginarse que aquellas mismas vías habían servido para transportar un sinfín de vagones cargados de soldados nazis. Había visto aquellas imágenes una y otra vez en documentales. Tantas, que le era imposible olvidarlas. No acertaba a comprender por qué los holandeses no hicieron nada. Quizás habría que ser europeo para entenderlo. Al fin y al cabo, visto desde fuera, aquel continente continuaba siendo el mismo de siempre. ¿Cómo podían pasar por alto tantas atrocidades? Bien mirado, Walter era también un ocupante. Saint John formaba parte de las trece colonias. El 4 de mayo de 1734 era para él una fecha que carecía de sentido, aunque para muchos de sus habitantes constituía un baldón del que no podían liberarse. Sin duda, para ellos era el día más triste de la historia.

El apartamento que Aat había reservado para ellos se encontraba en el primer piso de un antiguo edificio de tres plantas. No sólo era muy estrecho, sino que, al igual que la mayor parte de las construcciones antiguas de Amsterdam, la planta baja quedaba por encima de la acera y se accedía a ella subiendo por una corta escalera de piedra. Tal como indicó a Walter, encontraría la llave debajo del felpudo. Nada más entrar, vieron su alojamiento, a la izquierda, si bien antes tuvieron que franquear una enorme puerta de madera maciza de casi tres metros de altura. La cerradura era un simple pestillo. Una vez dentro, Walter y Henry se asombraron al ver que los muebles y la decoración eran de un estilo ultramoderno que les resultó muy atractivo. Aquellas líneas rectas y un tanto frías, tan actuales, representaban un minimalismo llevado al extremo. Los techos, como el resto de los pisos de planta baja que se encontraban a orillas de los canales, eran muy altos, de unos tres o cuatro metros. Las paredes estaban pintadas de un blanco brillante, salpicada aquí y allá con topos que seguían un diseño que Walter no supo reconocer. Por un momento le recordaron dos enormes lienzos repletos de colores y formas abstractas que se Isobel Gitlin había colgado frente a frente en el salón de su apartamento de la avenida West End, en Nueva York.

En el extremo opuesto de la estancia, en una de las esquinas, había una pequeña cocina abierta, con una pequeña barra frente a la cual habían colocado un par de taburetes de lo más extraños, que a Walter le parecieron una especie de flamencos desplumados de metal negro. A la derecha estaba el cuarto de baño, con su lavabo y su ducha y, al final del pasillo, el único dormitorio, con una cama, por decir algo, pues más bien se trataba de una tarima de madera sobre la que reposaba un fino colchón. «Funcional», pensó Walter. Probablemente costaría una fortuna. Al igual que el resto de la casa, la decoración se basaba en el contraste de dos tonos: el blanco y el negro. A juzgar por la expresión de sus caras, ninguno de los dos parecía demasiado interesado en dormir allí.

—Estás en tu casa —le comentó Walter mientras se quitaba la cazadora y la dejaba en uno de aquellos horrendos taburetes—. Ah, y quédate con el dormitorio.

—¿Y tú? ¿Dónde dormirás?

—Aquí —y señaló el sofá.

—Parece que te va el ambiente carcelario —bromeó Harry mientras comprobaba la dureza del asiento.

—En todo caso, se trata de una cárcel muy cara —murmuró Walter—. De todos modos, vamos a lavarnos un poco y comer algo.

En la estación central entraron en una tienda donde se vendían *broodjes* —«emparedados», le aclaró Walter mientras le hacía una leve indicación—. Compraron más de lo necesario, ya que no estaban seguros de si podrían salir a por más comida.

—Si no nos los comemos, tendremos que tirarlos —comentó Harry.

—Bueno, pues a por ellos. No te preocupes por nada y coge un par de bebidas.

No encontraron ninguna Diet Coke en Holanda, aunque por lo menos tenían algo parecido: Coca Cola Light. La diferencia estaba en que el edulcorante artificial que se empleaba en Estados Unidos se había cambiado por sirope de maíz o algo parecido. Prácticamente no tenía calorías, pero al menos conservaba parte del sabor dulzón original. La palabra *diet* estaba completamente vetada en las bebidas y alimentos del país para no herir sensibilidades. Por lo general, los holandeses solían ser bastante delgados y, a diferencia de los estadounidenses, no les atemorizaban las grasas, hasta el punto de que resultaba casi imposible encontrar a alguien que hubiese oído hablar de la dieta Atkins. Sea como fuere, Walter sacó de la bolsa unas cuantas latas de Coca Cola Light así como una botella de leche que Harry tomó de inmediato.

Antes de que llegasen al piso, ya había oscurecido. La tarde estaba muy avanzada, se encontraban en pleno corazón del invierno y, por si fuera poco, en Holanda amanecía muy temprano. A pesar de que Amsterdam era una ciudad muy dinámica —la más viva de toda Europa, a juicio de muchos—, en aquella zona apenas había vida nocturna. En las márgenes del Heerensgracht no había restaurantes, ni bares, ni cafés. Alguna razón habría para llamarlo *el canal de los caballeros*. Walter no se sorprendió cuando Aat le dijo que aquél era el lugar más indicado para los dos.

Cuando Harry salió del cuarto de baño, vio a Walter con la mirada perdida más allá de los altos ventanales. Había separado las finas cortinas que caían suavemente desde el dintel hasta llegar a ras del suelo. Al parecer, llevaba un buen rato mirando a ambos lados de la calle así como a la otra orilla del canal helado. Al cabo de unos minutos, hizo lo mismo desde otro ventanal y, un poco después, se dirigió hasta la puerta como si fuese a salir y volvió sobre sus talones para contar cuidadosamente cuántos pasos había desde el umbral hasta el sofá. A continuación, hizo lo mismo afuera: midió la distancia que lo separaba del piso de enfrente y, luego, de la escalera que llevaba al segundo y el tercer piso. Harry prefirió quedarse quieto. Estaba seguro de que Walter estaba haciendo algo muy importante. Sin embargo, no vio nada que le ayudase a comprender a qué se debía todo aquello. Walter pidió a Harry que abriese y cerrase la puerta principal dos veces: la primera, suavemente, si bien detuvo el impacto con la mano para evitar el ruido; la segunda, en cambio, de un portazo.

Sin embargo, antes de que Harry lo hiciese, entró y se sentó en uno de los sillones del salón.

—Venga, con fuerza —lo animó. Walter aguzó el oído y, después, al ver a Harry de nuevo, le dijo—: Ahora vamos a comer.

Aat van de Steen llamó a la puerta a las ocho más o menos.

—*Hoe gaat het met de oude jongen?* —exclamó mientras abría los brazos para saludar a Walter—. Estoy muy contento de verte otra vez. Muy contento.

—Yo también. Caramba, qué buen aspecto tienes.

—¡Ja, ja! Como tú, Walter. Yo también *een oude waas*.

—¿Qué?

—Un viejo chocho, amigo. Yo también estoy hecho un viejo chocho.

Aat van de Steen era alto y delgado. Tenía un buen porte, si bien su figura se adecuaba más al gusto europeo que al americano, pues a pesar de su hombros, anchos y fuertes, ostentaba un poco de sobrepeso en la cintura, algo por lo demás nada reprochable para un hombre que había entrado ya en la sesentena. Se protegía con un largo abrigo con capucha que rápidamente se quitó y colgó del perchero de la entrada. Vestía un traje gris, una camisa de color azul claro y una corbata marrón a rayas. Su cabello, cano y a juego con su ropa, estaba perfectamente cortado. Tras atusárselo un poco, caminó hacia el salón. Tenía el aspecto de ser una de esas personas que disfrutan con el lujo, si bien no llevaba ninguna joya y su reloj era de lo más convencional. La seguridad social gratuita es uno de los grandes errores del gobierno holandés: el estado de bienestar ha llevado a que muchos ciudadanos de posición acomodada no hagan ninguna ostentación de sus bienes. En ninguna cena se oyen quejas o comentarios acerca del valor de una propiedad, la marcha de unas inversiones o el precio del coche. Ningún holandés preguntará a nadie cuánto gana. A diferencia de lo que ocurre en Estados Unidos, la gente suele mantener en secreto sus finanzas. Harry se dejó llevar por las apariencias y no pensó que aquel hombre tenía mucho más dinero del que podría imaginar, algo de lo que Walter estaba perfectamente al tanto.

—Nadie os buscará aquí —les dijo—. No en el Heerensgracht.

—Heerensgracht —repitió Harry con un aire ausente.

—Muy bien —sonrió Aat—. En muy poco tiempo, tu holandés será mejor que el de Walter.

—Precisamente no tenemos de eso —replicó Walter—. No hay tiempo.

—El Heerensgracht —explicó Aat a Harry—, ya sabes, el canal de los caballeros. Estáis en el lugar adecuado. Siento lo del dormitorio, pero es lo que hay.

—Bueno, hemos de hablar de otros asuntos —terció Walter. Harry asintió.

—Antes de que lo olvide, Walter —y sacó algo de su abrigo—. Toma esto. Nunca se sabe.

Le tendió un nueve milímetros con acabados en mate. No se trataba de una arma pequeña, precisamente. Después, extrajo de otro bolsillo un par de cargadores y los dejó sobre una delicada mesilla de cristal que había delante del sillón.

—*Een achteloze mens kan een dode mens zijn.*

Walter ya había oído aquel refrán antes de labios de su amigo. En las selvas de Laos. Estaba en lo cierto: un hombre descuidado es un hombre muerto.

—¡Joder! —exclamó Harry mientras retrocedía de un salto—. ¿Cómo se puede tener una pistola en Holanda?

Aat van de Steen lo miró de reojo como si aquel joven hubiese perdido la chaveta. Luego, observó a Walter con expresión incrédula y rompió a reír. Su viejo amigo no pudo resistirlo y no tardó en hacer lo mismo. El pobre Harry presenció la escena sin saber qué podía hacerles tanta gracia.

Treinta y uno

Tucker Poesy aterrizó en Schiphol mucho antes de que el avión de Walter lo hiciese desde Frankfurt. Aún en Londres, leyó el único documento que pudo proporcionarle el Indio. Entre el material que Devereaux le envió al *Standard* había una fotografía reciente de Walter Sherman tomada desde el exterior de un restaurante de Atlanta llamado Il Localino. Le pareció bastante atractivo, sobre todo para su edad. Le habían facilitado, además, toda la información sobre el vuelo que tomaría así como un informe de una docena de páginas en el que se desgranaban diversos detalles sobre una de las vidas más interesantes que hubiera podido conocer. Los episodios dedicados a la guerra de Vietnam incluían ciertos pasajes que a buen seguro hubiesen puesto los pelos de punta a más de uno. Se sentía intrigada por aquel hombre. En ocasiones anteriores, cuando leía algún escrito dedicado a las hazañas de algún personaje en particular, acababa por imaginarse a sí misma en las mismas situaciones y se asombraba de que hubiese alguien que actuase de aquel modo. Hacía bastantes años, había oído hablar de él y, si los cálculos no le fallaban, ahora debería de tener cerca de sesenta. A pesar de todo, aquel hombre tenía algo que le daba miedo. Sea lo que fuere, estaba completamente segura de que alguien como él no podía tomarse a la ligera. Hacerlo supondría un gravísimo error.

Mientras esperaba que llegase el vuelo de Walter, se entretuvo pensando en su primer encuentro con Harry Levine. Estaba muy enojada con él hasta el punto de que, a veces, tenía la sensación de que iba a perder el control. Vaya mierda lo de Londres. Sin embargo, se contuvo, ya se desahogaría a gusto cuando llamase a Devereaux. De momento, disponía de un cierto tiempo para apaciguarse y hacer gala de su frialdad y sentido común. El orgullo se impuso sobre el sentido de la responsabilidad.

«Que te jodan —se dijo mientras imaginaba cómo le sonaría a Devereaux—. No soy una niñera.» Su trabajo consistía en asesinar a gente sin mediar palabra. Y ahora le encargaban que pillase a un tipo, se lo llevase con él y no lo soltase hasta que le entregase el documento. El dichoso documento por el que Devereaux estaba cada vez más nervioso. «¡La puta! ¡Que no es mi trabajo, joder!»

En cuanto divisó a Walter Sherman, lo siguió hasta la planta baja del aeropuerto, justo hasta el andén, donde ambos se subieron a un tren que los llevaría a Rotterdam. Tomó un asiento cercano al suyo. Al llegar a la estación, aprovechó un descuido para ir al servicio, donde se cambió su chaqueta azul por otra roja, se recogió el cabello, se encasquetó una pequeña boina y se quitó el maquillaje. Sin que pareciese darse por enterado, Walter esperaba para hacer el trasbordo que lo llevaría a Bergen op Zoom. Cuando subió al tren, ella hizo lo mismo y se sentó a una distancia prudencial.

Una vez allí, vio cómo entraba en el Mercure de Draak. Se apostó al otro lado de la plaza. Diez minutos después, Walter salía, esta vez acompañado por su viejo amigo, Harry Levine. Los dos caminaron a lo largo de la fachada y, luego, doblaron la esquina, lo cual le hizo sospechar que pensaban irse por la parte de atrás. Tomaron un taxi y ella hizo lo mismo. En la estación, los siguió de lejos, procurando pasar lo más desapercibida posible. Los dos sacaron unos billetes en dirección a alguna parte y después se marcharon.

—¡Vaya! ¡Los he perdido! —se dirigió al empleado de la taquilla dando voces y jadeando, como si le faltase el resuello—. Mi tío y mi primo... Acaban de irse... Seguro que no se imaginaban que iba a venir... Por favor —le dijo con su mejor sonrisa de jovencita desvalida—, deme un billete también. Como el suyo.

Una vez con el pasaje en la mano, supo que se dirigían a la Estación Central de Amsterdam, el final del trayecto. Esta vez no consiguió una plaza en el mismo vagón, pero daba igual, pues al fin y al cabo se bajarían en la última parada. Se arrellanó cómodamente en el asiento y cerró los ojos para echar una cabezada. Al llegar, no podría valerse del mismo truco, por lo que no debía perder de vista a aquellos dos ni por un momento. Ya en Amsterdam, y sin salir aún del aeropuerto, los siguió hasta una pequeña tienda de alimentación, donde los vio comprar bocadillos y bebidas. Después se dirigieron a la parada de taxis, donde tomaron uno. Tucker Poesy tomó otro y ordenó tranquilamente al conductor que fuese tras ellos. El taxista, un joven que parecía recién llegado de algún lugar remoto de Oriente Próximo, la miró desconfiado, pero no tardó en darse la vuelta, intimidado por los ojos de aquella pasajera que no cesaba de observarlo a través del retrovisor. Sin duda, le daba miedo.

—¡Alto! —le gritó cuando el otro taxi se detuvo delante de ellos y Walter y Harry bajaron a la altura del 310 de Heerensgracht—. Vaya al otro lado del canal. ¡Venga! ¡Rápido!

El coche giró a la izquierda, tomó el puente de la esquina y, tras cruzar, dio la vuelta y se estacionó delante del edificio en el que los dos hombres habían entrado. Tucker Poesy salió no sin antes avisar al conductor:

—Vaya hasta la esquina y espéreme. Procure ser discreto.

El taxista obedeció y se quedó aparcado en una pequeña calle adoquinada, justo en medio del carril para bicicletas, como si cruzase el canal helado. Vio cómo Walter Sherman miraba distraído a través de la ventana. No necesitaba más por el momento. Salió del coche, fue hasta la esquina y, tras cerciorarse, volvió a montar e indicó al taxista que la llevase al Hotel Estherea.

Treinta y dos

Walter se despertó sobresaltado a causa de un ruido que no había escuchado antes. Se trataba del sonido que hace una puerta cuando se abre. La puerta principal. «Hay alguien arriba —pensó—. Quizás en el segundo o el tercer piso.» De todos modos, no había de qué preocuparse: aunque continuaban en Amsterdam, pronto estarían de vuelta. Poco a poco se fue tranquilizando y se convenció de que, en realidad, no había nadie, pues no se oía ninguna voz. Aunque... tal vez se tratase de una pareja. Creyó percibir una risilla sofocada, posiblemente para no molestar a los vecinos. La puerta estaba abierta. Durante unos instantes, esperó a escuchar cómo la cerraban. Pero no fue así. Alguien debería haberlo hecho, pues la pesada puerta de madera produjo un fenomenal estruendo que retumbó por todo el edificio. ¿Acaso sería demasiado pedir que se comportasen de una manera más considerada? Al fin y al cabo eran... —echó una ojeada a su pequeño reloj de viaje— las tres menos siete minutos de la madrugada. Quién sabe. Oyó unos cuantos pasos: uno, dos, tres... y se detuvieron. Les quedaban cuatro hasta llegar a las escaleras. Alguien se hallaba ahí fuera, al otro lado de la puerta, justo en el mismo sitio donde él se encontraba, aunque un par de pisos por encima. Walter permaneció tumbado en medio de la oscuridad. Dejó caer el brazo izquierdo y, debajo de la cama, encontró la pistola Aat que le habían proporcionado aquella misma noche. Se alzó un poco y apuntó al centro de la puerta, justo a la altura del picaporte. Se sentó cuidadosamente, moviéndose con extrema lentitud para evitar que el peso de su cuerpo provocase cualquier ruido que pudiera delatarlo. Tras poner los pies en el suelo, se levantó con un giro muy rápido. Sujetaba con fuerza la nueve milímetros, que dirigió a un punto imaginario que quedaría a la altura del pecho de una persona de estatura media. Deslizándose con el mayor sigilo posible, alcanzó la puerta en dos zancadas, asió el picaporte, lo giró con sigilo y abrió. La persona que acechaba al otro lado se dio cuenta de que tenía una pistola apuntándole directamente a la cabeza.

—No hagas ruido. Sólo sígueme —y lo empujó hacia la derecha mientras le encañonaba la sien. Llevó al desconocido hasta que tropezó y cayó de espaldas sobre la cama. Tras cerrar la puerta, le asestó un fuerte golpe y encendió la luz de improviso—. Las manos sobre la cabeza —le ordenó con calma—. Ponte de rodillas. Ahora, al suelo, mirando hacia delante —el hombre lo obedeció—. Si haces cualquier movimiento o gesto, cualquier cosa que me moleste, disparo. ¿Entendido?

—Sí —la voz del extraño sonó muy amortiguada, ya que tenía la cara pegada al suelo.

—Bien. Voy a registrarte y para ello te quitaré el abrigo. No te asustes. No voy a darte una paliza a menos que intentes engañarme. ¿Entendido?

—Sí.

Sin dejar de apuntar a la nuca del intruso, Walter utilizó la mano que le quedaba libre para cachearlo en busca de cualquier arma. No sólo le examinó brazos y piernas: también le inspeccionó los tobillos, la cintura, las axilas y las ingles. Iba desarmado. Walter extrajo una billetera del bolsillo interior de la chaqueta, la abrió y, tras tirarla al suelo, justo al lado de su cabeza, le dijo:

—Voy a hacerte unas cuantas preguntas, Sean. No las repetiré dos veces. Tómate el tiempo que necesites para responderlas. ¿Entendido?

—Sí.

—Bien. Date la vuelta y coloca las manos sobre la cabeza. Ahora, comienza a desabrocharte el abrigo. Primero un brazo y después el otro. No lo dejes caer al suelo hasta que te lo diga. Ya puedes hacerlo —Walter retrocedió unos pasos para vigilarlo mejor—. Si haces algo raro, disparo. ¿Entendido?

—Sí.

—Bien.

Cuando lo dejó en el suelo, Walter lo arrastró con el pie por todo el parqué hasta dejarlo cerca de la cocina.

—Ahora, los pantalones.

—¿Qué?

—A callar. Quítate los pantalones y la ropa interior.

El hombre vaciló por un momento. No era la primera vez que Walter contemplaba un espectáculo como aquél, por lo que no se sorprendió ante tanta reticencia. Sin embargo, tenía muy claro que una persona, cuando no acata una orden de manera instintiva, continúa siendo peligrosa. Un tipo que sea capaz de concentrarse y mantener la calma aun con las pelotas al aire puede planear su huida en cualquier momento e, incluso, cómo terminar con quien lo haya dejado de tal guisa. Por suerte, el tal Sean no era de esos.

Se bajó los pantalones sin rechistar, aunque se mostró bastante reticente a quitarse la ropa interior. «Venga», le azuzó Walter, esta vez con un tono de voz mucho más expeditivo. Aquel tipo estaba verdaderamente aterrado, lo cual le gustó. Cuando sus partes quedaron desprotegidas, Walter le ordenó que se cubriese la cabeza con la camisa.

—U-un momento... —se calló en cuanto oyó cómo Walter quitaba el seguro del arma—. Vale, vale —y obedeció. Luego, se tendió de nuevo, desnudo hasta el cuello.

—Las manos, a la cabeza.

Acató la orden sin rechistar. Walter bajó la pistola y volvió a poner el seguro. No supo si aquel ruido tranquilizó un poco a su prisionero, ya que la camisa le tapaba la cara por completo. Por lo menos, él se sentía más seguro. No pensaba en dispararle allí, en medio de la noche, en el Heerensgracht, tan silencioso. ¿Qué pasaría si lo hiciese? ¿Atraería la atención de los vecinos? Además, debía tener en cuenta a Harry. No quería despertarlo.

—¿De dónde vienes, Sean Dooley? —el hombre murmuró algo irreconocible a través de la camisa—. ¡Habla!

—Waterford.

—¿Waterford?

—Sí, eso es.

—¿Y dónde está eso?

—Irlanda.

—Justo sobre el río Suir —dijo una voz desde el pasillo. Era Harry—. Waterford, ya sabes, el cristal. Un pueblo muy bonito. Precioso.

—No quería despertarte —se excusó Walter.

—Bueno, me he levantado y he venido a ver qué pasaba. Un tío en pelota, tirado boca abajo sobre el suelo del salón y tú, con una pistola en la mano.

—Por lo menos estás de buen humor —Walter se giró hacia el hombre desnudo—: ¿Para quién trabajas? —Dooley no respondió—. Mira, Dooley —suspiró—. Cuando te hago una pregunta, quiero que me respondas. Ésas son las reglas. Si no, te pego un tiro. ¿Estamos?

—Sí.

—¿Cuántos años tienes?

—Treinta y uno.

—Si quieres cumplir los treinta y dos, o adivinas hacia dónde voy a disparar o me dices lo que quiero saber. Ah, y asegurándote de que sea verdad, porque, de lo contrario, te mataré. ¿Vale?

—Sí..., señor.

—Entonces dime qué haces aquí y quién te ha enviado.

Harry se dio cuenta de que aquella situación le resultaba menos extraña de lo que hubiese pensado. Evidentemente, jamás se había imaginado que sucedería algo igual. Era... era como la pesca, pensó. Lanzas el anzuelo y esperas a que pique algo. De todos modos, tan sólo se había metido en las frías aguas del Chattahoochee para soltar carrete y sacar alguna pieza. Por un momento se acordó de aquella mañana de primavera que pasó en las montañas del norte de Georgia. Bien mirado, aquel tipo era el pescado y Walter, el pescador.

El miedo se apoderó de Sean Dooley como si se hubiese encontrado cara a cara con el mismísimo diablo y éste lo hubiese lanzado desnudo a las llamas del infierno. A buen seguro sentía que el fuego comenzaba a lamer sus partes mientras Satán se deleitaba con el espectáculo. Su estómago se sacudió en un espasmo. Walter lo sujetó, temiendo que se levantase. Aquel tipo no era, desde luego, un profesional bien entrenado, sino un hombre normal y corriente. Walter había comprobado en más de una ocasión que, cuando se trata a un civil con más dureza de lo habitual, éste reacciona negándose a colaborar, sin que pueda hacerse nada por doblegar su voluntad, algo a todas luces contraproducente, ya que pone en peligro su vida. En esos casos, conviene reducir la presión y mostrarse más calmado, aunque sin perder la autoridad ni la amenaza, implícita, de que puede sufrir algún daño o, incluso, morir. «Sé un poco más razonable», se dijo. Walter reflexionó por un momento sobre su experiencia pasada y valoró los pros y los contras. Por una parte, pensó en la gente que se moría antes de hablar. Explicar los hechos le llevaría un tiempo que no tenía. Por otra, había otro grupo de personas a las que se debía dar alguna muestra de lo que les pasaría si no colaboraban. Quizás soportasen una amenaza más o menos abstracta, pero no un daño real. Una patada en la ingle, el cañón de la pistola en el trasero... Ya se sabe, algo que les llame la atención. Por qué se resisten al principio es un misterio, aunque no cabe duda de que es bastante habitual encontrarse con personas dispuestas a poner su vida en peligro y no a hablar de buenas a primeras. Qué se le va a hacer. Sean Dooley comenzó a hablar y, al cabo de un rato, Walter se convenció de que decía la verdad. ¿Cuántos interrogatorios habría hecho en su vida? Más de los que podía recordar. Sabía cómo hacer la misma pregunta de maneras muy distintas para asegurarse de que no se le mentía. Casi siempre se trataba de cuestiones muy sencillas que una persona más o menos sincera no sabía evitar.

—¿Desde cuándo estás aquí? —Dooley le respondió que acababa de llegar—. ¿Has venido directamente desde el aeropuerto?

—Sí. Directamente desde el aeropuerto.

Unos minutos más tarde, Walter le preguntó:

—¿A qué hora bajaste del avión?

La respuesta debía ser inmediata. Y así fue. Alguien como Sean Dooley habría echado un vistazo a su reloj nada más entrar en la terminal. Se trata de algo habitual entre la gente que tiene prisa y debe cumplir con un horario prefijado de antemano. Dooley decía la verdad: había venido directamente desde el aeropuerto. Pero ¿cómo demonios sabía adónde tenía que ir? Walter señaló el abrigo, al lado de uno de los flamencos. Harry lo recogió.

—Registra los bolsillos —le indicó.

Allí estaba el billete de avión: sólo ida. De Londres a Amsterdam. Llevaba menos de una hora en Holanda. Harry encontró algo más. Nada más desdoblar el papel, se asustó.

—¿Qué es esto?

—Mi foto.

Impresa en una hoja, se podía ver la fotografía de Harry Levine con una anotación al pie: «Harry Levine. Heerensgracht, 310, primer piso. Amsterdam».

En la cabecera, podía leerse el número de teléfono desde donde se había enviado el fax. Remitía a algún lugar de Estados Unidos, si bien Walter no reconoció el prefijo. Miró a Harry.

—¿617? ¿Sabes de dónde es?

—De Boston.

Walter se dirigió de nuevo al prisionero.

—Sean, ¿vas a colaborar?

—Sí, señor.

—¿A quién conoces en Boston?

—A nadie.

—Venga, hombre —su tono de voz era muy familiar—. Dime quién te ha enviado desde Boston esta foto de Harry Levine o si no, te pisotearé las pelotas. ¿Entendido?

—Por favor, señor, no lo haga. Fue la señora O'Malley. Ella me lo envió.

—¿Quién? —Walter se volvió hacia Harry, quien se limitó a encogerse de hombros. No tenía ni idea de quién podía ser.

—Una mujer para la que he hecho algunos trabajos. Americana, pero no sé más de ella. Nunca pregunto nada.

—¿Qué tipo de trabajos?

—Ya sabe, sólo trabajos. Como éste.

—Háblame entonces de *este* trabajo.

—La cosa esa, el documento. Me dijo que Harry Levine lo tiene y que lo quería.

—¿Y qué pensabas hacer?

—Cogerlo.

Desde luego, Sean Dooley no era la mejor lumbrera de Irlanda. El interrogatorio prosiguió del mismo modo —a cada pregunta de Walter, Sean le contestaba con un laconismo desconcertante— durante media hora, más o menos, o así le pareció a Harry. Al final, Walter le ordenó que se quitase la camisa de la cabeza. Sean obedeció de inmediato y, por primera vez, Harry pudo verle la cara. A pesar de que, según él, tenía treinta y un años, por su aspecto nadie diría que tuviese más de quince. Su nariz estaba bastante hinchada, quizás a causa del frío que hacía afuera... y a la cantidad de cerveza que hubiese podido beber.

—Ponte los pantalones. Venga, que no pasa nada —Sean se los subió hasta las caderas, se dejó la camisa por fuera y se abrochó el cinturón. Respiró con cierto alivio. Walter pensó que el joven tardaría en olvidar aquella imagen de sí mismo, con sus partes al aire, sobre el frío suelo—. Sean, quiero que hagas dos cosas por mí, ¿vale?

—Sí, señor.

—Bien. En primer lugar, quiero que le des a la señora O'Malley este número —le tendió un pedazo de papel en el que había anotado algo—. No lo pierdas, ¿eh?

—Sí, señor. Quiero decir: no, señor. No lo perderé.

—Y, en segundo... Y, por favor, Sean, escúchame atentamente porque tu vida depende de esto... Quiero que te vayas de Holanda ahora mismo y que nunca más vuelvas. ¿Entendido?

—Sí, señor.

—Pues largo. Sal de aquí y vete directamente al aeropuerto. Y si te queda algo de tiempo antes del próximo vuelo, duerme en Schiphol.

—De acuerdo.

—Y ahora préstame atención —Dooley miró a Walter mientras asentía para demostrarle que estaba a su completa disposición—: si vuelvo a verte, te mataré. Dile a la señora O'Malley que si me envía a alguien más y me lo encuentro, me lo cargaré también. Y si me entero de que haces algo raro, te juro que volveré a por ti. Es más, si O'Malley envía a alguien tras de mí, te mataré. Como ves, tienes una muy buena razón para convencerla de que no estoy para bromas —extrajo el carnet de conducir de la billetera, se lo pasó a Harry y devolvió a Sean el resto de la documentación—. Así me aseguro de que podré encontrarte. Sabes a lo que me refiero, ¿verdad?

—Sí, señor.

—Bien. Ahora saca tu culo de aquí.

* * *

—Haz las maletas —le ordenó a Harry mientras se servía un vaso de leche.

—¿Qué? Lo siento. ¿Qué me has dicho?

—Tenemos que irnos. Este sitio es demasiado peligroso.

—Pero si le has dejado escapar. Lo has echado.

—No me preocupa él. Nadie se ha cargado a Sean, pero Sir Anthony Brown y el embajador Brown están muertos. Y alguien los torturó para obtener cierta información. ¿Puedes imaginarte a alguien capaz de ensañarse con un anciano de cien años? —Walter movió la cabeza. No sabía quién podía haber cometido una salvajada como ésa—. Tenemos que irnos —miró al reloj: las tres y veinte de la madrugada.

Diez minutos después, después de que Walter hubiese hecho dos llamadas, un taxi se detuvo frente al edificio. Walter y Harry bajaron por las escaleras corriendo y entraron en el coche. Al arrancar, Walter echó un vistazo en todas direcciones. No vio a nadie. Después, se limitó a dirigir al taxista: «gire por aquí... y por aquí» mientras atravesaban las zonas residenciales del distrito Jordan, en dirección opuesta a los nuevos barrios de la ciudad, donde los rascacielos de acero y cristal se arracimaban en torno al Heineken Music Hall. Las calles estaban desiertas y nadie parecía seguirlos. Finalmente, cuando ya no se avistaba nada, Walter le dijo al taxista:

—Rotterdam.

Treinta y tres

Louis Devereaux estaba furioso y Tucker Poesy, también. Sin venir a cuento, él murmuró algo que ella no entendió. Se acercó aún más el aparato al oído.

—¡Dos veces! ¡Me cago en la hostia! ¿¡Dos veces!?

—Bueno, yo...

—¿Que lo has vuelto a perder? ¿La primera vez no fue en tu apartamento? ¡En tu apartamento, joder! ¡Y ahora has vuelto a perderlo!

—Mira, yo...

—No, guapa, no: escúchame bien.

—¡No soy una niñera! —chilló—. ¿Me has oído bien? Yo-no-*busco*-gente. Yo-*mato*-gente. Si me ordenas que vaya a algún sitio, pues voy. Que me dices que dispare, pues disparo. Pero nada más. Y, ahora, si no tienes nada más que decirme, te cuelgo, que debo recorrer Europa en busca de Harry Levine y un friki al que llaman Walter Sherman.

—Seguro que ya no están en Europa —le respondió un Devereaux mucho más calmado. Aquella transformación tan repentina cogió a Tucker Poesy por sorpresa.

—¿Qué?

—Cuando sepa dónde están, te llamaré —y colgó.

Unos años antes, mientras cursaba su doctorado en Historia de Europa en Yale, Devereaux asistió a un seminario sobre Grecia que dirigía un profesor un tanto excéntrico llamado Yataka Andrews. Se acordó de él a raíz de la conversación que acababa de tener con Tucker Poesy. Aquel hombre se había convertido en uno de los personajes más singulares del campus de New Haven. A pesar de que apenas superaba la cuarentena, aparentaba una edad mucho mayor. Alto y delgado, de un cutis extremadamente suave que realzaba la belleza de sus rasgos, ostentaba una maravillosa cabellera negra que le caía sobre los hombros y que se agitaba al compás de los aspavientos con los que solía amenizar las clases. Por si fuera poco, su vestimenta resultaba cuanto menos chocante en aquella época, ya que solía combinar jerséis de cuello de cisne con pantalones vaqueros. De madre japonesa y padre inglés, se rumoreaba que poseía un título nobiliario, como el de conde, duque o algo parecido. Su acento era muy particular: si se cerraban los ojos, se tenía la sensación de estar escuchando a un actor shakespeariano, aunque sería difícil saber si era inglés, irlandés o galés. Al abrirlos, la sorpresa era mucho mayor, pues nos encontraríamos con un asiático de notable estatura. Devereaux recordó una discusión muy enconada que mantuvo con él una tarde acerca de Tucídides y su *Historia de la guerra del Peloponeso*.

La tregua de treinta años decretada tras la conquista de Eubea se dio por terminada después de que los tebanos invadiesen Platea. Al caer la noche, las tropas se acercaron con sigilo hasta las murallas de la ciudad. El asalto, no obstante, se logró gracias a la ayuda de un traidor, llamado Naucleides, quien pensó que la victoria tebana le granjearía un poder mayor del que tenía y les abrió las puertas. Llegado a este punto, el profesor Andrews preguntó: «¿Qué haríais si el lobo acecha en el umbral?». Como era evidente, aquella cuestión se presentaba a múltiples interpretaciones que iban más allá del relato griego. Se inició la discusión y salió a relucir todo tipo de referencias a las guerras, desde la antigua Grecia hasta Vietnam. A duras penas podía lograrse algún consenso. Platea quedó en un discreto segundo plano —por no decir que se olvidaron de ella—. De pronto, uno de los estudiantes comentó: «A fin de cuentas, cuando un lobo ronda tu puerta, lo mejor es tener la escopeta preparada». A pesar de la humorada, el profesor aprovechó la intervención para recuperar el hilo del debate, pues, como afirmó, ni tebanos ni plateanos disponían de armas de fuego. Sin embargo, la discusión siguió su curso y se llegó a la certeza de que el ataque, sobre todo cuando se posee una fuerza considerable, es la mejor defensa. «No —gritó Yataka mientras se levantaba de su asiento y comenzaba a bracear entre los alumnos hasta alzarse como un coloso ante la pizarra—. Ésa no es la respuesta. Ni tampoco la conclusión a la que deberíamos llegar. Los griegos no pensaban en esos términos. Era algo mucho más complicado —guardó silencio por un momento para provocar una impresión aún mayor entre quienes lo escuchaban. Dio unos pasos hacia delante sin dejar de mirarlos y sentenció—: Yosif Stalin lo dijo con una claridad meridiana: "Cuando el lobo acecha, busca un buen escondite".»

Décadas más tarde, mientras Devereaux intentaba sobreponerse a su enfado con Bambino, recordó la voz tonante con la que el profesor Andrews recitó las palabras del tirano: *un buen escondite*. Por supuesto. Eso es lo que estaba haciendo Walter Sherman: buscar una guarida. Sonrió. De improviso se vio recordando cómo los plateanos, a pesar de la ventaja de sus atacantes, derrotaron a los tebanos tras una cruenta batalla que libraron antes del amanecer. Lucharon todos con uñas y dientes. *Todos:* hombres, mujeres y niños. Incluso los esclavos participaron. Sin lugar a dudas, nunca sabes hasta qué punto tus maestros han sido buenos.

Devereaux pensó en Harry Levine, en el documento de marras y, por supuesto, en *el Localizador*. Aun sin disponer de los detalles esenciales, estaba seguro de que acabaría por vencerlos. Se sirvió una taza de té, tomó un pedazo de pan de la barra que había dejado sobre el banco de la cocina, al lado del horno, y marcó un número de teléfono. Quería hablar con su vieja amiga Abby O'Malley. Tras los cumplidos de rigor —ambos estaban encantados de charlar un rato—, Devereaux le dijo:

—Estoy tras la pista, Abby. Muy cerca, aunque un poco perdido. Pero no tardaré mucho en conseguirlo.

—¿Te refieres a... Lacey?

—Eso mismo. Tengo a alguien, tal como te comenté. Aunque no es de mi equipo. Más bien me está haciendo un favor. Ya sabes a qué me refiero.

—Claro. Sé lo que quieres decir.

—Se llama Sherman, Walter Sherman. Estoy seguro de que tiene a Levine, y el documento, por supuesto. Contactó con él en Holanda, pero ahora ya no está allí. No tardaré mucho en saber dónde.

—¿Walter Sherman? —exclamó un tanto divertida—. Pienso que los dos seguimos al mismo hombre. Pero no pasa nada, Louis. Me parece bien —Abby O'Malley dejó escapar una carcajada, como si estuviese bromeando con un viejo amigo.

—¿Qué hay de divertido en todo esto?

—Tengo el número de teléfono de su móvil. Me lo dio —y ambos rieron.

Treinta y cuatro

Durmieron durante casi todo el viaje hasta Juárez. El último letrero que Harry recordaba rezaba *Torreón*. Jamás había oído hablar de él. De hecho, ignoraba dónde podían estar. El siguiente, por lo que pudo entrever, era una simple flecha que señalaba a la derecha. *Monterrey, 382 km*. Bueno, por fin la carretera hacia Monterrey. ¿Cuánto eran trescientos ochenta y dos kilómetros? ¿Unas doscientas cincuenta millas? Más o menos. Cuando Walter le dijo que iban a tomar un autocar, pensó en dar la vuelta de inmediato. ¿Por qué? Sabía que de México D.F. a Ciudad Juárez habría cerca de mil millas y otras mil desde allí a Texas. Para Harry, un autocar mexicano era lo más parecido a una cafetera renqueante que se caía a pedazos, iba atestada de equipaje y dejaba manchas de aceite y grasa por todas partes. Se imaginó que viajaría rodeado de viejos, indios sin duda, masticando algo asqueroso que escupían al suelo y mujeres gordísimas con cestas llenas de gallinas. Se acordó de Turquía y, sobre todo, de Egipto. ¿Acaso México ofrecía un transporte público mejor que el de las afueras de El Cairo? Se equivocó de pleno. El autocar era un vehículo ultramoderno, con aire acondicionado y cómodos asientos abatibles equipados con tomas para auriculares y una amplia selección de canales de música. Había también lavabos, una máquina de refrescos y la posibilidad de graduar la luz a gusto del viajero. Durante el viaje, uno podía dormir, comer o leer sin molestar al vecino.

Harry ignoraba cómo y dónde acabaría todo aquello. Walter se mostraba parco a la hora de darle alguna explicación y apenas lo avisaba de lo que iban a hacer. Cada vez le costaba más recordar la fecha exacta. Por lo menos, gracias a la luz del sol, estaba seguro de que era de día, aunque su cuerpo no pensaba lo mismo. En Rotterdam... ¿Cuándo fue, ayer... o antes de ayer? En Rotterdam tomaron un tren en dirección a Bruselas. Desayunaron allí, en la estación. Incluso Walter se permitió el lujo de hacer un chiste, bastante malo, por cierto, sobre los gofres belgas. Luego, se desplazaron en taxi hasta el aeropuerto. No serían las ocho. Y, después, a Madrid, en un vuelo de Iberia. Desde que dejaron Amsterdam, se encontraron con todo preparado. Seguro que era cosa del holandés, Aat. Tan sólo se detuvieron para recoger los billetes. Walter no era muy hablador y se limitaba a decirle qué se disponían a hacer o adónde iban. Nada más. En Madrid se alojaron en el Hotel Palace, elegante y muy lujoso. Su vestíbulo era quizás el más bello que había visto en su vida. Harry tuvo la ocasión de echar un vistazo mientras Walter se acercaba al mostrador de recepción para confirmar la reserva. Aún no serían las once de la mañana. Las habitaciones, se imaginó, tardarían un poco en estar disponibles. Sin embargo, el encargado entregó las llaves a Walter en un santiamén. Poco después, anunció a otros viajeros que estaban al completo. Cuando el botones les abrió las enormes puertas que daban a la *suite,* Harry se dirigió al ventanal, desde donde pudo ver, en la otra punta de la plaza, el Ritz. Tras quedarse solos, Walter señaló el dormitorio que había al otro lado del salón.

—Quédate con ésa y yo dormiré ahí —e indicó el sofá—. Duerme un poco, pero recuerda que no podemos quedarnos mucho tiempo.

Despertó a Harry a las tres de la tarde. Lo hizo con bastante calma, aunque el joven se levantó de un salto un poco asustado, a la espera de algún golpe aunque preparado para responder. A Walter le gustó aquella reacción, pues en ciertas circunstancias convenía mantenerse al límite, de ello no le cabía duda, si bien no había que abandonarse al miedo. De hecho, si se comportaban con precaución, no tenían por qué preocuparse.

—Date una ducha —le dijo—. Quizás pase bastante tiempo antes de que puedas hacerlo de nuevo y, además, te ayudará a mantenerte despierto.

Ya fresco y con ropa limpia, Harry vio que Walter había pedido algo de comida. Habían dejado una bandeja en una mesilla baja que había en el salón. Ensalada, pasta, revuelto de camarones y una enorme jarra de agua con cubitos de hielo. Ni café ni té. Una fresca brisa se colaba a través de las ventanas abiertas que daban a la terraza. Después de comer, dejaron el hotel.

A las seis en punto, Harry y Walter se hallaban en los asientos A y B de la segunda fila de la primera clase del vuelo número cuatro de AeroMexico que los llevaría desde Madrid hasta México D. F. sin hacer escalas.

—Bebe toda el agua que puedas —le aconsejó—. Te ayudará.

Aterrizaron con cuarenta y cinco minutos de antelación gracias a que el avión se había encontrado con vientos favorables. Sin embargo, aún tenían por delante un viaje de más de doce horas. A Harry le costaba bastante conciliar el sueño cuando volaba, aunque lo hiciese con todas las comodidades imaginables, pero la sola idea de pasar medio día más yendo de un lado para otro pudo con sus nervios. Por un momento creyó haber perdido la noción del tiempo y, a pesar de haber llegado relativamente pronto —apenas eran las once de la mañana—, se le antojaba que le habían arrebatado un pedazo de vida. Walter, en cambio, no se mostraba más inquieto de lo normal y se limitó a indicarle que debían dirigirse de inmediato a la estación de autobuses. Harry se lo quedó mirando con expresión desvalida, pero tan sólo obtuvo dos palabras por respuesta: *Ciudad Juárez* y, con un leve palmetazo, similar al que dan los magos cuando hacen aparecer una paloma entre sus manos, apostilló: «¡Nos vamos a Texas!».

Al igual que el vuelo desde Madrid, el autocar que los llevaría a Ciudad Juárez no hacía ninguna parada. Tras una gruesa cortina que tapaba la entrada a un pequeño cubículo situado tras el asiento del conductor, se entreveía a alguien que a buen seguro dormitaba en esos momentos. El chófer de relevo. Sea quien fuere, ni Walter ni Harry pudieron verlo hasta que, pasadas unas horas, salió de allí con un volante en la mano, lo insertó en el cuadro que había al lado del conductor, en un asiento completamente idéntico al del primero, y se encargó de todo mientras su compañero se retiraba a echar una cabezada. Harry quedó maravillado mientras pensaba en la cantidad de turnos que serían necesarios para realizar un trayecto de miles de millas. El vehículo sólo paraba para repostar gasolina, ocasión que aprovechaban los pasajeros para estirar un poco las piernas. Al salir del aeropuerto, Harry se mostró un tanto suspicaz con Walter:

—¿Por qué vamos en autocar? ¿No es un viaje demasiado largo? Más de mil millas, ¿no?

—Mil ciento tres. Necesito tiempo para pensar. Nadie nos buscará en un autocar que cruza México. Estaremos seguros y dispondremos de unas cuantas horas.

Harry no hizo más preguntas.

Mientras circulaban por la autopista mexicana, Harry intentó poner en orden sus ideas. ¿Qué día era? Todo comenzó un sábado, con Sir Anthony, McHenry Brown, el presidente, aquel tipo... Louis Devereaux y Tucker Poesy —caray, ¿dónde estaría ahora?—. Y luego estaba el irlandés, Dooley. Sean Dooley. ¿Cuántos días habrían pasado? ¿Qué iba a pasar? ¿Aparecería alguien más? Ah, y también Frederick Lacey. ¡Dios mío! Harry cerró los ojos con la esperanza de caer en un sueño profundo.

Cruzaron a pie la frontera de El Paso, a primera hora de la mañana, cuando todavía no había salido el sol. Walter compró un periódico en una esquina. No parecía tan molesto como la víspera. Harry vio cómo buscaba las páginas donde se anunciaban los concesionarios de coches de segunda mano. Tras echar una ojeada durante poco más de un minuto, echó el diario a la papelera y comenzó a buscar un taxi. Harry lo siguió. Walter preguntó algo a un taxista, aunque no pudo entenderlo bien pese a hablar en español. Subieron y dieron una vuelta antes de dirigirse hacia el motel La Quinta.

—¿Todo bien? —le preguntó el conductor.

—Sí, perfecto —respondió Walter.

Dentro, se encargó del registro, pagó en efectivo y le entregó la llave a Harry.

—Échate una siesta. Nos encontraremos aquí enfrente esta tarde.

Cuatro o cinco horas de sueño y una buena ducha caliente dejaron a Harry como nuevo. Todo era ya agua pasada. Holanda, España, México y, ahora, Texas. Tía Chita debía de confiar mucho en aquel tipo. ¿Qué otra cosa podía hacer? La joven de recepción les pidió un taxi. No tardó en llegar uno bastante antiguo con un largo letrero en el que se leía *Texas Monster Motors*. Walter le dio al taxista una dirección.

—Nos vamos —le dijo a Harry.

* * *

—¿Qué tiene usted con cuatro ruedas? —le preguntó Walter a un joven que acababa de salir de una pequeña oficina móvil y se les acercaba corriendo.

—Lonnie P. Meecham —sonrió como si fuese un encantador de serpientes. Vestía unos pantalones de color azul eléctrico y una camiseta de color rojo con el logo *Monster Motors* en el pecho. Como era de esperar, calzaba botas de vaquero. Le tendió la mano a Walter.

—Cuatro ruedas —le repitió, sin darle la mano.

—Y usted es... —su sonrisa se hizo aún mayor.

—Cuatro ruedas.

—Oh, sí. Por supuesto, por supuesto...

Walter y Harry lo siguieron hasta una sección llena de coches. Caminaron por delante de ellos y se pararon un par de veces. Walter echaba una ojeada de vez en cuando a alguno de los vehículos sin prestar atención a lo que Lonnie les decía. El joven señor Meecham, que parloteaba sin cesar, no se dio cuenta de que no le hacían caso.

—Ése —Walter señaló el Isuzu Rodeo negro del 2002—. ¿Tiene la llave? —Unos minutos después, tras dar una vuelta rápida a la manzana para cerciorarse de que el coche estaba en perfectas condiciones, Walter dijo—: Me lo llevo.

—Perfecto, perfecto —contestó Lonnie—. Excelente elección.

—¿Cuánto?

—Bueno, está a diecisiete setecientos cincuenta, pero...

—Me lo llevo.

—¿Por diecisiete setecientos cincuenta?

—Mire, Lonnie. ¿Puedo llamarle Lonnie?

—Por supuesto, señor...

—Tengo mucha prisa, Lonnie.

—Ah, ya.

—Y no tengo tiempo para todo el papeleo. Sé que usted se hará cargo.

—Ah, claro, claro...

—Si le parece bien, por mí ya vale. Me gustaría llevarme el Isuzu ahora mismo y dejarle a usted con el papeleo.

—Pero...

—No, no —Walter lo interrumpió—. Soy consciente de las molestias que le estoy ocasionando. Créame, lo tengo muy en cuenta. ¿Por qué debería hacerlo, si ni siquiera sabe cómo me llamo? Porque le voy a pagar los diecisiete setecientos cincuenta y, además, le daré otros dos mil doscientos cincuenta. Sólo para usted.

—¿Dos mil doscientos cincuenta? —Lonnie P. Meecham se atragantó.

—En total, veinte mil. Y en efectivo.

—¿Veinte mil? —aquel chico comenzaba a marearse.

—Deme las llaves, Lonnie.

Por la I-25 apenas había 325 millas. Menos de cinco horas. Desde El Paso hasta Santa Fe. Pasarían allí la noche y, a la mañana siguiente, tal como había planeado, recorrerían el último centenar de millas que los separaba de una pequeña cabaña perdida en medio de ninguna parte, cerca del pueblecito de Albert, en Nuevo México.

Treinta y cinco

El fuego les proporcionaba el calor necesario. Los matojos que Walter había colocado bajo los cuatro pesados troncos que reposaban en el hogar comenzaron a arder tan pronto como acercó la cerilla. La madera crepitaba mientras las pavesas iniciaban su danza al compás de las llamas. Fuera, contra una de las paredes, había un buen montón de leña apilada. Walter pensó por un momento en el tiempo que llevarían allí. La pequeña cabaña se hallaba sobre una de las laderas del monte, desde donde se dominaba el arenoso sendero que, a lo largo de casi un cuarto de milla, serpenteaba hasta dar a la carretera. A pesar de todo lo ocurrido, todo estaba igual. Alguien se había ocupado de mantenerla en excelentes condiciones así como de asegurarse de que fuera cálida y confortable en invierno. Puertas y ventanas cerraban perfectamente, tal como pudieron comprobar después de haberse instalado. Los tres pequeños calefactores que compraron en Santa Fe no les hicieron falta. Todo estaba en su lugar y funcionaba como si estuviese nuevo: la cisterna, el lavabo, el horno... Incluso la pequeña nevera que había bajo el banco de la cocina. Aun así, hacía bastante que nadie se pasaba por allí, pues había una buena capa de polvo y se entretuvieron bastante limpiándolo todo antes de encender la chimenea.

Walter recordó la vez anterior. ¿Cómo podría olvidarlo? Michael DelGrazo le había tomado el pelo. Michael DelGrazo, *el Cowboy*. Quién si no. Saltaba a la vista que se trataba del mismísimo Leonard Martin, quien se hacía pasar por aquel tipo tan... lerdo. Walter le había preguntado si podría usar su cuarto de baño. Siempre daba resultado: todo el mundo le dejaba entrar. Una vez dentro, se dirigió hacia el pequeño lavabo, abrió el ventanuco y echó una ojeada afuera, como si buscase algo, un indicio, una señal de que Leonard Martin había pasado por allí. No había caído en que estaba en el salón, sentado en el sillón que quedaba justo enfrente de la puerta. Tiró de la cadena a pesar de todo y se dirigió hacia la entrada. Desde el pasillo, miró de reojo y se coló en el dormitorio. No vio nada que valiese la pena, salvo el hecho de que no hubiese una cama, sino un simple saco de dormir enrollado junto a la pared más lejana. Nada más, salvo una pequeña cómoda de tres cajones. De vuelta en el salón, Michael le habló de su jefe, *el senior Martines*. Martínez. ¡Joder! ¡Leonard Martin! Walter comenzaba a mosquearse. Se le había pasado por alto, completamente por alto, aquel detalle. Había dedicado más tiempo a husmear por toda la cabaña que a observar al tipo. ¿Cómo podía ser tan tonto? Ahora se encontraba en el mismo lugar, mirando el fuego, con Harry Levine, incapaz de sustraerse del pasado.

—Oye, mira —le espetó alto y claro, harto de jugar al ratón y el gato.

—¿Qué? —preguntó Harry.

—No, nada.

Sin duda, aquel era el mejor sitio al que podía llevar a Harry. Leonard Martin se había ocultado allí durante dos años. Todo el país —qué caray, el mundo entero— lo estaba buscando. Walter era el único que logró dar con él. Y cuando lo hizo, no se enteró. Se dejó embaucar por Michael DeGrazo, sin caer en la cuenta de que se trataba de Leonard. Ahora no podía permitirse un error semejante. Era consciente del riesgo que suponía estar allí. Le traía demasiados recuerdos y sentía un cierto temor pero, a pesar de todo, era el mejor escondrijo que pudo encontrar. Harry estaría a salvo y Walter confiaba que nadie los descubriría.

No se trataba sólo de Leonard. No podía pensar en él y dejar de lado a Isobel. Aquella mujer formaba parte de su pasado y también del presente que le había tocado vivir. Se dio cuenta antes de partir hacia Europa. A través de aquella organización, la Fundación para la Defensa del Consumidor, corría con todos los gastos desde que aquel hombre desapareció. Pagaba los impuestos, la electricidad, el agua... Todo. ¿Por qué lo hacía? ¿Sentimentalismo acaso? No acertaba a explicárselo. En lo más profundo de su mente, se preguntó si Isobel había considerado la posibilidad de que Leonard decidiera regresar. ¿Qué ocurriría? ¿Se trataba de una simple ocurrencia? No estaba demasiado seguro. ¿Y qué le diría si se diese la ocasión? ¿Y si se presentase allí de nuevo, no para encontrarlo, sino para esconderse? ¿Dónde estaría Leonard Martin? ¿Seguiría vivo? ¿Habría muerto? ¿Estaría al tanto Isobel? Walter ignoraba, pues no podía ser de otro modo, que Leonard, antes de desaparecer, ordenó a Isobel que se encargase de mantener aquel lugar siempre a punto. Jamás comprendió por qué se lo había pedido. Por lo que Walter había podido saber es que Leonard Martin jamás regresó a Nuevo México. No antes de que Walter lo hiciese. «Tendrá que ponerse en el lugar de otro», le comentó Conchita Crystal en una ocasión. ¿En qué *otro* podía pensar si no en Leonard Martin?

Tras la cena, Walter y Harry se sentaron en el porche delantero. Hacía frío, pero los gruesos y pesados anoraks que habían comprado en Santa Fe los abrigaban lo suficiente. Para combatir el aire helado que les daba en la cara, no había nada como unas buenas jarras de té, que sostenían entre sus manos enguantadas. Sus mejillas estaban ateridas. Ninguno de los dos había contemplado un cielo como aquél, completamente oscuro, profundo, inabarcable, en el que se perdía el sentido de la perspectiva, sin apartar la mirada. No se divisaba ninguna luz en el horizonte. Nada velaba las estrellas. A lo lejos, sólo la abrupta ausencia de un millón de destellos indicaba la separación entre el cielo y la tierra, entre el planeta y el espacio exterior. Contemplaban aquella miríada de puntos de luz con el mismo arrobo con el que un par de adolescentes ven por primera vez el cuerpo desnudo de una mujer.

—Harry, necesito que hagas algo mientras estés aquí.

—Esto es algo único, ¿no crees? En la ciudad no puedes verlas.

—¿Las estrellas? No, tienes razón.

—¿Puedes imaginarte cómo sería la vida sin electricidad? Todos, en cualquier parte del mundo, podía contemplar esto cada día. No me extraña que los humanos podamos ser tan espirituales.

—Necesito que leas con atención el documento y que imagines las razones por las que alguien está dispuesto a matar para mantenerlo oculto. No me refiero a por qué ha de silenciarse, eso no es demasiado importante, sino a por qué se ha asesinado a tanta gente. Eso es lo que debes hacer. Quizás podamos preparar una lista, no sé. A lo mejor tan sólo debamos escribir un nombre...

—¿El de los Kennedy?

—No, no. Los Kennedy, no. Ya nos enviaron a Sean Dooley. No me preocupa demasiado por qué la familia Kennedy desea que la confesión no llegue a la opinión pública. Supongo que tendrán muchas ganas de hacerse con él, pero al fin y al cabo nos enviaron a Dooley, que no es un asesino.

—¿Por eso dejaste que se fuera?

—Quería el documento y quizás nos hubiese golpeado para conseguirlo, pero iba desarmado y no creo que estuviese adiestrado para matar a alguien de una paliza.

—¿Cómo lo sabes?

—Sus manos. ¿No te fijaste en ellas? Ni marcas ni cicatrices. Nunca se rompió los dedos. Y lo mismo con su cara: no es un luchador. Será un experto en abrir puertas o colarse por los sitios más inverosímiles para coger algo pero, desde luego, las peleas no son lo suyo.

—Aun así, los Kennedy...

—No, Harry. Si hubiesen ordenado las muertes de Sir Anthony y McHenry Brown, no tendría mucho sentido que luego enviasen a Dooley para quitarnos el documento. Fíjate en que estaban seguros de que lo teníamos nosotros. Es absurdo enviar a un asesino primero y luego, a un simple ratero. Olvida a los Kennedy. Debe de haber alguien más.

—Bueno, por lo que llevo leído, Lacey no se atribuye ningún magnicidio más...

—No me tomes el pelo, Harry...

—¿Cómo pudo saber Dooley dónde estábamos?

—No tengo ni idea. Todavía. Aunque se me ocurren algunas explicaciones. La lista que te he encargado me será de gran ayuda. De todos modos, Harry, necesito que me expliques algo.

—Dispara.

—¿Por qué no acudiste a la policía o a Scotland Yard? ¿Por qué no fuiste directamente a la embajada? Podrías haberlo hecho. A fin de cuentas, no has cometido ningún crimen. Entregas la confesión de Lacey y asunto concluido. Te lavas las manos. ¿Por qué no...?

—Hice lo que Devereaux me indicó.

—¿Y nunca te planteaste lo mismo que yo? ¿En ningún momento?

—Creo que no. El presidente me ordenó que hiciese caso a Devereaux. Supongo que ni me planteé la posibilidad de actuar de otro modo. ¿Acaso podría?

—Nadie lo diría. Salvo en tu caso, claro. Bueno, de todos modos, hemos de mirar hacia delante.

—¿Y tú? ¿Qué harás mientras preparo la lista definitiva de la gente dispuesta a acabar conmigo?

—Con nosotros. Gente dispuesta a acabar con nosotros.

—¿Nosotros? ¿Por qué nosotros?

—¿No te acuerdas de lo que le hicieron al compañero de McHenry Brown?

—Claro, me había olvidado. Disculpa, tienes razón. Perdona, de verdad. Soy consciente de que tú también estás en peligro por el mero hecho de ayudarme. Sin embargo, déjame preguntártelo de nuevo: ¿qué haremos después?

—Aún no lo sé. Por el momento, estás seguro, lo cual no es poco. No puedo quedarme contigo, lo entiendes, ¿verdad?

—Desearía que no fuese así.

—Tengo otras cosas que hacer, Harry. He de hablar con otras personas y para ello tengo que ir a varios sitios. Pero no te preocupes: aquí estás a salvo.

La alarma del teléfono móvil de Walter sonó a las siete y cuarto de la mañana para despertarlo de un sueño profundo. Sea quien fuere el que lo había llamado, debería de imaginarse que su voz lo delataría, pero tras tantos años de experiencia, sus sentidos se habían afinado mucho y Walter habló con un tono similar al que emplearía para conversar a media tarde.

—Diga...

—Soy Abby O'Malley. ¿Qué tal va todo?

—Bien, bastante bien. Y usted, señora O'Malley, ¿qué tal está?

—Me siento como si me hubiese levantado muy pronto, señor Sherman. De hecho, me siento como usted.

—Pues me acaba de despertar —rió sorprendido—. No pasa nada. Por cierto, llámeme Walter.

—Muy bien, Walter. ¿Por dónde empezamos?

—Estaré en casa en un par de días. ¿A qué estamos hoy?

—A jueves. Me hago cargo de que recorrer medio mundo puede llegar a ser desconcertante. ¿No es así?

—Así pues, nos veremos el domingo. ¿Sabe dónde vivo?

—Sí, en Saint John.

—Bien. Al bajar del transbordador, cruce la plaza hasta llegar a un bar, el Billy's. Busque a un anciano negro que se sienta en la mesa más cercana a la puerta. Él le indicará. ¿Nos veremos el domingo?

—El domingo.

—Póngase ropa cómoda —le aconsejó antes de colgar.

Walter dio a Harry instrucciones muy claras. Quería que lo comprendiese todo perfectamente. Nada de líos. Cada día le haría una llamada con un móvil de usar y tirar.

—Doy por sentado que alguien habrá intervenido mi teléfono. Si utilizas estos aparatos, nadie podrá detectar dónde estás. Recuerda que nunca debes mencionar el sitio ni decirle a nadie que te escondes aquí. Ni una sola palabra. El primer día, a las ocho de la mañana y, después, con una hora de retraso respecto al día anterior. Así, dentro de cuatro días hablaremos a las doce en punto y, al quinto, a la una. ¿Entendido? —Harry asintió—. Sobre todo, no me llames a otra hora a menos que se trate de una emergencia.

—¿Una emergencia?

—Alguien podría aparecer por aquí. ¿Qué harías entonces?

—¿Largarme con el documento?

—Antes, me refiero a antes. Recuerda a Dustin Hoffmann en *Rain Man:* compórtate como él y di que te llamas Michael DelGrazo.

Treinta y seis

Una capa de nubarrones cubría la distancia que mediaba entre Boston y las Carolinas. Sin embargo, el avión no tardó mucho en dejarlos atrás para surcar el brillante y soleado cielo azul que mostraba el camino hacia Saint Thomas. El vuelo duraría unas cuatro horas y Abby se había levantado antes de las cinco de la madrugada. El despegue estaba programado a las ocho menos veinte. Tras un desayuno bastante potable, pensó en echar una cabezada, pero Devereaux le había proporcionado demasiada documentación y probablemente no tendría tiempo. Abrió el sobre y extrajo una carpeta. No había ninguna anotación en la cubierta, salvo unas simples iniciales: LD. «Muy propio del estilo Kennedy», pensó. Por un momento se preguntó si solía firmar del mismo modo todo cuanto se le pusiese por delante o si tan sólo lo había hecho así en este caso. Louis tenía un sentido del humor un tanto particular, como si la reacción de los demás le trajese sin cuidado. Quizás se trataba de una manera de insinuarle de que estaba al tanto de todo.

Hacía tiempo que sabía que los Kennedy, en su correspondencia privada, solían referirse a ellos mismos o a otros miembros de la familia por sus iniciales —de hecho, las primeras que vio eran RFK—. Más adelante tuvo la ocasión de comprobarlo cuando leyó los memorandos escritos por el propio presidente. En ellos siempre constaba su nombre como JFK. Todo cuanto recibía de Rose llevaba la firma RK al pie de cada página. Como una buena soldado, era consciente de su posición, consideraba a los Kennedy como un modelo de civilización, algo así como una familia patricia al estilo romano, y comenzó a firmar con sus iniciales: AO. Los Kennedy actuales, incluso los que ya no ostentaban el apellido, jamás entendieron por qué Abby O'Malley lo hacía. Le habría costado mucho explicárselo. No obstante, siempre se mostraba atenta y todos la tenían por una mujer responsable y servicial. Abby O'Malley se había convertido en una garante de la estabilidad de la familia. Entre los más jóvenes se la conocía como AK, lo cual no quería decir Abby Kennedy, tal como ella pensó en un primer momento, sino *Almost Kennedy*. Casi una Kennedy. Por suerte, cuando Abby cayó en la cuenta no se lo tomó como una ofensa, sino más bien como un cumplido, un reconocimiento a su labor. Mientras hojeaba el informe que le había entregado Devereaux, recordó la conversación que tuvo con él unas semanas atrás.

—¿Se llevará el bañador?

—Tengo sesenta y ocho años, Louis —aunque en Boston hacía frío, sabía perfectamente que en las islas Vírgenes siempre era verano.

—No sabía que hubiese límites de edad para eso, Abby. He oído que las playas de Saint John se encuentran entre las mejores del mundo.

—Todavía no has dicho eso de «sigues siendo muy atractiva, Abby».

—Salta a la vista. ¿Qué vas a ofrecerle?

—Dinero. En estos casos suele dar muy buenos resultados.

—Sí, pero no siempre. Sherman es una de las personas más íntegras que he conocido. Insobornable. En cuanto a Harry Levine... —dejó la frase en el aire—. Seguramente habrá otros compradores, ya sabes. Y más vale no pensar en los que evitarán pagar por algo que pueden coger. No eres la única que está jugando.

—Me lo imagino. No creas que no tengo en cuenta el peligro que corremos todos. Pero no es lo que más me preocupa. He de conseguir la confesión de Lacey. Hasta que no la tenga, no podré dedicarme al resto de asuntos. No puedo hacer nada para ayudar a Walter Sherman salvo quitarle eso de las manos cuanto antes.

—¿El domingo?

—Eso espero.

—Yo también. Pero no me parece demasiado factible, ¿no crees?

—Creo que aceptará. Él piensa que fuimos nosotros, o incluso yo misma, quienes ordenaron los asesinatos en el Reino Unido, ya sabes: Sir Anthony Wells y McHenry Brown. Necesita ayuda. Siempre pasa lo mismo cuando uno piensa que tiene algo importante entre las manos. Tengo que convencerle de que...

—Ya lo sabe, Abby.

—¿Qué? ¿Qué es lo que sabe, Louis?

—Que tú no tienes nada que ver con los asesinatos.

—¿Nada? ¿Y por qué debería pensar eso?

—Por lo que me has contado acerca de cómo ha manejado a tu agente en Amsterdam, diría que piensa que tú eres inocente. Estoy seguro de que Sherman está al corriente de todo.

A Abby no le gustó lo que estaba oyendo. Desde el principio, desde la muerte de Frederick Lacey, estaba convencida de que era la única persona que confiaba en que le entregasen aquel diario. No estaba segura cuánto y qué sabrían acerca de los Kennedy quienes asesinaron a Sir Anthony Wells y el embajador estadounidense en el Reino Unido. Aquellos tipos tendrían sus razones, quizás incomprensibles para Abby O'Malley, pero no cabía duda de que, aunque no les interesase nada de los Kennedy, si lograban hacerse con el documento, acabarían por saber ciertos detalles muy incómodos. Sea lo que fuere, no acertaba a imaginarse lo que estaba pasando.

—¿Insinúas que él sabe quién está cometiendo esos asesinatos? —preguntó a Devereaux.

—¿Por qué dices «está cometiendo» y no «ha cometido»? ¿Acaso esperas que haya alguno más? No, no creo que Sherman esté al tanto. Al menos, por ahora. Pero dale un poco de tiempo y verás cómo lo descubre. Es bueno. El mejor que he visto nunca. Si supieras lo que ha hecho...

—Vaya, por el tono de voz, parece que admiras al señor Sherman.

—Me cité con él. Ya sabes.

—Siempre has sido un mitómano.

—Cené con él. No es fácil de impresionar. Cuando lea el documento, se imaginará quién es el asesino.

—¿Y tú? ¿Lo sabes?

—¿Que si lo sé? Claro que no. ¿Cómo podría saberlo si no he leído nada de lo que ha escrito Lacey? Sospecho que su nombre aparece mencionado en la confesión. Quizás no esté relacionado con la familia Kennedy, pero sospecho que es alguien importante y, lo que es más interesante aún, completamente desconocido para nosotros. Además, no hemos de descartar la posibilidad de que el asesino, tras haber matado para conseguir el documento, lo lea y se dé cuenta de que éste no dice nada sobre él.

—¿Y hay alguna garantía de que...?

—¿Garantía? ¿De que Sherman tenga el documento? Ninguna. Ya sabes la situación en que se encuentra. Hasta que no hables con él, no podrás estar segura de nada. Y lo peor, Abby, es que corres el riesgo de que esa confesión no diga nada comprometedor sobre los Kennedy. Ni tan siquiera algo interesante.

—Si los asesinatos de Joe Jr., John y Robert Kennedy no te parecen *algo interesante*... ¡Se trata de una traición de proporciones gigantescas!

—No quería ofenderte, de verdad.

—No lo has hecho.

Treinta y siete

Tucker Poesy se limitó a disfrutar del día. Aunque la playa privada del complejo turístico de Caneel Bay estaba llena de gente, no le pareció mal. El sol calentaba la arena y el agua tenía una buena temperatura. Odiaba los viajes largos y estaba a punto de volver por fin a casa. La manera más rápida de llegar a Saint John consistía en volar desde Londres a Nueva York, pasar allí la noche y, por la mañana, tomar el primer avión que saliese hacia Saint Thomas. Nadie le habló del transbordador. ¿Cómo podría ir si no desde allí hasta Saint John? Ya se las apañaría. El viernes por la tarde llegó a la más pequeña de las dos islas. Devereaux le pidió que fuese a por Sherman el lunes, por lo que decidió que bien podía pasar el fin de semana poniéndose morena y durmiendo un poco.

Hacía menos de cuarenta y ocho horas que Devereaux la había telefoneado. Walter Sherman había vuelto a su casa, en Saint John, y sin Harry Levine. No estaba seguro de quién de los dos tendría el documento, si bien había que adelantarse a los otros competidores. Para evitar posibles problemas, no le habló de Abby O'Malley. Tan sólo le comentó que quizás apareciesen algunos compradores potenciales.

—Ve —le ordenó.

—¿Quieres que lo mate?

—No, no —se rió—. No quiero que te pase nada.

—Vale. He leído todo eso del Vietnam. Parece un poco terco, ¿no crees? Aunque no estoy segura de que ahora se comporte del mismo modo. Ya no tienen edad.

—No te fíes —Devereaux era consciente de hasta qué punto podía llegar la maldad del ser humano—. Haz lo que te he pedido y ten cuidado. No es tan mayor como piensas.

Treinta y ocho

Ike la vio primero. Cruzó la plaza a paso lento, sola, en dirección al Billy's. No había venido con el transbordador, de eso estaba seguro. El barco estaba aún de camino a la isla, recién salido de Saint Thomas. Saltaba a la vista de que no era una turista normal y corriente. Por su aspecto, tenía dinero. Mucho dinero. Quizás no supiera explicar cómo había llegado a aquella certeza. Se trataba de un pálpito, pero sabía reconocerlo: ahí había no sólo dinero, sino riqueza. Una mujer como ésa, pensó, sobre todo de su edad, no viajan solas. Pero, de todos modos, ahí estaba.

Ike sabía algunas cosas. Se enorgullecía de no haber perdido demasiado, no, señor, todavía no, mientras repiqueteaba en su vaso de cerveza. «El cuerpo es lo que está viejo», había dicho en más de una ocasión. Aún tenía la cabeza bien despejada. Después de 1940, ¿por qué preocuparse? Ike se hizo una imagen bastante exacta de aquella mujer sin disponer de más información. Al fin y al cabo, si Walter podía hacerlo, ¿por qué no él? Siempre había pensado que Walter era de esas personas que, a la hora de juzgar a alguien, no se dejaban llevar por los prejuicios. Ike había observado muchas veces su manera de hacerlo. No había ninguna razón que le impidiese hacerlo a él también. Vaya, viene hacia aquí, pero ¿por qué? Se sintió orgulloso, aunque también un tanto azorado cuando ella se puso a su lado y le sonrió.

—¿Qué tal? —al ver que Ike iba a levantarse, añadió rápidamente—: Por favor, no hace falta. Se lo agradezco.

—Me llamo Ike y es un verdadero placer conocerla. Usted es la señora...

—Abby —le respondió mientras le estrechaba la mano. Tuvo la sensación de que aquel hombre sonreía siempre del mismo modo, con aquella extraña cordialidad. Por un momento, se lo imaginó cincuenta o sesenta años atrás, saludando del mismo modo a una encantadora mozuela. Sin duda, por aquel entonces tendría algo más de pelo—. Tengo entendido que usted puede presentarme al señor Sherman.

—Lo haría ahora mismo si me fuese posible. No lo dude. Si hubiese sabido que usted iba a venir hoy, se lo habría dicho a Walter, téngalo por seguro. Pero no está —e hizo un gesto con su cabeza para indicar que lo encontraría allá dentro—. Le prometo que la habría estado esperando —Ike le besó la mano y buscó en su bolsillo un cigarro nuevo—. Bueno, ya me entiende, ¿verdad?

—Me hago cargo.

Ike tenía razón sólo en parte. Walter la había estado esperando, pues sabía que tarde o temprano pasaría por allí. Lo había preparado todo para que así fuera. Aunque hacía calor, la mujer no parecía demasiado sudorosa. Su cabello estaba bien peinado y su piel no mostraba ni la menor huella del sol, ni siquiera ese enrojecimiento tan típico en los recién llegados. Su ropa era mucho más reveladora. Llevaba prendas cómodas pero, a diferencia de las otras parroquianas del Billy's, no vestía pantalones cortos o vaqueros, ni calzaba bambas o sandalias, sino un sencillo vestido de verano de color azul cielo con un discreto estampado de flores amarillas y unos zapatos de tacón bajo. A pesar de que su atuendo era más de paseo que de trabajo, estaba allí por una cuestión muy importante. Nada más entrar, dirigió una sonrisa a Walter. En otra ocasión las presentaciones habrían sido necesarias, pero en ese momento estaban fuera de lugar. Walter se levantó.

—Señora O'Malley... Mucho gusto —le tendió la mano. Abby le dio la suya, suave y mullida, típica de la gente de clase alta. El apretón fue firme, aunque no apresurado. Sin que nadie le invitase a hacerlo, se sentó en el taburete que quedaba al lado de Walter.

—Estoy encantada de haberlo conocido, señor Sherman. ¿Podría llamarlo Walter? ¿Le incomodaría?

—En absoluto.

—Por favor, llámeme Abby.

—Muy bien, Abby. Me alegra haber recibido su llamada.

—Le agradezco mucho el detalle de haberme facilitado el número a través de...

—¿Sean?

—Sí, por medio de Sean. Espero que no le haya causado demasiados problemas. Si fuese así, le ruego que me disculpe.

—Me hago cargo.

Abby prosiguió con la charla. Le preguntó por el bar y por Ike, y se sorprendió al saber que Walter vivía en Saint John desde hacía tanto tiempo. Por un momento, éste pensó que tal vez aquella mujer estaba demasiado nerviosa como para abordar el tema de inmediato, aunque no tardó en convencerse de lo contrario. Walter le explicó la historia del Billy's, remontándose incluso al Frogman's, y luego pasó a contar algunas cosas sobre su viejo amigo. Sin embargo, no dijo nada sobre su estancia en la isla.

—Dígame —le dijo finalmente—: ¿desde cuándo lo sabe?

—¿Saber qué? ¿Que quién es Lacey?

—Bueno, sí. Más bien sobre la confesión —escrutó sus movimientos, su mirada, las comisuras de los labios, su respiración. Nada.

—Desde 1968.

Walter asintió con aplomo, algo que Abby no se esperaba. ¿Acaso no le había sorprendido aquella revelación? No podía dar crédito. Acababa de decirle que lo sabía todo desde hacía casi cuarenta años. Estaba segura de que ni siquiera se lo imaginaba. Billy se acercó y la mujer aprovechó para observar cómo se miraban. El barman quería saber si Abby iba a tomar algo. Aquella parte del local se había convertido en el área privada de Walter.

—¿Tiene hambre? —le preguntó Walter—. ¿Quiere comer algo?

—¿Tiene pescado?

—Claro, es la especialidad de la casa. ¿Qué le parece un poco de mero con salsa de mostaza? ¿O atún con alcaparras sobre un lecho de puré de patata del Yukon? ¿O mahi-mahi a la brasa con arroz aromatizado con piña y camarones con coco? ¿O tal vez prefiera algo más informal, como patatas y pescadito frito?

—Eso mismo, pescadito frito con patatas y una cerveza.

—¿De dónde viene? —Billy le dio a entender que tan sólo era una de esas preguntas que suelen hacer los barman.

—De Boston.

—¿Qué le parece una Sam Adams?

—Perfecto —Billy se dirigió a Walter. Tantos años de señas y sobreentendidos entre los dos le dejó claro que deseaba otra Diet Coke y que llevase el plato y la bebida de su acompañante a la mesa de siempre. Abby se dio cuenta de todo.

—Eso es mucho tiempo —repuso Walter después de que su amigo se hubiese ido—. ¿Cómo se enteró?

Comenzó hablando de Chicago. Le explicó cómo, tras licenciarse en la universidad y trabajar durante un año para la Farmer Mutual Insurance Company, el fiscal general tuvo noticias de su labor y le propuso trasladarse a Washington. Estuvo varios meses en la comisión de investigación sobre las actividades de Jimmy Hoffa. Y entonces ocurrió. El 22 de noviembre de 1963. Después, Robert Kennedy le encargó que buscase al responsable, o los responsables, del asesinato de su hermano. Abby lo explicó todo, de cabo a rabo. No lo dudó ni por un momento: Walter Sherman era una de las pocas personas de las que podía estar segura —completamente segura— aun sin haber intercambiado demasiadas palabras. Había ocultado su propia identidad con tanto cuidado, que no albergaba ninguna sospecha acerca de su discreción. Muchas personas, entre ellas gente de fama y poder, se habrían atrevido a confesarle ciertos asuntos que jamás consentirían que se aireasen. Y sin embargo lo habían hecho porque sabían que sólo si le decían la verdad podrían obtener lo que esperaban. Abby nunca pensó en hacer otra cosa.

Le contó todo lo referente a su destino en Boston, su trabajo en el Departamento de Justicia y lo que ocurrió después, cuando Bobby abandonó el gabinete de Johnson y ella pasó al sector privado, como abogada de un grupo inversor.

—Tan sólo tenía un cliente —le aclaró— y jamás me ocupé de una sola inversión. Debía encontrar al asesino de John Fitzgerald Kennedy. Ayudaba a Bob —se detuvo por un instante. Billy traía el pescado con patatas fritas. Tras preguntarles si deseaban otra bebida, sonrió y se fue.

—¿Y qué descubrió?

—Frederick Lacey. Un asunto privado.

—Vaya, ¿no le parece un poco rebuscado? —Abby permaneció en silencio. Sin embargo, a pesar de no haber articulado palabra, aquel gesto era bastante elocuente. Apreció un ligero movimiento en sus ojos, una ligera tirantez en las sienes y un tímido rubor en sus mejillas—. Harry me explicó... Me contó las razones. Me habló de Audrey Lacey.

Abby recordó una vez más que aquel hombre iba siempre por libre. Durante más de cuarenta años había guardado celosamente aquel secreto. No había hablado del asunto con nadie, salvo con Bobby. Jamás comentaba a nadie los pormenores de su trabajo, ni siquiera con su marido y, en aquel momento, se encontraba en el bar de un pequeño pueblo de una diminuta isla que formaba parte del archipiélago de las Vírgenes. Y estaba con un hombre que no sólo sabía escuchar, sino que comprendía la gravedad de lo que tenían entre manos. Durante toda su vida, Abby O'Malley, nacida Anna Rothstein, se había limitado a ser precisa, detallista, minuciosa incluso. Desde que tenía uso de razón había mostrado una rara habilidad para relacionar datos y acontecimientos en apariencia inconexos. Cuando lograba unirlos, sobre todo al principio de su carrera, cuando estaba a las órdenes de Bobby, sus análisis arrojaban conclusiones que permitían vislumbrar un futuro más o menos coherente. Gracias a Bobby se había acostumbrado a tomar decisiones rápidas, a trabajar en equipo y, sobre todo, a no desfallecer ante la perspectiva de una búsqueda sin fin. Cuando pensaba en ello, se daba cuenta de que su labor había dado sus mejores frutos al lado de aquel hombre. No en vano, a pesar de que fue ella la que se enteró de que Lacey estaba detrás de todo, procuró que Bobby se lo contase a su madre. Abby no podría haberlo hecho. Bobby lo sabía y lo consideró una parte más de sus responsabilidades. Nadie más que él podía hacerlo. Había perdido dos hijos por culpa de aquel hombre. Sólo el tercero estaba preparado para dar cuenta de aquel horror. Sólo Bobby. Y debía hacerlo pronto, pues de lo contrario se arriesgaba a perderlo también. Si hubiera estado en su mano, Abby habría estado dispuesta a todo con tal de evitar otra muerte.

La leyenda de los Kennedy afianzó el compromiso entre las dos mujeres. Ted Kennedy jamás sabría nada. Cuando Rose falleció, el peso de la familia recayó en la antigua judía de Memphis. Estaba segura de que la verdad la conocían sólo cuatro personas: Bobby, Rose, Devereaux y ella misma. Había, claro está, una quinta: el asesino, Frederick Lacey. Cuando Bobby se enfrentó a él en Londres, el viejo lord le dejó bien claro que no había nada que explicar. Todo estaba escrito. Su confesión se convirtió, de ese modo, en su salvaguarda, aunque ni Robert Kennedy ni Abby O'Malley se imaginaron jamás que pudiese entregársela a otra persona.

Y así fue cómo empezó a explicárselo todo a Walter. Tras la muerte de Rose Kennedy, Abby y Devereaux fueron los únicos que conocían la identidad del hombre que asesinó a Joseph P. Kennedy Jr., al presidente John F. Kennedy y a Robert F. Kennedy. Abby jamás pensó que Devereaux compartiría esa información con nadie, ni siquiera con otra mujer, por muy cerca de él que estuviese.

Treinta y nueve

Tan pronto como el hombre del traje oscuro dio la espalda a la cámara y disparó a Lee Harvey Oswald, Abby inició las gestiones necesarias para averiguar quién era. Todo buen investigador sabe que se debe empezar por la prueba más evidente. Es de cajón. Si alguien se planta delante de tus narices, ¿qué puedes hacer sino seguirlo? Cuando te enfrentas a un asesinato y tienes a un sospechoso vivo, vas a por él. Si, tal como ocurrió en el caso del atentado contra Kennedy, el presunto asesino muere, se va tras quien lo ha matado. Abby se hizo cargo del asunto antes de que nadie oyese el nombre de Jack Ruby e, incluso, antes de que Oswald dejase de respirar y cayese al suelo. Todo el mundo pudo verlo por televisión: el presidente del Tribunal Supremo —que por aquel entonces se encontraba en su domicilio de Washington D.C.—, millones de estadounidenses a lo largo del país, el equipo que Robert Kennedy había formado para investigar el crimen organizado y, claro está, Abby O'Malley, quien dio un brinco en su asiento mientras se aferraba a su taza de café —ya frío— y gritaba: «¡Lo tengo!».

No le costó demasiado relacionar a Jack Ruby con la Mafia, según le explicó a Walter. Disponía de una docena de pruebas para hacerlo. La más importante, evidentemente, sus negocios. Había un cabaret en Dallas que daba un montón de dinero a la familia de Chicago, gobernada por Joe Rosselli. Jack estaba detrás de esos pagos, algo bastante malo, aunque tenía cosas peores en las que pensar, como su cáncer. Anthony Rocco, un *capo* de Chicago conocido por sus colegas como *T Rock,* tenía bastante trato con Ruby. El encargo que le había ofrecido le permitiría saldar todas sus deudas y aún le quedarían unos cincuenta mil dólares en limpio. Tal como Abby aclaró a Walter, aquella suma equivalía en la actualidad a medio millón, centavo más, centavo menos. A Ruby no le quedaba demasiado tiempo, por lo que no le preocupaba demasiado cómo salir de aquel atolladero. Cuando le explicaron lo que debía hacer, no dudó. Cualquiera podía imaginarse que no saldría vivo de allí. Al fin y al cabo, lo acusarían de haber asesinado a alguien que se encontraba bajo custodia policial. Tan sólo debería pasar por el cuartel general de la policía de Dallas y disparar. Ya se encargarían de prepararlo todo para que pudiese encontrarse con su objetivo —untarían a varios policías para que lo dejasen pasar—, aunque no le garantizaron ninguna protección para lo que pasase después. Quizás le disparasen; gajes del oficio; mejor no pensar en ello, pues el cáncer no tardaría en acabar con él. Tan pronto como se detuvo a Oswald, telefonearon a Jack Ruby para indicarle dónde, cuándo y cómo. Había llegado la hora. Disparó a Oswald tal como se había planeado y, por suerte... o no, ninguna de las balas de la policía acabó con él, sino que fue apresado y enchironado. Abby aclaró que seguir a Ruby no fue difícil. Sólo era cuestión de tiempo. «Verá —le confesó a Walter—, T Rock lo visitó *la víspera* del asesinato.»

Walter escuchaba con atención sin hacer ninguna pregunta. Abby prosiguió. Tenía la completa seguridad de que la Mafia no había ordenado el asesinato del presidente, ya que jamás habrían contado con un inútil como Oswald ni mucho menos habrían recurrido a alguien como Ruby para rematar la labor. Abby sabía perfectamente que no trabajaba así. Nunca dejaban cabos por atar ni daban pasos en falso ni mucho menos recurrían a *civiles*. No obstante, alguien había eliminado a JFK y, de algún modo, se las apañó para que la *famiglia* de Chicago se encargase de aquel tipo. Abby mencionó el largo encuentro que Anthony Rocco tuvo con un tal Angelo Francese una semana antes del 22 de noviembre. Francese, ya bastante mayor, se dirigió a Rocco *de capo a capo,* pues al parecer trabajaba al servicio del Don de la camorra napolitana. La entrevista, preparada por la familia Costello, tuvo lugar en Nueva York. Tras haberse asegurado de que la cita se llevaría a cabo, Abby informó a Robert Kennedy. ¿Por qué, se preguntaba, T Rock, de la Mafia de Chicago, se habría puesto en contacto con Italia? ¿Quizás había alguien por encima de todo aquello? ¿Y por qué en Nueva York?

Bobby echó mano de los contactos que su padre tenía en la Costa Este. RFK preparó otro encuentro con los lugartenientes de los Costello en una casa de la playa de Long Island. Eran dos. «Esto nunca ha sucedido», le espetó el más joven de los sicarios al más alto responsable del Departamento de Justicia. O así se lo contó Abby a Walter. El mafioso, que insistió en que lo llamasen Dante, le aclaró que una familia muy poderosa del Viejo Mundo se puso en contacto con ellos para solicitarles un favor especial. Deseaban encontrar a gente de Chicago para un golpe. Según Dante, en ningún momento les comunicaron de qué se trataba ni tampoco del lugar donde iba a realizarse la operación. «No podíamos negarnos», le confesó a Robert Kennedy. Su labor se limitaba a hacer de intermediarios, algo que se entendería como una demostración de respeto y buenas intenciones. «Nunca, nunca, ni en un millón de años, nos imaginaríamos que tenía algo que ver con su hermano, el presidente.»

«Decía la verdad —afirmó Abby—. Cuando me di cuenta de que Costello se había equivocado por completo, pues creía que los Rosselli estaban detrás del magnicidio, llegué a la conclusión de que aquel hombre no sabía nada. Y sin embargo tenía pruebas que demostraban que la Mafia tenía algo que ver con todo aquello. Ellos se encargaron de reclutar a Jack Ruby, aunque ignoraban la razón. Al menos, hasta que ocurrió todo. Claro, cuando Ruby disparó a Oswald se dieron cuenta de que el plan tenía que ver con la muerte del presidente Kennedy y no lo soportaron. Los Costello se sintieron engañados, traicionados y, lo que es peor, manipulados. A su manera, aquellos tipos se consideraban unos patriotas. El asesinato de un presidente estaba fuera de lugar. Para ellos era como matar a su madre. Cargarse a Oswald era un trabajo como otro cualquiera. Sin embargo, necesitaban aclarar el malentendido. Era una cuestión de honor.

Tras despejar todas las sospechas que tenía sobre la Mafia, y eliminarla de la lista, Abby dedicó cinco años a perseguir a los verdaderos responsables. Como bien contó a Walter, ya no recordaba a cuánta gente vio. «A todos —afirmó—. No descartamos a nadie.» Ante ella pasó todo aquel que conociese a alguien o supiese algo que pudiera considerarse importante. Se revisaron cada una de las hipótesis una y otra vez. La prensa, la televisión, los medios de comunicación de todo el mundo se hicieron eco de las más disparatadas teorías sobre la conspiración. La CIA asesinó a Kennedy porque planeaba retirarse de Vietnam. Su muerte se decidió en las altas esferas. No, fue J. Edgar Hoover, seguro. O los cubanos. Quizás los rusos. Abby investigó cada una de esas posibles vías. Siguió de cerca a los supremacistas blancos, ya se tratase de paletos racistas del Sur o de grupos bien organizados del Oeste. Nadie que pudiera estar implicado por algún motivo, por minúsculo que fuese, quedó impune, daba igual si eran agentes del FBI, de la CIA o de la policía de Dallas. Todos recibieron la misma atención, como si cada uno de ellos fuese el auténtico culpable. Llegó incluso a dedicar tres meses a analizar las posibles implicaciones de un grupúsculo de católicos integristas de Rhode Island que soñaba con que la presencia de uno de los suyos en la Casa Blanca entregaría Estados Unidos al papado y que, a su entender, Jack Kennedy los habría traicionado. No dejó ningún cabo suelto: hasta Lyndon B. Johnson y sus amigotes texanos fueron escrutados. «Bobby odiaba tanto a ese hombre», le explicó. Cada vez que hallaba una nueva pista, iba tras ella. Tarde o temprano, llegaría al final. Sin embargo, ninguna le reveló la identidad del asesino.

Un atardecer de invierno, a principios de 1968, Abby O'Malley y Robert Kennedy estaban sentados en el pequeño gabinete de una casa de Hyannisport. El fuego alimentado por cuatro grandes troncos los calentaba. Fuera, el rugido de la tormenta de nieve. Unos meses antes, cuando las hojas todavía no habían mudado de color y la temperatura era más agradable, le había solicitado una lista de personas, todas ellas ciudadanos sin vinculaciones con la política o la Administración. En ella tal vez se encontraba el verdadero asesino, aunque no sabía por dónde comenzar.

«Daremos con cada uno de ellos —le aseguró—. Llevaremos la investigación de la manera más discreta posible. Como si se tratase de una cuestión particular.» No era muy larga.

Jack Kennedy era humano. Como mucha gente, la vida le había granjeado no pocos enemigos, aunque, al igual que suele suceder con el resto del mundo, ninguno de ellos se habría propuesto asesinarlo. ¿Quién iba a matar al presidente de Estados Unidos? ¿Cuántas personas serían capaces de organizar algo así? Salvo dos, el resto de los nombres que aparecían en la lista podían considerarse coetáneos de JFK. Uno de ellos era un anciano, un antiguo socio de su padre. Bobby estaba seguro de que el viejo odiaba a Jack desde que éste apenas era un adolescente. De hecho, su adversión se remontaba a la época en que estudiaba en Harvard. Cuando lo recordó, Robert Kennedy no pudo reprimir una carcajada, ni tampoco Abby cuando contó la anécdota. Al parecer, Jack se había acostado con la mujer de aquel tipo. Aunque nunca pudo sorprenderlos *in flagrante delicto* su esposa se lo echó en cara en el transcurso de una agria discusión. Poco después, lo explicó a todas sus amistades y convirtió a su marido en objeto de burla. El hombre amenazó a Jack varias veces, incluso delante de testigos. No cabía duda de que tan sólo se trataba de una fanfarronada. Es más, JFK nunca supo a ciencia cierta a qué se debía todo aquello, pues su padre siempre lo protegió. Sólo Bobby estuvo al tanto, y sólo cuando su hermano llegó a la Casa Blanca. En su calidad de Fiscal General, ordenó una investigación exhaustiva de todos quienes considerasen al presidente como un enemigo y, tal como comentó a Abby, preparó una lista.

«Me entregó una copia —aclaró a Walter—. Recuerdo que estaba fechada en febrero de 1960. Debía de ser lo primero que hizo Bobby tras la investidura de su hermano.»

En 1963, el esposo airado se divorció. Contaba a la sazón ochenta años y necesitaba el cuidado de una enfermera las veinticuatro horas del día. Tenía dificultades para orinar y a duras penas recordaba los nombres de sus hijos, por lo que era muy dudoso que estuviese seguro de la identidad del presidente de Estados Unidos. Abby lo tachó. El otro sospechoso no figuraba en la lista original, la de 1960, sino en una actualización posterior, de 1968. Frederick Lacey. Lord Frederick Lacey.

«¿Quién es Frederick Lacey?», le preguntó Abby.

No tuvo más remedio que contárselo.

Cuarenta

Al terminar la primavera de 1968, la desazón se había apoderado de Bobby Kennedy. Abby O'Malley explicó a Walter hasta qué punto estaba preocupada por él. El asesinato de Martin Luther King Jr. le afectó mucho. Cada vez estaba más convencido de que nunca se encontraría a los responsables de la muerte de su hermano, acaecida cinco años atrás. La lista que había preparado para Abby podía considerarse como un último intento desesperado que precedía a la rendición final. A pesar de que su rápida ascensión en pos de la candidatura a la presidencia por el Partido Demócrata estaba cantada, Abby se dio cuenta de que todo estaba perdido. La primera vez que Abby le comentó la posibilidad de que Frederick Lacey estuviese tras la muerte del presidente Kennedy ambos se encontraban en Indiana, a bordo de un autocar que surcaba las carreteras del sur del estado mientras afuera caía despreocupadamente una lluvia suave.

—Por su mirada, no me creyó demasiado —le comentó a Walter—. Le conté cuanto sabía, desde el principio hasta el final, pero no articuló palabra.

A medida que la fiel asistente desgranaba la secuencia de acontecimientos que llevaron hasta la escena del crimen, aumentaba la admiración que sentía Walter por aquella mujer. Le maravillaba su capacidad de concentración y observación, su maestría a la hora de relacionar hechos en apariencia inconexos. Como era de esperar, estaba al tanto de la historia, por lo que pudo contrastar si todo aquello que le estaba narrando era cierto. Sin embargo, él había leído la confesión, mientras que Abby, no. De hecho, ella conocía mejor los hechos, pues sacaba a colación ciertos detalles que no aparecían en ninguno de los documentos que Lacey había preparado.

Tras presentar a Bobby Kennedy sus conclusiones, le preguntó cómo se las apañaría para suprimir el nombre de Lacey de la lista de enemigos del presidente que deberían preparar después de la investidura. La explicación que le dio Bobby fue un tanto confusa, algo muy poco habitual en él, le aseguró Abby. Sin que Walter añadiese nada, la anciana le reveló que la razón por la que Bobby se retiró en 1960 fue la incomodidad que sentía al pensar en lo que sucedería si, nada más llegar a la Casa Blanca, se airease la aventura que tuvo su hermano con Audrey Lacey. El mismo temor lo invadió en 1963, después del asesinato. Sin embargo, cinco años después, Bobby recuperó el ánimo y defendió su candidatura con determinación. No intuía las relaciones entre el plan de Lacey y las evidencias que implicaban a la CIA, el FBI y otras organizaciones en todo aquel asunto. Por eso Abby decidió explicarle que Lacey mantenía contactos con todos los sospechosos, muchos de ellos pertenecientes a las altas esferas. Estaba segura de que la CIA tenía algo que ver con todo aquello. Y el FBI. Lacey podía disponer de cuanta información quisiera para llevar a cabo su plan. Tenía contactos incluso en el Servicio Secreto. Durante aquellos cinco años se había cuidado de reforzarlos para obstaculizar el desarrollo de una posible investigación que pudiese incriminarlo. De ese modo, el asesinato se convertiría en uno de los mayores misterios del siglo. Al igual que la Mafia, que se encargó de quitar a Oswald de en medio con la ayuda de Ruby, las agencias de inteligencia cumplieron con la labor que se les había encomendado y no pudieron conocer las verdaderas intenciones de Lacey hasta que fue demasiado tarde y el objetivo se había cumplido. Sus intentos por ocultar su ineptitud ocasionaron no pocos errores. Aparecieron montones de sabuesos que intentaron dilucidar los hechos: reporteros, periodistas, escritores más o menos solventes, entusiastas de la teoría de la conspiración —conspiranoicos, si lo prefiere así— con las más disparatadas teorías... Por si fuera poco, la CIA y el FBI estaban al tanto de que Bobby tenía un buen equipo que trabajaba contra reloj. El problema que se le presentaba a Abby era razonablemente sencillo y el retraso a la hora de dar con la solución, comprensible, pues no oyó hablar de Frederick Lacey hasta 1968.

Robert Kennedy habló con su madre, quien poco después hizo llamar a Abby. Rose Kennedy había encontrado un gran alivio en la religión y todo el mundo, desde el más humilde sacerdote hasta el más poderoso cardenal, estaba dispuesto a echarle una mano. Si su madre no se lo hubiese prohibido, Bobby habría volado al Reino Unido para asesinar a Lacey con sus propias manos. Rose insistió en que debía desechar tal idea. No obstante, telefoneó personalmente al asesino de su hijo. Abby estuvo presente. Según comentó a Walter, se sintió muy impresionada por la diplomacia con la que Rose Kennedy conversó con Lord Frederick Lacey. No en vano, ambos se conocían desde hacía más de cuarenta años. En un momento determinado, Rose le espetó: «Frederick, sabes por qué te he llamado». A pesar de que Abby se encontraba a pocos pasos de la señora Kennedy, no pudo escuchar la voz de Lacey. «Jack —prosiguió, con una voz rota que mostraba hasta qué punto se libraba una lucha en su interior. Abby vio cómo empezaba a llorar—... ¿Qué...? ¿Qué has hecho?» Y entonces gritó desesperada: «¡Mis hijos, Frederick! ¡Qué pasa con mis hijos!» Abby oyó un chillido al otro extremo de la línea: «¡Y qué pasa con mi Audrey!».

Dos días después, Rose avisó a Abby de que Lacey era el responsable de la muerte de su hijo Joe. «Un lamentable error», le dijo mientras dejaba escapar la risa más apenada que hubiese oído jamás. Le costaba creer que se pudiese actuar de una manera tan perversa. Tenía la impresión de que el diablo se había manifestado en todo su poder. Quizás Joe Jr. hubiese pensado lo mismo. Hacia las cuatro de la madrugada, recibió una llamada de Bobby. Acababa de llegar de Londres y necesitaba hablar con ella de inmediato. No podía esperar. Abby se arregló y bajó a la puerta, donde una limusina la recogió. Todavía no habían aparecido las primeras luces del alba y la ciudad estaba envuelta por las sombras. Circulaban sin una dirección fija. Lo único que importaba era estar en movimiento. Bobby le explicó que se había entrevistado con Lacey, los dos solos, cara a cara, y que éste le habló de su hermano mayor, muerto hacía ya veinte años, y del asesinato de Jack, acaecido el 22 de noviembre de 1963. «Los mató a los dos —le dijo—. ¡Qué hijoputa! Le grité que acabaría con él aunque fuese lo último que hiciese en mi vida.» Abby lo creyó y Lacey, también.

A Frederick Lacey no se lo asustaba con facilidad. Otros hombres mucho más peligrosos que Robert Kennedy lo amenazaron en otras ocasiones. Se había enfrentado a odios tribales en lugares que el resto de occidentales sólo conocían por lo que habían leído. Se había enfrentado a oficiales del ejército alemán, a emisarios bolcheviques, a turcos airados y a todo tipo de caudillos de Asia Central. Los más poderosos habían maldecido su vida y, durante cincuenta años, muchos habían deseado su muerte, por lo que Robert Kennedy no tendría por qué provocarle ningún temor.

Lacey dio cuenta de todo ello en su diario personal, más conocido como *la confesión Lacey*. Con parsimonia, Lord Frederick le contó a Bobby Kennedy que había dejado todo por escrito y que lo mantenía oculto en un lugar seguro. Sin apenas inmutarse, le habló, más bien lo sermoneó, como si de un niño se tratase. En el caso de que le ocurriese algo, le advirtió, el documento saldría a la luz y haría añicos la leyenda de Camelot. «La hipocresía acaba por humillar a los más poderosos», le dijo. Kennedy reaccionó de la peor manera: amenazó de nuevo a Lacey, quien despreció aquel arrebato de irracionalidad y echó a su huésped de malas maneras, no sin darse cuenta antes de que aquel joven era mucho más inestable de lo que cabía esperar. Su desmesura y falta de control lo convencieron de que sería imposible tratar con él. ¿Quién iba a decir que aquel hombre era el hermano del fallecido presidente Kennedy? Sin más dilación, ordenó al servicio que lo acompañasen hasta la puerta.

—Me imagino que lo último que Lacey escuchó de labios de Bobby fue algo como «¡te mataré!» y éste debió de tomárselo en serio —le explicó a Walter—, ya que, sólo un mes después, encontraron el cuerpo de Bobby en el suelo de la cocina del hotel Ambassador de Los Ángeles.

Cuarenta y uno

—¿Qué quiere de mí? —le preguntó Walter sin ningún asomo de hostilidad. El tono sonó bastante amigable. Se había dado cuenta de que Abby se sentía cómoda a su lado e incluso orgullosa ante la oportunidad de hablar con él cara a cara.

—El documento... —Walter asintió como si le indicase que la había entendido perfectamente. Al fin y al cabo, él le había hecho una pregunta que no podía eludir. Ambos lo sabían: era un puro formalismo, una especie de apertura para un extraño baile. Por eso, no le extrañó que le preguntara de nuevo.

—¿Por qué el señor Levine debería entregárselo?

—Porque es lo que tiene que hacer.

—Y, si él lo considerase así, ¿no cree que ya lo habría hecho?

—Estoy dispuesta a ofrecer al señor Levine una cantidad de dinero mayor de la que nunca habrá soñado.

—¿Por eso le entregará el documento? ¿Sólo por eso?

—Es un razón muy poderosa.

—Aunque no la conozco demasiado, me doy cuenta de que usted es una Kennedy de manual: tan sólo piensa en dinero. En el poder del dinero. Sin embargo, no estoy seguro de que al señor Levine le muevan los mismos intereses. No digo que no pueda ser así. Tan sólo afirmo que no estoy seguro de ello.

—He visto cómo muchos hombres se ponían de rodillas nada más oír el tintineo de unas cuantas monedas...

—¿De cuánto dinero está hablando?

—¿Qué pasa? ¿Ahora le interesa? ¿El dinero es para usted, para Harry Levine... o para los dos?

—Yo no he dicho nada. Usted ha sacado el tema —a Walter comenzaba a agriársele el humor. Aquella conversación ponía en duda su sentido del deber y la imagen que tenía de sí mismo. Él no era un negociador ni tampoco admitía componendas. Él buscaba a gente desaparecida y punto. Aunque esta vez todo era distinto. Chita Crystal se lo había demostrado. ¿O quizás le había tomado el pelo? Sea lo que fuere, no le gustaba y, sobre todo, no estaba en venta, salvo si no decía lo contrario. Aquella mujer, Abby O'Malley, no era su cliente, por lo que aquella discusión por el precio estaba fuera de lugar.

—Discúlpeme, Walter —se dio cuenta de que había cometido un grave error e intentó subsanarlo de inmediato—. Sé perfectamente que usted no tiene ningún interés personal en todo esto. Lo siento. Pero le ruego que me diga qué quiere Harry. Estoy segura de que no me pedirá demasiado. Y estoy dispuesta a pagarle en efectivo o ingresar la suma en la cuenta de un banco, da igual en qué parte del mundo se encuentre, el que quiera.

—¿Y qué pasa si Harry considera que, dada la importancia de ese documento, debe entregarlo al presidente de Estados Unidos?

—No nos gustaría demasiado.

—¿Ha pensado en la posibilidad de que otros quieran hacerse con ese documento por algunas razones que pueden ser completamente distintas a las suyas?

—Cuando lo tenga en mi poder, ya me preocuparé de lo que pueda pasar.

—Sí, pero si existen otras personas interesadas en él y saben lo destructivo que puede llegar a ser, es muy probable que estén dispuestas a matar por él. Les dará igual lo que usted piense. Es más, no les importará demasiado qué relación tuvo Lacey con la familia Kennedy. Y siempre habrá alguien que haga una oferta mejor que la suya —Abby no dijo nada. Se limitó a dar un sorbo a su cerveza, tomó el último bocado de mero que había en el plato y miró de reojo a Walter del mismo modo que lo haría una profesora que no se fía de un alumno díscolo—. En el caso de que haya alguien, da igual quién sea, que quiera matar a Harry para hacerse con la confesión Lacey, y si Harry le entrega el documento a usted, ¿a quién cree que matarán primero?

—Bueno, es una posibilidad —le respondió sin dejar de masticar—. Está muy bueno —y le señalaba el plato vacío—. Debería probarlo.

—¿Conoce a un hombre llamado Louis Devereaux?

—¿Quién? —pero era demasiado tarde. Walter la había cogido por sorpresa. Abby no había sido adiestrada para aquello: fue incapaz de ocultar la mentira.

—Da igual. No sé qué hará Harry. Ojalá tuviese algo que decirle, pero no sé nada. De todos modos, le transmitiré su oferta y le informaré de su respuesta.

—Cuanto antes, mejor —aunque por un momento estuvo tentada de suplicarle. «¡No! No puedo esperar. ¡Deme el documento ahora mismo!» Louis volvía a estar en lo cierto: Walter Sherman sabía perfectamente que no tenía nada que perder. De nada servían las amenazas, salvo para hacer el ridículo... o algo peor. Quizás no se trataba de parecer razonable. Walter ignoraba los efectos que la confesión de Lacey podía tener si ésta llegaba al público. El poder de los Kennedy se vendría abajo.

Antes de marcharse, Abby se detuvo un instante para dar las gracias a Ike. Le comentó que estaría encantada de tomar algo con él la próxima vez. El anciano se la quedó mirando mientras cruzaba la plaza. Un coche que jamás había visto antes se detuvo frente a ella, se abrió la puerta de atrás y, una vez dentro, siguió su camino.

—Walter —le dijo Ike, diez minutos después—. ¿Podría decirte una cosa?

—Venga.

—Me parece que vienen demasiadas personas a verte al bar. Más de lo normal, quiero decir. Más de las que hasta ahora había visto. Sé que lo tienes todo controlado, pero me parece que, cuando quieran hablar contigo de negocios, lo mejor sería que te levantases y te fueses. Con ellas o no. Da igual —el anciano esperaba una respuesta de su amigo.

—Vale.

—Bueno, no tengo por qué saber nada más. Pero, ¿qué pasa ahora? ¿Por qué aquí? Sabes a lo que me refiero, ¿verdad?

—Claro.

—¿Y...?

—¿Y..., qué?

—¿Y no dices nada, eh? ¿Te suelto este sermón y no me dices nada?

—No puedo ayudarla. Esta vez, no.

—Bueno. En ese caso... Lo siento, Walter. No quería...

—No te preocupes, Ike.

Cuarenta y dos

En el camino que lleva hasta la casa de Walter hay un recodo donde la carretera comienza a hacerse más escarpada y asciende hasta la cima de la montaña. El tramo está lleno de baches marcados con pintura naranja muy brillante. Justo allí, puede tomarse un sendero flanqueado por árboles que desciende hasta dar en una pequeña extensión de grava donde se puede aparcar. Enfrente, dos pesadas puertas de acero guardan sus propiedades. En la jamba izquierda, a la altura de la ventanilla del conductor, puede verse un pequeño interruptor que permite abrirlas sin tener que bajar del coche. Más de una vez le han preguntado a Walter si había mandado colocar aquel dispositivo por razones de seguridad, a lo que él respondía que no, que tan sólo lo había hecho para evitar que se colasen las cabras que pastaban por los alrededores. Los animales andaban a su antojo por todo Saint John. Más de una vez entraron en su jardín para devorar las flores de los parterres y, en pago, aprovechaban para agradecerle el gesto con pequeños presentes que dejaban por todas partes. Un buen día, Walter decidió que ya no podía aguantarlo más y encargó una valla. Eso, al menos, es lo que contaba, aunque mucha gente de la isla no acababa de creérselo, sobre todo si se tenía en cuenta su misteriosa reputación.

Tucker Poesy escogió uno de los baches que se encontraban en la curva para que su coche se averiase. Eran poco más de las tres de la tarde. A esa hora Walter solía volver a su casa desde el bar de Billy. Al cabo de unos diez minutos, cuando vio acercarse el *jeep,* Tucker bajó, se plantó en medio de la calzada, con una expresión de rabia y frustración. Poco después, Walter se detuvo frente a ella.

—¿Puedo ayudarla?

—¡Oh, me ha salvado la vida! —suspiró—. Estoy tan, tan furiosa. Este maldito coche me ha dejado tirada. ¿Qué voy a hacer ahora? —su cabello castaño le caía sobre los hombros, bajo una gorra con el logo de Saint John, que Walter reconoció de inmediato, ya que era típica del complejo de Caneel Bay. La joven calzaba zapatillas sin calcetines y llevaba unos pantalones cortos de color azul claro y un *top* negro muy escotado. Aunque no era hermosa, poseía un gran atractivo. En el parachoques trasero distinguió un adhesivo de un concesionario de coches de alquiler, el Virgin Islands Rent-a-Car, de cuya gerencia se encargaba Roosevelt, uno de los hijos de Ike.

—¿Tiene un teléfono? ¿Un móvil? —Tucker negó con la cabeza—. Si quiere, puede llamar desde mi casa. Vivo aquí mismo —y señaló a las enormes puertas de acero que había a unos quince metros—. Conozco al dueño de la empresa de alquiler. Estoy seguro de que no tardará demasiado en enviar a alguien para que la ayude.

—Muchas gracias, señor...

—Walter Sherman —dijo mientras le tendía la mano. Tucker se acercó y se la estrechó. A juzgar por el sudor que le perlaba la frente, había estado bastante tiempo bajo el sol—. ¿Lleva mucho tiempo aquí tirada?

—No. Ha sido ahora mismo. Un minuto antes de que su coche apareciese. No sabe lo contenta que estoy de haberme encontrado con usted. Me llamo Caroline Henley —ambos sonrieron. Se comportaba como una turista más. No tardó en trabar una cierta amistad con él y dejarse ayudar.

—Venga. El trayecto es corto. Mi ama de llaves le ofrecerá una bebida bien fría o, si lo prefiere, algo de comida —Tucker, completamente identificada con el papel de Caroline, aceptó encantada. Volvió al vehículo y sacó un bolso de colores chillones, tal vez demasiado grande para llevar ropa de baño y otros enseres, tan típicos de los turistas. Subió de un salto al *jeep* y, sin apenas darse cuenta, se vio dentro de la casa de Walter.

—Es muy bonita. ¿Podría...? —le preguntó mientras señalaba las puertas acristaladas que daban a la terraza. Todo el mundo caía arrobado ante aquellas vistas: el mar azul, el césped brillante, el perfil de las islas al norte y Saint Thomas a lo lejos—. ¡Guau!

—Por favor, siéntese. Voy a telefonear a Roosevelt para que le envíe un coche de respuesto —llamó a Denise, quien se encontraba abajo, en el cuarto de la lavadora.

Cuando apareció, le pidió «algo frío para la señorita Henley». Después, se sentó al lado de la mesilla donde estaba el teléfono, de espaldas a la terraza, en dirección a la cocina. La invitada hizo lo mismo, si bien no pudo resistirse a la increíble vista y acabó por darse la vuelta. Las nubes avanzaban con parsimonia por el cielo azul ante la mirada absorta de la joven. Denise trajo un zumo de frutas con unos cubitos de hielo para ella y lo de siempre para Walter, quien contempló un tanto amoscado cómo su huésped se parecía cada vez más a una consumada actriz y no a la turista despistada que se había encontrado en la carretera.

—Aún no he llamado a Roosevelt. ¿Hace falta realmente o...?

—No. Sólo debe entregarme el documento —le espetó mientras le apuntaba con un revólver que había sacado de su bolso—. Usted es de los buenos. No pensaba que se diese cuenta tan rápidamente. No se le puede engañar durante demasiado tiempo, ¿verdad?

—A decir verdad, no me sorprendió del todo —dio un sorbo a su botella de Diet Coke—. La reconocí de inmediato. Antes de detener el coche.

—¿De veras? ¿Cómo puede ser? —nunca había imaginado que pudiera ser tan fanfarrón.

—Usted me estaba esperando. El sudor de su gorra la ha delatado. De todos modos, no se trata de un detalle tan importante. Tal como le decía, la vi antes de que frenar. Ya la conocía. Esta vez, lleva menos ropa de la habitual. Y enseñaba más pecho. Estoy seguro de que muchos hombres envidiarían estar en mi lugar —y la señaló con descaro. Para su satisfacción, la joven se acercó lo suficiente como para que su dedo fuese más lejos que sus palabras—. Ha cambiado de aspecto, sí, pero no lo bastante como para engañarme.

—¿Qué?

—La estación central de Amsterdam. Y el Heerensgracht, en la otra orilla del canal. Usted me vio y yo, también.

—Si fuese cierto, ¿cómo explicaría que ahora estemos los dos aquí y yo le apunte con una pistola? ¿Qué ha pasado? —su expresión se había vuelto más severa. Walter, por su parte, sonreía despreocupadamente, hasta el punto de soltar incluso una suave carcajada, como si imitase a Ike. Cruzó las piernas y dio otro sorbo, mucho más largo.

—Denise está en la cocina, a la derecha, justo detrás de usted. En estos momentos, la apunta con una nueve milímetros. A su cabeza. Es muy buena disparando. Si levanto el brazo derecho del asiento, ella apretará el gatillo y le reventará los sesos. Para ser más preciso, la bala le saldrá justo por donde tiene esas cicatrices de acné estudiantil —se dio cuenta del movimiento de los ojos de la joven. No era mucho. Otros habrían hecho algo más. Había llegado el momento. Ella no podría defenderse. De manera instintiva, desvió la mirada a un punto de su mejilla derecha, un poco por debajo de la nariz, justo el lugar por donde saldría el disparo de Denise. Podría haberse asegurado de que el ama de llaves estaba a su espalda, preparada para matarla. A decir verdad, debería haberlo hecho. Sin embargo, su sentido común la obligó a descartar esta opción, ya que era imposible. Se trataba de un truco muy viejo. Hasta los niños lo utilizan. Sólo daba resultado en las películas de detectives de serie B. Sabía que tenía la sartén por el mango. Pero, por mucho que intentase convencerse de ello, tuvo un movimiento reflejo y, cuando sus ojos se desviaron, Walter le asestó un buen gancho en toda la mandíbula. Tucker trastabilló y cayó redonda al suelo, sin sentido. Al volver en sí, se hallaba frente a la mesa de mármol de la terraza. Le había atado las muñecas a los brazos de la silla con cinta de embalaje, al igual que sus piernas. Por si la postura no fuese lo suficientemente incómoda, la había desnudado por completo. Denise le aplicó una toalla rellena de cubitos de hielo en la cara. Le dolía demasiado como para hablar. Estaba bastante aturdida.

—Billy —Walter hablaba por el teléfono móvil—, necesito que me eches una mano. Es importante, amigo.

—Lo que quieras.

—Ven a casa.

—Allá estaré. ¿En diez minutos?

—Tómate media hora. Vente bien preparado.

—Comprendo. ¿Estarás bien hasta entonces?

—Perfectamente. Así pues, treinta minutos —cerró el aparato y lo guardó en el bolsillo de su camisa. Echó un vistazo a Tucker Poesy y pidió a Denise que le diese un poco de agua—. Además, échale por encima un albornoz.

El ama de llaves salió y, unos instantes después, volvió con uno de los suyos. Tras restituir, al menos en parte, la dignidad de la joven, Walter se fue a la cocina un momento. Al cabo de un rato apareció de nuevo comiéndose una manzana.

—Yo hablo y tú escuchas. Si me equivoco, me corriges. ¿De acuerdo? —Tucker asintió—. Si estuviste en la estación central, también subiste al tren, lo cual quiere decir que me seguiste hasta Bergen op Zoom, ¿verdad? —volvió a mover la cabeza—. Es imposible que llegases allí si no lo hubieses hecho. Además, sabías que iba a viajar a Holanda. Estabas en el aeropuerto. Tú me seguiste y yo te llevé hasta Harry Levine. Y luego, viniste con nosotros a Amsterdam —se acercó para comprobar si le había golpeado con más fuerza de la que pensaba, pero no—. No dices nada. ¿Tengo razón o no?

—Sí.

—¿De dónde vienes?

—De Londres.

—Bien. Muy bien.

—¿Bien? ¿Por qué?

—Es bueno que me digas la verdad. Odio a la gente que no quiere cooperar. Pero continuemos: alguien te dijo que me dirigía a Holanda y tú te las apañaste para estar allí cuando llegase. Tenías todo el tiempo del mundo, pues mi vuelo tardaría ocho o nueve horas y, en cambio, desde Londres tan sólo hay un salto —observó de nuevo su rostro. Los músculos de sus mejillas parecían relajados. La izquierda estaba muy hinchada y se apreciaba un pequeño corte en la comisura de los labios, aunque había cicatrizado casi por completo. Tan sólo sangraba por un pequeño punto. A juzgar por las arrugas que se marcaban en su frente, estaba más nerviosa de lo habitual.

—¿Desde cuándo trabajas para Louis Devereaux? —tan pronto como formuló la pregunta, Tucker mudó de expresión. Aunque no dijo nada, Walter lo entendió todo. Pudo ver cómo se tomaba su tiempo para buscar la respuesta adecuada, si bien se limitó a decir:

—Unos cuantos años.

—He visto tu pistola —le indicó mientras se la mostraba—. Israelí. Bastante difícil de encontrar. No habrás visto muchas como ésas —Tucker no respondió. No tenía por qué contestar a todo lo que Walter dijera—. Tú no sigues a la gente, de eso estoy seguro —le espetó con una carcajada—. No si llevas una arma como ésta. ¿A qué te dedicas?

—A matar.

—Bien —Walter sostenía la pistola mientras la examinaba—. No digo que apruebe tu trabajo. Únicamente me limitaba a valorar tu información. Respeto tu oficio.

—Gilipolleces.

—¿Qué?

—Que te den por culo.

—¿Qué has dicho? ¿Que me den? ¡Que te den a ti! Estás en mi casa, ¿vale? —le gritó—. ¡Has venido a-mi-ca-sa! Tienes suerte de que no te haya matado. Y tienes suerte de que no lo haga ahora —tenía ganas de sujetarla por la mandíbula e hizo un esfuerzo por controlarse. Un poco más y... Finalmente, se la quedó mirando. Allí estaba, desnuda, a no ser por el albornoz que la cubría como si fuese una sábana—. Cierra la puta boca.

—La ropa. Dame mi ropa —gimió.

—No. Estás muy bien así —oyó cómo lo maldecía mientras se iba.

Billy había llegado. Tucker vio a los dos hombres comentar algo en el salón. Walter hacía algunos aspavientos y señalaba de vez en cuando a la terraza. Aunque mantenía la calma, parecía airado. Le llamó la atención que el otro no mostrase ninguna sorpresa. Sacó una pistola que llevaba prendida del cinturón, se la enseñó a su amigo y la guardó de nuevo. Allí estaba ella, atada a una silla, completamente desnuda, con las piernas separadas y el tío ése mirándola de vez en cuando. «¡Mierda! —se dijo—. ¡Un profesional!»

Los dos hombres continuaron hablando durante un par de minutos más. Luego Billy se marchó y Walter regresó a la terraza, donde ella se devanaba los sesos y no paraba de pensar que estaba con la mierda hasta el cuello. Sin embargo, todavía no había llegado lo peor.

—Billy volverá dentro de un rato para recogerte. Sólo ha ido a buscar una pieza que le hace falta para cargarte... con la silla incluida.

—¿Qué? No me puedes dejar así, como si fuera...

—Cuando regrese, te llevará a algún sitio. Si mantienes la boca cerrada, no te amordazaré. Pero si haces algún ruido, por pequeño que sea, ten por seguro que te la taparemos. Y si te falta aire, respira por la nariz. Billy te vigilará hasta que yo vuelva.

—¿Qué?

—Te darán de comer y, si lo creen oportuno, incluso te dejarán ir al baño. No será fácil, pero te limpiarán con una manguera.

Tucker Poesy lo miró sin dar crédito a lo que oía. El miedo la devoraba como las hormigas rojas hacen con los saltamontes, perforándole el abdomen y la cabeza mientras el insecto agoniza.

—Vivirás —sentenció—. Pero no por mucho tiempo.

Cuarenta y tres

El teléfono sonó mientras Sadie Fagan preparaba la cena y, de paso, echaba una ojeada al telediario de las seis. Colocó una larga penca de apio sobre la tabla de cortar y la troceó cuidadosamente. Lo puso todo en una ensaladera en la que había echado unas rodajas de zanahoria y pepino. Mientras buscaba un poco de pimiento verde, la locutora del informativo de la televisión local daba cuenta del asalto cometido en uno de los apartamentos de Inman Park. Aunque nadie había resultado herido, uno de los vecinos, Otto Heinrich, violinista de la Orquesta Sinfónica de Atlanta, al parecer había desaparecido. Se especulaba con la posibilidad de que hubiese descubierto a los asaltantes, si bien ningún vecino oyó nada sospechoso. Por el momento, la policía había declinado hacer cualquier tipo de declaración. Sadie no prestó demasiada atención a la noticia, si bien la locutora indicó que ella misma vivía muy cerca de la escena del crimen. En sus ojos podía leerse el miedo. De inmediato, la emisión pasó a mostrar unas imágenes de la casa donde habían ocurrido los hechos, una mansión de estilo victoriano. Ya era de noche. A espaldas de la reportera que se había desplazado hasta allí, se podían ver las luces de las casas de las inmediaciones, que parecían titilar a través del follaje. Inman Park siempre había sido un lugar muy apacible. El cámara tomó algunas imágenes de los alrededores, casi idílicas, impensables en un barrio tan céntrico. «¿Un asalto?», se dijo Sadie, preocupada. ¿Cómo podía haber pasado algo así? Si hubiese sido en otro barrio... Cuando la periodista, una encantadora joven con un peinado perfecto dio paso al estudio, la locutora, ya repuesta, informó de que el señor Heinrich estaba casado con Isobel Gitlin, directora de la Fundación para la Defensa del Consumidor. Ahí estaban los quince minutos de fama que todos esperamos. E Isobel estaba contenta y aparentaba una cierta calma. ¿Isobel Gitlin? El nombre le resultaba familiar, aunque no recordaba dónde lo había oído. Sonó el teléfono. Se apartó del televisor, se enjugó las manos con una toalla de papel y descolgó. No prestó atención a las palabras de la locutora: «Como todo el mundo sabe, Isobel Gitlin desempeñó un papel muy importante en la investigación sobre Leonard Martin».

—¿Diga?

—Tía Sadie, soy yo.

—¡Harry! ¿Dónde estás, cariño? ¿Va todo bien?

—Sí, tía, no te preocupes, de verdad. Tan sólo quería que supieses que estoy bien.

—¿Yo? ¿Preocupada? Oh, Harry, me alegra tanto oírte...

—Me gustaría haberte llamado antes, pero he estado muy ocupado. Ahora estoy de viaje.

—Lo sé, cariño —se enjugó los ojos con el delantal—. He hablado con Chita. Me lo contó todo. Y me ha visitado el señor Sherman. ¿Te encontró? ¿Ya estás a salvo?

Harry le aseguró que sí y le habló de su viaje a Holanda y de su estancia en Bergen op Zoom, la ciudad hermanada con Roswell. Le explicó que, al final, Walter había dado con él y que juntos habían emprendido una huída que los había obligado a cruzar Bélgica y España, desde donde volaron hasta México. Ahora se encontraba en un lugar perdido en las montañas de Nuevo México. Nadie lo encontraría allí.

—Walter me ha dicho que es seguro. Estoy en un sitio completamente desconocido. Pero el paisaje es muy bonito.

—¿Cuánto tiempo te quedarás? ¿Qué harás después?

—No puedo decírtelo, tía. No lo sé. Chita me ha pedido que confíe en Walter. Y así lo hago.

—Te quiero, Harry.

—Yo, también. Pasarán bastantes días antes de que pueda llamarte otra vez —Walter le advirtió de que no utilizase el teléfono—. No te preocupes si no sabes nada de mí durante un tiempo.

—¿Has hablado con tu tía Chita?

—No, no desde que estoy aquí. Intentaré hacerlo, pero ya sabes que es muy arriesgado. Si consigues contactar con ella primero, dile que estoy bien y que la quiero mucho. Hasta pronto.

—Adiós, cariño —Sadie colgó el teléfono y pensó por un momento en su hermano David. *Desaparecido*. Qué palabra más terrible. Aquella agonía jamás iba a terminar. David siempre sería un *desaparecido*. No había día en que no se acordase de él. Tenía el corazón roto. Nunca pudo conocer a su hijo. Nunca lo acunó, ni lo durmió en su regazo. Nunca. Y rompió a llorar.

Aquella mañana, minutos antes de que diesen las nueve, un hombre alto, bien vestido y de mediana edad entraba en el vestíbulo del edificio Peachtree, en el número dos de la calle 14 de Atlanta. Subió en ascensor hasta el séptimo piso, donde se hallaba la sede de la Fundación para la Defensa del Consumidor. Con la mejor de sus sonrisas, se dirigió a la recepcionista para solicitar una entrevista con Isobel Gitlin.

—Soy Christopher Hopman.

La joven, al cabo de unos minutos, lo miró fijamente y, con una expresión un tanto preocupada, le preguntó:

—Disculpe, señor Hopman, ¿va todo bien?

—Sí —sin dejar de sonreír, se apartó un poco del mostrador para que la recepcionista pudiese hablar por teléfono con una cierta discreción. Tras hacer algunas comprobaciones, le dijo—: Lo siento, señor Hopman. La señora Gitlin me dice que no tiene ninguna cita concertada con usted.

—Lo sé. Sin embargo, le ruego que le indique a la señora Gitlin que estoy aquí por Walter Sherman —le comentó con un tono cálido, amigable y muy seductor.

«¡Qué atractivo es!», pensó la recepcionista y volvió a telefonear. Finalmente, le anunció que todo se había arreglado y que en unos instantes podría recibirlo.

Isobel ignoraba de qué se trataba. Durante sus años como reportera del *New York Times,* siempre se había mostrado muy puntillosa con el lenguaje. «¿A que las palabras tienen un significado? —le preguntó el redactor jefe en una ocasión—. No respondas todavía. Piénsalo. Pero ¿sabrías decirme por qué lo tienen? Fíjate en que tú entiendes de inmediato todo lo que estoy diciendo. Eso es lo que debes tener en cuenta a la hora de escribir. Tus lectores jamás han de pararse a pensar "¿qué demonios habrá querido decir?".» Aquel hombre que se hacía llamar Christopher Hopman —algo absolutamente imposible— había dicho que estaba allí *por* Walter Sherman. Por unos instantes sopesó la posibilidad de avisar al servicio de seguridad.

—Mucho gusto, señora Gatlin —le dijo mientras le tendía la mano. Daba la impresión de que se hubiese cosido aquella sonrisa a la cara. Isobel mantuvo las apariencias y, por un momento, la conversación se atuvo a lo que habitualmente era una cita de negocios.

—Discúlpeme, pero ¿cómo me dijo que se llamaba? —el hombre soltó una ligera carcajada, aunque sin perder las formas—. Usted no puede ser Christopher Hopman porque él murió hace tiempo. Asesinado. Le dispararon mientras jugaba al golf en Boston.

—Le tomaré la palabra.

—Lo siento, no le entiendo.

—Creo que un hombre llamado Leonard Martin confesó aquel crimen, entre muchos otros.

—De acuerdo. Dígame cómo se llama y por qué ha venido aquí. ¿Qué tiene que ver todo esto con Walter Sherman? No lo habrá enviado él, ¿verdad?

—No, él no. Aunque podría considerársele el responsable que yo esté aquí. En cuanto a mi nombre, no tiene importancia.

—Bien, ¿y a qué demonios ha venido?

—Represento a ciertas personas que necesitan saber dónde ha escondido el señor Sherman a Harry Levine. Y creen que usted está al corriente de todo.

—¿De qué me habla? ¿Quién coño es Harry Levine? ¡Lárguese inmediatamente!

—Cálmese, señora Gitlin. El asunto es muy grave. Preste atención a lo que voy a decirle. Le conviene explicarme algunas cosas que me resulten útiles. Le aseguro que se trata de algo que no conviene que se tome a la ligera —hizo una pausa, se quitó el abrigo y lo colocó con mucho cuidado en la silla de al lado. Después, se inclinó hacia ella, quien no supo qué decir. Tal como le había pedido aquel hombre, aguardaba atenta a que prosiguiese. Sin dejar de mirarla a los ojos, retomó la conversación, aunque esta vez en un tono mucho más amenazador—: Harry Levine, ya sé que no lo conoce, está con el señor Sherman. Para ser más exactos, el señor Sherman lo mantiene oculto en algún sitio y la gente para la que trabajo desea hacerle algunas preguntas. No me pregunte por qué, pues nadie me ha dado ninguna explicación. Simplemente soy un intermediario en todo este asunto. Como ya se habrá imaginado, Leonard Martin tiene algo que ver en esto. Mis... jefes... creen que el señor Sherman se ha llevado al señor Levine al mismo sitio en el que se escondió Martin mientras huía de todo el mundo, incluida la policía. En el caso de que así fuese, si estuviese ahí, es muy probable que nadie diese nunca con su paradero. No sin ayuda. La suya, señora Gitlin.

—Yo no...

—No diga nada ahora, por favor —repuso, no en un tono amenazador, sino más bien del mismo modo que lo haría un jefe que conoce de sobras todas las excusas del mundo—. No continúe por ese camino. No puedo, ni quiero, creerle. Las mentiras están de más ahora. Serían contraproducentes. Es evidente que usted sabe dónde se halla ese lugar. No cabe ninguna duda de ello. Así que vamos a dejarnos de rodeos. He abordado el tema con la mayor educación posible. Ahora, debe responderme. Usted es la única que puede hacerlo. Nosotros, es decir, usted y yo, sabemos que Walter Sherman es un hombre muy astuto. Apenas sabemos nada de él y quizás no sea muy recomendable acercarse a él. De hecho, supongo que tan sólo podría hacerlo usted, señora Gitlin...

—¿Acaso no le pagan lo suficiente para que encuentre a Walter? —le interrumpió airada.

—... Por eso —continuó sin tener en cuenta sus palabras— he venido a preguntarle. La gente que paga no me consentiría que me fuese de aquí sin ninguna respuesta.

—¡No irá a pegarme...!

—No, no, no. Se confunde. Por favor. En ningún momento le he dado a entender que iba a causarle daño alguno —por alguna razón Isobel respiró aliviada. «¿Por qué —se preguntó— habré pensado que no había nada que temer?» —. Si no me equivoco, ese hombre es su marido, ¿verdad? —le preguntó mientras señalaba a una fotografía enmarcada que había sobre su escritorio—. Otto Heinrich toca en la

241

Orquesta Sinfónica de Atlanta —Isabel vio cómo se desvanecía su satisfacción—. Violinista, ¿no es así? Según tengo entendido, es un excelente intérprete. Un hombre como él debe de tener unos dedos excepcionales, sobre todo en la mano izquierda. ¿Cómo puede mantener sus manos en tan buenas condiciones? ¿Practica algún tipo de ejercicio? ¿Las sumerge en agua caliente con jabón? ¿O las protege con guantes hechos a medida? Quizás emplea alguna crema especial. Yo no lo sé, pero usted, sí, claro. Hábleme de sus manos.

—No —apenas logró articular un gemido.

—Un hombre como su marido debe asegurarse de que no les pase nada, a sus manos quiero decir. No en vano podrían considerarse una parte más del instrumento, como... como el arco.

—U-u-usted no puede...

A pesar de que aún no le había dicho nada, se imaginaba lo que ocurría. Hacía muchos años que Walter se lo había explicado. Lo hizo mientras se dirigían a Santa Fe, mientras cruzaban las montañas que quedaban cerca de Albert, en Nuevo México. En breves segundos recordó cómo era la cabaña. Incluso podría describir con detalle cómo era el camino que llevaba hasta ella. Allí Walter encontró a Michael DelGrazo y a Leonard Martin, *el Cowboy,* con su sombrero de ala ancha. Aunque ella nunca estuvo en aquel lugar, sabía perfectamente dónde estaba, pues después de que Leonard desapareciese, decidió correr con todos los gastos. No hubo año en que no lo hiciese. Pagaba todas las facturas: agua, luz... Con cargo a la Oficina. Nunca se reprochó aquel gasto. Al fin y al cabo, Leonard Martin había fundado aquella entidad que ella, Isobel, dirigía y cuyas instrucciones seguía al pie de la letra. ¿Acaso había vuelto? ¿Estaba vivo? Lo ignoraba. ¿Quién podía saberlo? ¿Walter? Aquella perfecta imitación de lo que debiera ser un hombre de negocios estaba allí, sentado frente a ella. Y hasta el momento había hecho gala de unos modales exquisitos. No había otra salida: le diría a aquel cabrón lo que quería oír y después podía irse todo a la mierda. «¡Dios mío! —pensó—. ¡Otto!»

Cuarenta y cuatro

A Washington, Walter se fue derecho a Washington. A por Devereaux, cuya arrogancia tanto le había impresionado la otra vez, cuando se conocieron en Atlanta. Pero ahora... ¡Ese hijoputa se había atrevido a enviarle alguien a casa! ¡Su propia casa! Por suerte encontró un vuelo desde Saint Thomas y allá que se fue. Primero debería hacer una escala en Miami y, luego, a Washington, adonde llegaría por la mañana. Sabía que debía mantener la calma. Una calma total. Tras saltar del transbordador, paró un taxi en el mismo muelle y se dirigió al aeropuerto. A lo largo del recorrido pudo disfrutar de una vista peculiar: la carretera estaba jalonada de enormes complejos hoteleros en los que predominaban los tonos pastel, azul y verde mar, amarillos cremosos, rojos apagados, y que parecían alzarse por encima de las aguas. Walter se tomó el pulso y se dio cuenta de que estaba a punto de estallar. Unos minutos después, ya en el aeropuerto, su móvil comenzó a sonar. No le extrañó.

—Diga...

—Walter, Walter —del auricular brotaba una voz que le era familiar, aunque no el tono con el que le hablaba. Sintió una fuerte sacudida. La rabia y la frustración que sentía contra Devereaux y su chica no eran buenas. De todos modos, agradeció que Isobel Gitlin tuviese el detalle de telefonearlo.

—Sí, yo mismo —hizo un esfuerzo para ocultar su orgullo herido.

—No tenía otra salida —¿lloraba o tosía? ¿Una simple congestión, un resfriado tal vez o algo por el estilo?—. Era por Otto. Ya sabes, Otto —no había duda: estaba llorando, pensó Walter. Dejó que se desahogase un poco—. Walter, lo siento. No podía hacer nada. Lo raptaron y me amenazaron con cor... ¡cortarle los dedos! ¡Tri... triturarle las manos! Sus brazos. Sus codos. ¡Dios, Walter! Lo siento lo siento lo siento. Otto... no podría volver a tocar jamás. Vinieron a casa, Walter. ¡A nuestra casa! Walter, tuve que hacerlo, yo...

—¿Hacer qué, Isobel?

—Contárselo todo. Decirles dónde. Dónde está. Saben dónde se encuentra. Era lo único que les faltaba.

—¿Donde qué?

—Dónde se escondía Leonard. Nuevo México —Walter cerró los ojos, como si se protegiese de un fogonazo. Un sudor frío le mojaba la nuca. Los brazos y las piernas le fallaban. Incluso le pareció que su estómago había dejado escapar un gruñido, igual que un animal que presiente el peligro. Por un momento se vio en una carretera solitaria cerca de Rhinebeck, en el estado de Nueva York. De noche. El camión, dando la vuelta. Las luces cegadoras. Y él, allí plantado, incapaz de moverse, completamente paralizado. Y luego, aquella mole pasándole por encima y el miedo a convertirse en una papilla de huesos, sangre y nervios. Su cerebro apagándose... —. ¿Quiénes? —respiraba con dificultad, lentamente—. ¿De quiénes me hablas?

—No lo sé. Sólo pude ver a un tipo de unos cuarenta y tantos, alto, delgado, con el pelo castaño, muy bien vestido y que hablaba de una manera muy educada. Creía que podría reconocerlo por su acento, pero no estoy segura. Muy seguro de sí mismo. Muchísimo.

—¿Nombre?

—Dijo que se llamaba Christopher Hopman.

—¡Mierda!

—Te conoce. Y sabe dónde vives. Me parece que te tiene miedo. Eso creo. Me dijo que buscaba a alguien que se llama Harry Levine. Como tú. Sabe que estás en esto.

—¿Y el tipo ese cree que Harry Levine está en Nuevo México?

—Sí. Bueno, no lo dijo, pero me contó que ellos pensaban que tú te lo habrías llevado a algún lugar donde hubiese estado Leonard.

—¿Ellos? ¿A quiénes te refieres?

—A sus empleados. Así los llamaba. Me acordé de lo que dijiste sobre aquel lugar.

—Claro. Tú has estado pagando los recibos desde que Leonard Martin desapareció.

—¿Cómo puedes saber eso? ¡Dios!

—Lo sé, Isobel. Es ahí donde lo he llevado. Y ahora voy a sacarlo.

—¡Dios! —sollozó—. Lo siento siento tanto... Era por Otto...

—Adiós.

Aún quedaba una hora y media para hacer la llamada correspondiente a Harry, quien sabía que nadie más le telefonearía hasta ese momento. Esto no tendría que haber pasado. Nunca. Se dirigió al mostrador y cambió sus planes de viaje. Sin embargo, daba igual adónde volase: primero tenía que pasar por Miami. Anuló su pasaje a Washington y reservó otro para ir hasta Houston, en un avión que salía a última hora de la noche. El viaje, como no podía ser de otro modo, iba a resultar un calvario: sobre el golfo de Florida había una enorme masa de aire que provocó más de una turbulencia y, justo encima de Housto, una fenomenal tormenta eléctrica. Aterrizó muy mareado y se tomó un par de pastillas. Le quedaban seis horas de viaje hasta Albuquerque, otras cuatro hasta Albert y, después, unos veinte minutos más hasta la cabaña.

Cuarenta y cinco

El cuerpo de Harry Levine yacía boca abajo en el suelo, al lado de la nevera. Bastó un solo disparo, directo al corazón, para matarlo. Walter reconoció los rastros que había dejado la pólvora en su camisa. El agujero era pequeño, por lo que quien lo hubiese hecho debía de estar muy cerca, prácticamente enfrente. Seguramente empleó una pistola de no mucho calibre. Apretaría el cañón contra el pecho y dispararía. Al no haber ningún agujero de salida, pensó que la bala no sería demasiado potente, aunque sí mortal. Había que ser muy hijoputa para matar de aquella manera. No había muchas más marcas en el cuerpo. Quien lo hubiese asesinado no lo golpeó para que le entregase el documento. Quizás Harry no se lo ocultaba. Después de todo, Walter le aseguró que estaba a salvo. «¡Mierda!», gritó. En el suelo, no muy lejos de los pies de Harry, encontró una colilla a medio consumir. Alguien la había pisado, tal vez sin prestar demasiada atención. Había algo que le sonaba familiar. Cuando la tomó, se dio cuenta de que no pertenecía a un cigarrillo vulgar y corriente. No era americano. El papel era extraño: se deshacía entre las manos, como si fuese de arroz. Guardó los restos en su tarjetero. La marca parecía desvaída, aunque pudo reconocer algunas letras. Algo así como MOPKAHA.

La cabaña estaba helada. El fuego se había extinguido hasta convertirse en un montón de cenizas. El calefactor estaba apagado. El asesino debía de estar ya muy lejos y Walter tan sólo tenía un abrigo. Se sentía cubierto de sudor, lo cual le preocupó, ya que hacía tanto frío que podía ver su propio aliento. Notó una punzada en el pecho y, luego, en el estómago. Se sentó a la mesa, justo en la misma silla con la que Harry solía contemplar el cielo y las estrellas desde el porche. El horizonte parecía mucho más cercano. Walter se sintió desfallecer a causa del cansancio y entrecerró los ojos. Apenas se resistió y durmió un poco. Lo necesitaba. Ya no podía hacer nada. Lo mejor era zambullirse en el sueño, allí, en la silla, arropado con su abrigo. Se despertó a las cinco de la madrugada, más o menos. Todavía era de noche y la temperatura había bajado mucho. Pensó que convendría pensar por un momento en todo cuanto había tocado para limpiarlo y no dejar ninguna huella. No era la primera vez que debía hacerlo, por lo que no le costó demasiado. Antes, no obstante, buscó cualquier rastro que le ayudase a saber quién había asesinado a Harry, pero no encontró nada. No dejaba de ser chocante que alguien que se dedicaba a localizar a personas desaparecidas no pudiese hallar ni una sola pista. De repente, se sintió angustiado. Notó un frío helado en su barbilla que parecía descender hasta su brazo izquierdo.

—Harry —le dijo a sabiendas de que no obtendría ninguna respuesta.

Walter se sorprendió al pensar si, tal vez, se tratase de el Cowboy.

La codicia y la carne de ternera mataron a la familia de Leonard Martin. Walter se acordaba de aquello más de lo que quisiera. Carne en malas condiciones, corrupción, venalidad, estafa y negligencia. Hamburguesas. ¿Y dónde estaba Leonard Martin cuando lo necesitaban? ¿Dónde? Walter también lo recordaba: mientras su esposa, su hija y sus nietos cocinaban alegremente la carne envenenada, él se entretenía con otra mujer. Cuando su familia más lo necesitaba, allá estaba, dándose el lote. Las únicas razones por las que Leonard Martin continuaba viviendo eran la barbacoa y continuar follando, aunque no con su mujer, la madre de sus hijos y la abuela de sus nietos. Levantarse cada mañana le suponía un esfuerzo que sólo podía compensar con algo que *le hiciese verdaderamente feliz.* Al fin y al cabo, podía sobrellevar sus amoríos con bastante comodidad, ya que Nina no sospechaba nada. Jamás se imaginó que, por su culpa, su esposa pudiese sufrir tanto. Cuando tomó la mano ya sin vida de Nina y se dio cuenta de que todo estaba perdido, intentó confortar a su hija Ellie mientras agonizaba. Después pensó en sus hijos, pero era demasiado tarde. El alma de aquel miserable ardería en el infierno por los siglos de los siglos. Su vida se convertiría en un calvario. Walter pensó que se trataba de una venganza por todo lo que había pasado.

—¿Dónde estás? —chilló—. ¿Dónde estás? —por un momento se le apareció la imagen de Michael DelGrazo, *el Cowboy,* junto con Leonard Martin—. ¡¿Dónde estáis?!

Hizo tres llamadas antes de marcharse, esta vez para siempre. Nunca más volvería a poner los pies en aquel lugar. Lo juró. Primero telefoneó a Isobel. «Soy Walter Sherman», le dijo a la recepcionista y, cuando se puso, le espetó «está muerto» y, sin dejar que le respondiese, colgó. Después, habló con la comisaría de policía de Nuevo México para explicarles que había un cuerpo en una cabaña. Les dio la dirección y colgó de nuevi. Por último, habló con Billy:

—Estamos a martes, ¿verdad? —le preguntó.

—Sí —dijo Billy.

—Necesito unos cuantos días más. Volveré el viernes. ¿Todo bien?

—Sí.

—¿No pasa nada?

—Nada de nada.

—Está perdida.

—¿Seguro?

—Completamente. Dile que si me entero de que tiene algo que ver con esto, volveré a verla y la mataré. No te preocupes: lo entenderá.

—¿Qué entenderá?

—Dile eso y ya está.

—Muy bien. Se lo diré.

Tercera parte

Y entonces oí el susurro del diablo:
«Todo siempre va a peor».

ALAN JACKSON

Cuarenta y seis

Walter no paró en Santa Fe esta vez. No tenía ganas de pasearse entre las mujeres indias que se sentaban alrededor del Plaza, gruesas, mucho más jóvenes de lo que parecían, cubiertas con prendas cálidas, y que ofrecían bisutería mientras tomaban té o pequeños vasitos de whisky. No estaba para regalos. Ni para medallones que cambiaban de color con el viento o la luz del sol. Debía tomar el camino hacia Alburquerque, hospedarse en alguno de los hoteles del aeropuerto y reservar un pasaje para el primer vuelo en dirección a Atlanta. No tenía tiempo para dormir. ¿Que cómo lo haría? En su equipaje llevaba un par de botes de Mylanta y Tylenol. No le serían de gran ayuda, pero por lo menos evitaría quedarse dormido. Ya descansaría en el avión.

Nada más aterrizar, Walter alquiló un coche y se dirigió hacia Roswell. Sadie Fagan no lo esperaba y, cuando vio el pesar en su rostro, la profunda tristeza en sus ojos, supo que algo horrible había sucedido. No podía oír lo que le decía. No le llevó demasiado tiempo. Aquella vez no lo invitó a tomar un refresco. Harry había muerto. Estaba claro: se había ido. Todos los Levine se habían marchado: David, Elana y, ahora, Harry. Hacía mucho tiempo ya que Sadie era una Fagan. Comenzó a llorar por su padre. Walter, según ella, no tenía ninguna culpa... salvo en lo que respectaba a su dolor. Ambos eran conscientes de ello. Cuando volvió al coche, sintió un profundo malestar. No había comido nada desde... No pudo recordarlo. Quizás le iría bien tomar algo.

Cuando ocurrió, Walter se hallaba a solas, sentado en un restaurante de la cadena Waffle House, a la entrada de la autopista GA 400. Sintió que algo comenzaba a fallar. Se quedó sin aire en los pulmones y tuvo la sensación de que se quedaba sin fuerzas, como si se vaciase de la cabeza a los pies. Como un lavabo. Sí. Había ido al lavabo. Y cuando la fatiga se apoderó de él, un dolor agudo se extendió por todo su cuerpo, cada vez más débil. La presión. Por un momento creyó que no era más que una cáscara de nuez a punto de ser rota mientras en su pecho estaba a punto de estallar una granada. Una punzada le traspasó el brazo izquierdo, que ya no pudo levantar. Se le hizo un nudo en la garganta. Un sudor cálido y frío a la vez lo cubrió por completo. Sus genitales se encogieron, sus rodillas flaquearon, las caderas le fallaron. La cabeza le daba vueltas. Temió que fuese demasiado tarde y nadie pudiese ayudarlo. En un esfuerzo desesperado por hacer algo, se inclinó hacia delante, pero su cara se estrelló contra el plato de huevos revueltos y la botella de Diet Coke rodó por el suelo.

Un estallido de luz. Un suave parpadeo. Primero, juntas. Luego, se alternaron y flotaron sobre su cabeza. Puntos brillantes, reflejos en la ventana, en el cielo oscuro. Allá lejos, las colinas por donde discurría el río. Aquellas colinas nunca cambiaban. Heladas en invierno, exuberantes en verano. Siempre iguales. Cuando era niño, Walter las vio por primera vez. Las colinas del Hudson. Nunca se irían. Siempre estarían ahí. Hoy, ayer, mañana... Siempre. Venían de Kingston, más allá del puente, y seguían hasta Albany, quién sabe hasta dónde, más allá del mundo conocido. Hasta algún lugar misterioso. Da igual: bastaba con ir hasta el río, mirar a la otra orilla y ya está. Ahora, su padre estaba con él. ¿Sería posible? Nieve por todas partes. Sólo nieve. Nada más. Ni árboles. Ni zapatos. No llevaba zapatos, pero no tenía frío en los pies. ¿Cómo podría explicarlo? Quizás porque su padre estaba allí. ¿Era eso? Y qué más da. Pero no podía ser su padre porque murió cuando él tenía seis años. Su madre solía ir al cementerio. Sólo por un tiempo. A veces iba con ella. Recordó las largas hileras de piedra gris, el lugar donde se detenía y comenzaba a llorar. Siempre le decía que iba a visitar a su padre. Pero Walter nunca lo vio. ¿A quién visitaba? Allí no había nadie. ¿Cuándo fue la última vez? ¿Nueve, diez años? ¿A quién le importaba? A él, no. El dolor y el calor se entrelazaban, parecían solaparse para, al final, separarse y volver a juntarse para cernerse sobre él en oleadas. Dolor... Calor... Dolor... ¿Y el calor? ¿Adónde se había ido? ¡Que vuelva!

Johnny Sherman, el padre de Walter, estaba allí, esperándolo, sentado en una vieja silla de madera. A su izquierda había un banco lo bastante grande como para colocar bocadillos, chocolate caliente, cervezas, embutidos, revistas, periódicos... e incluso podía sentarse un niño. Estaba vacío. Sólo su padre estaba allí. Esas sillas se llaman de algún modo. ¿Cómo? La silla estaba en medio de la nieve, cubierta de nieve. Ahora, el prado estaba verde. El cielo azul brillaba, completamente despejado. Johnny Sherman llevaba una camiseta verde, como las del ejército, aunque él nunca se alistó. También vestía unos vaqueros, de esos de color azul oscuro, con los bajos enrollados dos o tres veces de modo que se viera el envés, mucho más claro. Walter pensaba que nadie llevaba unos pantalones como aquellos desde hacía cincuenta años. Estaba descalzo. Los dos estaban descalzos. ¿Por qué? Todo estaba nevado. Su padre tenía las piernas cruzadas: la derecha sobre la izquierda, a la altura de la rodilla. ¿Sonreía? ¿Sí? No podría asegurarlo. No se movía. Pero miraba a Walter, dentro de Walter, a través de Walter. Sin pestañear. Su rostro parecía inexpresivo. Silencio. Walter lo miró. Creyó comprenderlo todo. Entendía todo cuanto su padre le decía. No podía equivocarse.

«Siéntate —le indicó su padre, aunque no mediase ningún gesto ni palabra—. Siéntate ahí, en la silla que está a mi derecha. Siéntate a mi lado y el dolor desaparecerá. Ven conmigo, hijo mío. Sabes que te quiero.»

Se desató una lucha entre lo que es y lo que debería ser, entre las tinieblas y la luz, entre los relámpagos y el cielo azul. «Siéntate —le suplicó—. He estado esperándote.» La lucha entre la vida y la muerte. Adiós, Gloria. Adiós, adiós, adiós. ¡No! Walter no se sentó.

El doctor William Byron —más conocido como doctor Willie— observó el rostro de Walter. El médico, gracias a sus sonrisas y su buen carácter, se había convertido en alguien imprescindible para todos. Entre los miembros de la unidad de cuidados coronarios del Hospital Crawford Long, de Atlanta, se contaba en broma que, en una ocasión, el doctor era capaz de notificar a un paciente que sólo le quedaban seis meses de vida como si se tratase de un gran triunfo. Y así era. Walter lo vio por primera vez nada más abrir los ojos.

—De nuevo, mi toque mágico —dijo el doctor Willie. Detrás, dos médicos y una enfermera asintieron entre risas. Walter no entendía nada—. Ha vuelto, señor Sherman. Ha abierto los ojos al mundo otra vez. Ahora está conmigo, en esta habitación. Estoy a su lado, junto a su cama. Mi toque mágico, ya le digo.

—¿Dónde... estoy?

El doctor Byron se lo explicó no sin advertirle poco después de que no hiciese caso del nombre que aparecía en la placa de su bata. «Llámeme Willie —le aclaró—. Con eso basta.» Le informó de que había padecido un ataque al corazón. El equipo de urgencias lo había salvado y los médicos y enfermeras del Hospital North Fulton, en Alpharetta, lograron estabilizar su estado a pesar de que no recuperase la conciencia. Después, lo trasladaron a la unidad de cuidados coronarios del Hospital Universitario de Emory.

—¿A... a q-qué estamos hoy?

—A viernes, señor Sherman. Sufrió el ataque antes de ayer y ha pasado dos días inconsciente. Ahora hemos de asegurarnos de que se pondrá mejor. Ayer le hicimos un angiograma, un examen cardíaco.

—¿U-un qué?

—Le introdujimos un tubo muy largo y fino por la ingle... nota el vendaje aquí, ¿verdad?... y lo empujamos hasta el corazón. Lanzamos una pequeña cantidad de tinte dentro de la corriente arterial, obtuvimos algunas imágenes y de este modo pudimos hacernos una pequeña idea de lo que le ocurrió el otro día.

—¿Y qué pasó?

—Tuvo un infarto. Un ataque al corazón. Una obstrucción en su arteria coronaria derecha.

—¿Y eso es malo?

—Bueno —el doctor dejó escapar una carcajada—, si quiere que le sea sincero, los ataques al corazón más benignos son los que sufren los demás. Ya sabe a lo que me refiero.

—Claro —repuso Walter.

—Necesita una operación de *bypass,* señor Sherman. Hemos aguardado a que recuperase la conciencia y se repusiese lo bastante como para soportar la intervención. Padece un daño arterial bastante grave. Si no lo hace, tendrá otro ataque... y no tendrá tanta suerte. Le he concertado una visita con el doctor Ortega para mañana. Es un buen cirujano, el mejor. Quizás en cuatro o cinco días...

—No. No quiero más operaciones. Ni mañana ni nunca. ¿Cuánto tiempo tardarán en darme el alta?

—¿Sin una operación de *bypass*?

—¿Cuándo? Por favor...

—El lunes. Le tendremos en observación todo el fin de semana. De todos modos, permítame decirle que comete un grave error. ¿A qué edad murió su padre?

—¿Qué le hace pensar que mi padre está muerto?

—¿Cuarenta? ¿Tal vez menos? El día en lo trajeron aquí, usted habló un poco de él. Señor Sherman, le falta poco para cumplir sesenta. Por decirlo de algún modo, se encuentra en el tiempo de descuento y el partido puede terminar en cualquier momento. Lo comprende, ¿verdad?

—¿Cuánto tardaría en recuperarme de la operación?

—Bueno, podemos enviarlo a casa, dondequiera que esté, en cuatro o cinco días. Si todo va bien, a final de la semana que viene. De todos modos, después deberá seguir un programa de recuperación y reposo que le llevará de cuatro a seis semanas más. Un hombre de su edad... y de su peso... teniendo en cuenta su perfil psicológico... necesitará un par de meses. Ha de hacerse la idea de que deberá dedicarse un par de meses. El resultado vale la pena.

—¿Qué resultado?

—Continuar viviendo. ¿Acaso no le gusta la idea? No hace falta que me responda. Ya sé lo que va a decir. Le he estado observando, señor Sherman, y está muy claro que usted desea vivir. Lo necesita tanto como un *bypass*.

—Yo...

—A propósito, ¿quién es Gloria?

—Mi esposa.

—Ah, bueno —se giró a la enfermera que sostenía el historial de Walter—. Vaya, no tenemos ninguna dirección de contacto en el caso de que a usted le sucediese algo. Ni un solo pariente. Tendremos que llamar a la señora Sherman de inmediato.

—Se trata de mi ex esposa, doctor. No hace falta que la telefonee.

—Como desee.

El sábado por la mañana, Walter se sometió a una nueva operación para que le practicasen otro *bypass,* el quinto. El jueves siguiente, una semana después de haber ingresado en el hospital Long Crawford a causa de su ataque al corazón, voló hacia Saint John. El doctor Willie le había dado las señas de un cardiólogo de Saint Thomas.

Cuarenta y siete

No telefoneó a Conchita Crystal, sino que le envió un talón para devolverle el dinero, tras haberle descontado gastos, incluidos los veinte mil dólares que pagó por el Isuzu Rodeo que llevaba bastante tiempo aparcado en el garaje del aeropuerto de Albuquerque. Aunque no le faltaban ganas, no era lo suficientemente rico como para olvidarse de las dietas. Además del coche, los viajes le habían supuesto más de treinta mil dólares. Incluyó una nota en la que le explicaba las razones por las que había tomado tal decisión y lo incómodo que se sentía por no reintegrarle la suma por completo. A decir verdad, no tenía por qué haberlo hecho. Ella nunca ingresaría el talón ni tampoco se pondría en contacto con él.

Billy y Walter no dijeron nada acerca de Tucker Poesy. Bastó con una simple mirada el día en que Walter regresó. No le cabía duda de que su amigo le habría dicho algo en el caso de que hubiese surgido alguna complicación. El viaje de vuelta se había cobrado su peaje. El vuelo desde Atlanta, el taxi hasta el transbordador, la travesía hasta Saint John... Había que tener en cuenta todo eso. Walter se sentía débil y cansado cuando cruzó el umbral del bar. Ike se sorprendió al verlo tan demudado, con aquellas ojeras, tan delgado y envejecido. Jamás se lo imaginó en aquel estado. Billy no estaba menos preocupado. Sólo Dios sabía por lo que habría pasado. Una semana después, seguía igual. ¿Qué le habrían hecho? Helen, sin embargo, se olió el problema: un ataque al corazón. Eso debió de ser. Convenció a todos de que estaba en lo cierto y que no temiesen por Walter porque se recuperaría pronto. Tan sólo debía guardar un poco de reposo. «Quizás le lleve unos días o un poco más», les aseguró. Sus amigos le recomendaron que se hiciese una revisión en el caso de que aún no lo hubiese pensado. Pero, como era de esperar, no lo hizo. Saint John es una isla pequeña y todo el mundo se conoce. En cierto modo, todos formaban una gran familia. «Ya nos veremos, chicos», les dijo mientras se sentaba en la terraza para esperar a Sonny, quien debía llevarlo de vuelta a casa.

Los exploradores suelen irse a principios de marzo y, sobre todo, en abril. Por esa época, se alquilan menos viviendas, ya que los propietarios prefieren a los inquilinos que vienen a pasar unos pocos días, como un fin de semana, en lugar de los quince que se exigen como mínimo durante la temporada alta. Por eso los precios en Westlin y

Caneel Bay no son demasiado escandalosos. Después de febrero, el Billy's no suele llenarse hasta la hora del almuerzo. Walter se recuperó con rapidez... para lo que se puede esperar de un hombre de su edad. El doctor Willie sabía de lo que estaba hablando. Era conveniente que pasease y, como la zona en la que residía era demasiado accidentada, solía conducir hasta la playa para caminar por la arena de un lado a otro. Daba igual hacerlo en la superficie que dentro del agua: el esfuerzo era el mismo y le iba bien para equilibrar la estamina y, sobre todo, recuperar fuerzas. A medida que fue encontrándose mejor, alargó las sesiones hasta el extremo de practicarlas dos veces al día: a primera hora de la mañana, antes del desayuno, y al atardecer. Denise, por su parte, demostró estar a la altura de su tía. A pesar de que tenía treinta años menos que su jefe, tomó las riendas de la casa y la llevó con la misma autoridad y maestría que la difunta Clara. Cocinaba, limpiaba y se ocupaba de Walter, quien se sentía muy feliz. La necesitaba. El doctor Willy acertó de nuevo: bastaron seis semanas. Sin embargo, durante todo ese tiempo no dejaba de pensar en lo que había ocurrido. Estaba obsesionado con el Cowboy.

Tal como había podido comprobar, había tres bandos: Devereaux, los Kennedy y los georgianos, aunque, por lo que respectaba al segundo grupo, estaba seguro de que no se trataba de la familia, sino más bien de Abby O'Malley. Tampoco se podía hablar de *georgianos* en un sentido estricto, pero ya se entendía. A fin de cuentas, sólo estaba seguro de Devereaux. Él era el principal culpable. Ese jodido hijo de la grandísima puta.

Comenzó por los Kennedy. ¿Qué hizo mal en Amsterdam? ¿De veras se equivocaron al enviarle a aquel irlandés? ¿Habrían sido capaces de asesinar a Sir Anthony y al embajador para luego acabar con Harry? ¿O quizás se hubiesen contentado con matar a éste y dejar vivos a los otros dos? ¿Quién podía desear la confesión con tanto encono? Tenían motivos de sobra: ahí estaban las visitas de Sean Dooley y Abby O'Malley. Si hubiese sido así, si los Kennedy hubiesen asesinado a Harry y hubiesen conseguido el documento, ¿cómo pudieron saber lo de Leonard Martin? Da igual quien fuera el tipo que amenazó a Isobel; estaba al tanto de que Harry podía haberse ocultado en el antiguo escondite de Leonard. Y, desde luego, sabía perfectamente que Harry tenía aquel documento. Vale, pero, entonces, ¿por qué se habían cargado a Sir Anthony y al embajador Brown? Y, si no supieron de la existencia de Harry hasta mucho después, ¿cómo dieron con él? Walter estaba seguro de que todo se debía al episodio de Amsterdam. Sean Dooley no era un asesino. ¿Por qué enviaron a alguien así? Ya habían demostrado lo que eran capaces de hacer con un anciano desvalido y una pareja de homosexuales desnudos. Si Dooley no lo había hecho, ¿qué hacía en Amsterdam? Es más: ¿cómo pudo enterarse Abby O'Malley de que estaban allí? Tuker Poesy lo sabía. Era evidente que Devereaux se lo había dicho. Pero Abby O'Malley... ¿Quién se lo contó? Se sentía anonadado ante tantas preguntas. Acostumbrado por décadas de experiencia, colocó todas las piezas del rompecabezas y aguardó a que encajasen correctamente.

Walter no podía quitarse de la cabeza la idea de que ellos lo descubrieron a él, no a Harry Levine. Nunca se perdonaría aquel error. Él los había llevado a Harry, daba igual si se encontraba en Holanda como en Nuevo México. ¡Dios! Si Harry se hubiese quedado en casa, quién sabe, quizás hubiese podido esconderse en algún lugar y aún estaría vivo. Walter nadaba en un mar de dudas. Si no se hubiese dejado impresionar por la actuación de Conchita Crystal —¿de qué se trataba si no?—, si le hubiese dicho que no, si jamás hubiese dado con Harry... ¡Mierda! ¡Pero qué gilipollas! Aat tenía razón. No era más que un viejo chocho. Devereaux le tomó el pelo en Atlanta. Y la tipa aquella, en Amsterdam. ¿Acaso le habían controlado durante toda la investigación? ¿Estaba todo perdido de antemano? Ike también estaba en lo cierto: debía haberse retirado.

Leonard Martin había cambiado mucho: con cuarenta kilos menos, el cabello corto y su barba, vaqueros, botas y un sombrero de ala ancha en lugar de traje y corbata... Sí, pensó, estaba mucho mejor así. Se había convertido en un hombre distinto. Era el Cowboy. No en vano, Walter había hecho algo similar: tras un ataque al corazón y una operación de *bypass,* estaba cambiado. ¿Sesenta? Y una mierda: se sentía como si tuviese cuarenta. No tenía un corazón nuevo, pero se parecía bastante. Revascularización... Así lo llamaban, aunque más bien deberían emplear la palabra *revitalización.* En cierto modo, al igual que Leonard Martin, había cambiado. Tal como Billy le había dicho, estaba mejor que Tommy John. Transformado. ¿Y si fuese el Cowboy? ¿Por qué no?

Harry Levine no era pariente suyo. De hecho, no podía decirse que lo conociese demasiado bien, por mucho que se viaje a su lado por medio mundo mientras unos asesinos siguen el rastro. No, no le era demasiado familiar. Sin embargo, sí que se sentía responsable. Le habían contratado para que lo protegiese, no para que lo entregase. La situación había empeorado. Las cosas no siempre salían bien y no todos los clientes acababan satisfechos, pero todavía quedaba por ver si aquel asesinato quedaría impune. No le gustaba hacer el tonto, y menos a costa de la vida de otro. Tenía un deber, una obligación. Walter decidió que debía encontrar al asesino de Harry Levine y, cuando lo hiciese... Ya se vería. ¿Y si fuese el Cowboy?

258

Cuarenta y ocho

—Tienes muy buen aspecto —le dijo Ike—. Un par de meses aquí y estarás como nuevo.

Se refería a Saint John, como todo el mundo sabía. Desde su taburete, Walter asintió en señal de agradecimiento. Hacía mucho tiempo ya que ambos amigos habían demarcado su territorio. De hecho, cuando Walter llegó al bar por primera vez, Ike ya se había apoderado de su mesa. Al responsable del Billy's —ni al del Frogman's, pues así se llamaba antes el local— aquello le traía sin cuidado. El propietario, un tal Jorge Castillo, vivía en Saint Thomas, aunque había venido de Kansas City, Milwaukee o algún lugar por el estilo. Las Islas Vírgenes estaban llenas de estadounidenses procedentes de todas partes y que, por razones de las que muchos no estaban dispuestos a hablar, no tenían demasiadas ganas de abandonar. Cuando Billy adquirió el bar, no hizo ningún cambio. Mantuvo las mesas y el resto del mobiliario, incluidos los taburetes. En cierto modo, podía considerarse como una especie de reconocimiento al hecho de que Walter y Ike llevaban más tiempo allí. El anfitrión y sus ayudantes estaban dispuestos a transigir en lo posible a fin de mantener a sus parroquianos. Billy no lo dudó por un momento. De hecho, le gustaba así. Desde su mesa, Ike pensaba que su amigo, acodado en la barra, tenía un aspecto cada vez más saludable.

—Estás muy bien —le aseguró de nuevo.

—Esa operación, Walter —le espetó Billy—, creo que te ha dejado mejor de lo que estabas. ¿No crees?

—Sí —le respondió Walter—, sí, claro. Aunque Ike también tiene razón. ¿A que tengo buen aspecto? —su sonrisa no tardó mucho en convertirse en una sonora carcajada—. Lo pienso muy en serio. Yo creo que es cosa de Saint John. Si viviese en Cleveland o en algún sitio por el estilo, estoy seguro de que no me encontraría tan bien. Gracias, de veras.

—Joder, Walter. Lo mismo nos pasa a nosotros —rió Billy, satisfecho con su observación, si bien estaba muy contento al ver a su amigo recuperado.

—Un sabio, Billy —terció Ike—, definitivamente, eres un sabio.

Billy Smith —William Mantkowski en su vida anterior— sabía un poco de recuperaciones milagrosas. En más de una ocasión había visto a tipos —él mismo, sin ir más lejos— heridos hasta el punto de que nadie diría que lograrían salvarse o, al menos, volver al estado en el que se encontraban antes de padecer el percance. Tenía bastante experiencia por lo que a fármacos y médicos se trataba. Estaba tan seguro como de que el día tiene veinticuatro horas de que la buena comida, el amor de Dios y la amorosa mano de Jesús podían hacer maravillas a la hora de que su amigo recobrase la salud. Aunque quizás Walter no hubiese rezado, Billy estaba seguro de que sus plegarias habían bastado.

—Te quitaron algo de la pierna, ¿verdad?

—Sí, y me lo colocaron en el corazón.

—Un *bypass* —aclaró Ike mientras se llenaba los pulmones con el humo de un cigarro que a buen seguro habría matado a un fumador novato—. No hay nada como dar un rodeo.

—Y que lo digas —reconoció Walter.

—Como lo de Tommy John.

—¿Otra vez con Tommy John, Billy?

—Mira, Ike —dejó el trapo sobre la caja registradora y tendió ambas manos hacia el anciano—, además de los negratas, hay otros jugadores de béisbol. Como Tommy John.

—Un blanquito, ¿eh? El único del que puedes hablar, ¿eh? Debe de ser tu favorito o algo parecido, ¿verdad?

—Un blanquito, ¿eh? —se burló Billy—. Tommy John se jodió el brazo. Ya sabéis de qué hablo. Sin embargo, lo operaron y le pusieron algo que le sacaron de la pierna para arreglárselo. No sé si era cosa del codo o el hombro o qué sé yo. El caso es que se recuperó y volvió a jugar. Y mejor que nunca. Mucho mejor.

—Tommy John —rió Ike—... ¡Pero si ése es un nombre de negro! —y soltó otra carcajada—. Walter, ¿te encuentras mejor? Antes eras bastante hablador... Me gustaría que tuvieses muy claro que te veo mucho mejor. ¿Entiendes?

—Claro, Ike. Gracias de nuevo.

—¿Sabes? —el anciano movió la cabeza con gesto triste—. Antes, la última vez que viniste... Llegaste en un estado... No sé... Caminabas... Caminabas como si estuvieses realmente hecho polvo.

—Ahora me siento muchísimo mejor —y sonrió—. El hecho de vivir aquí... La arena... El agua... El clima... La comida de Billy, claro y... —alzó la botella de Diet Coke—. No hay nada como esto.

—Y Denise —añadió Helen desde la bodega para vinos, una de las nuevas adquisiciones del Billy's.

—Sí, claro —aceptó Ike—. Denise. Una buena chica. De nuevo, Walter alzó la botella. No había nada más que decir. Una buena chica.

—Bueno, bueno, pero —terció Billy, quien se resistía a dejar la conversación a medias— Tommy John era un buen *pitcher*. El mejor, incluso. Y no porque lo diga yo. La cirugía le fue de fábula —y lanzó una mirada a Ike—, eso lo saben todos los que entienden un poco de esto.

—Pero hay otros... —le interrumpió Ike, mientras tosía y se limpiaba una flema con una de las servilletas que tenía sobre la mesa.

Después, no sin cierta dificultad, aspiró profundamente y dio una nueva calada al cigarro. Una nube de humo salió por su boca y su nariz al mismo tiempo, como si ardiese por dentro—. Hay otros más famosos que han hecho más que ese Tommy John.

Helen miró compungida al anciano. Nadie lo convencería para que cambiase, ni ahora, ni nunca. Aquellos cigarros lo matarían. De eso estaba segura.

—¡Mierda! —gritó Billy.

—Ike —terció Walter—, ¿has oído hablar de esos monjes budistas que se pegaban fuego en Vietnam?

—Claro —le respondió—. Buena gente.

Sin embargo, volvieron a hablar de Tommy John y la operación de marras. Billy se quedó solo defendiendo su postura.

—Fijaos que hasta le han dado su nombre. Como la enfermedad de Lou Gehrig.

—Jim Brown —replicó Ike y se tomó un respiro que pareció durar demasiado.

—¿Jim Brown? ¿Qué pasa con él?

—Te lo explicaré Walter: Jim Brown es más famoso por lo que hizo después de dejar el fútbol que por su carrera como jugador.

—¿Y eso? —interrumpió Helen—. ¿Se dedicaba a echar a las mujeres por el balcón?

—Eso mismo.

—¿Cómo que eso mismo? ¡Joder, Ike! —Helen estaba más que enfadada con aquella observación.

—No estoy de acuerdo, Ike —le contestó Walter—. Jim Brown, a pesar de todo, Helen, fue el mejor jugador que haya habido nunca en la Liga Nacional de Fútbol. El número 32 de los Cleveland Browns. Nada de lo que haya podido hacer después, películas y otras cosas por el estilo, sean buenas o malas, podrán empañar su fama. Además, ya hemos hablado en otras ocasiones de gente así, como...

—Mike Tyson —aulló Billy—. Mike Tyson. Iba a hablar de Michael Jackson, pero ése todavía está más loco que Mike Tyson. Demasiado como para hablar de él.

—Bueno, ¿y qué me decís de Ronald Reagan? —propuso el anciano.

—Ahora te oigo, Ike —asintió Helen—. Más famoso por ser presidente de Estados Unidos que por su carrera como actor de segunda o tercera fila. Muy bueno, Ike —el anciano le lanzó una de sus sonrisas habituales, con aquellos dientes tan amarillos como su gorra que, por cierto, aquel día llevaba el logo de John Deere. Se trataba de una de sus bromas más conocidas. En toda la isla no había más de media docena de aparatos de esa marca y todos, probablemente, serían máquinas para cortar el césped.

—O Kennedy —asintió Billy.

—¿Kennedy? ¿Por qué? ¿A cuál te refieres?

—A cualquiera de ellos, Helen. Los dos son más famosos por la manera en que murieron que por lo que hicieron en vida.

—Pero, Billy, John F. Kennedy fue presidente de Estados Unidos. ¿Se puede ser más famoso?

—Claro, y cuando te acuerdas de él, ¿en qué piensas? Venga, no te quedes ahí pasmado. ¿En qué piensas? En eso, y tú lo sabes. En lo mismo que su hermano Bobby.

—Billy, ¿sabes quién es Roosevelt Grier?

—Pues claro, Walter.

—Bueno, desde que has sacado a colación a los Kennedy, no he dejado de pensar en Rosey Grier. Ya era famoso en sus tiempos de deportista, pero cuando atrapó al asesino de Robert Kennedy, Sirhan Sirhan...

—Ya me acuerdo —asintió Ike—. Saltó sobre aquel tipo, justo en la misma cocina donde le había disparado. Muy bueno, Walter.

Billy rompió el silencio que se había hecho entre ellos con una pregunta:

—¿Quieres que lo escriba?

—Anótame lo de Roosevelt Grier... Si no te importa, Walter. Gracias.

—Pondré también lo de Tommy John —dijo Billy lentamente, como si no estuviese demasiado seguro de ello—. Walter, ¿qué pasa?

—No, no lo escribas. Todavía no. Sabes que los Kennedy eran famosos antes de su muerte. Vale. Lo mismo pasa con Wild Bill Hickok.

—¿Wild Bill Hickok?

—Eso mismo, Billy. Ases y ochos.

—Vale ya, chicos —les advirtió Ike—. Eso se nos va de las manos. Me entendéis, ¿no? Billy, tú dices los Kennedy. Los dos. Y tú, Walter, Wild Bill Hickok, que me parece bien. Bueno, pues yo digo John Lennon.

—Un poco por los pelos, ¿no? Joder, que era un Beatle.

—Si no te gusta, Walter, no lo votes. Venga, Billy, escríbelo.

En la pizarra que había al lado de la caja registradora, Billy garabateó KENNEDYS / WILD BILL / THE BEATLES.

—¿Los Beatles? No era eso lo que yo decía, pero bueno —concedió el anciano de la gorra ridícula—. Aunque no están todos muertos, ya les llegará la hora.

—¿Y qué demuestra todo eso? —preguntó Helen mientras señalaba la pizarra—. No estoy segura de que tenga mucha relación.

—Ahí queda —sentenció Ike—. Nunca puedes saber si te ayudará a recordar algo, ¿no es cierto, Walter?

—Y que lo digas, viejo amigo, y que lo digas —asintió Walter. Helen no parecía demasiado convencida.

Cuarenta y nueve

Tras llegar a Boston, Walter dedicó un par de días hablando con ciertas personas. Algunas trabajaban en Harvard y otras, en el sector financiero. Él también tenía clientes allí. En particular, uno de ellos, una mujer madura que pertenecía a una de las familias más distinguidas de Nueva Inglaterra —no como esos nuevos ricos de los Kennedy— lo ayudó con gusto. A fin de cuentas, no eran pocos los protestantes, cuyos orígenes se remontaban al período colonial, que odiaban a los irlandeses. Además, Walter fue el único que estuvo a su lado cuando creyó que todo se le venía abajo. Resolvió su problema y ella se sintió a partir de ese momento en deuda con él, por lo que le estaba muy agradecida de que le ofreciese aquella oportunidad. Deseaba saber todo lo posible acerca de Abby O'Malley: quiénes eran sus amigos, dónde solía gastarse el dinero, cuánto y, sobre todo, con quién solía hablar por teléfono, tanto por el fijo como por el móvil. No costaría demasiado descubrirlo. Pedía mucho menos de lo que él le dio. En esos casos, tan sólo hace falta tener los contactos necesarios y disponer de bastante dinero.

—¿Le gustaría que contratase los servicios de un detective?

—No quisiera que hiciese nada que llamase la atención de Miss O'Malley.

—Por supuesto que no. Jamás haría nada que lo molestase, Walter. Ya sabe lo agradecida que soy.

Le comentó que deseaba pagar a un investigador privado de prestigio para que llevase ciertas gestiones con la mayor discreción posible. De hecho, ella sería la única en estar al tanto de sus progresos y, al cumplir con el encargo, se comprometía a destruir todas las pruebas y conclusiones. «Sabia decisión», sentenció Walter. No quedaría ni un mal informe. Según le indicó, tan pronto hallase algo que pudiera serle útil, se pondría en contacto con él. Walter le dio las gracias y le comentó que se quedaría en Boston durante algunos días. Esperaría su llamada. No le preguntó por su hija. No era su estilo.

Sean Dooley se llevó una buena sorpresa al oír la voz de Walter. No es muy normal que, un domingo por la tarde, te telefonee el hombre que te ha encañonado con su pistola, te ha obligado a quitarte la ropa y a tumbarte en el suelo y, por si fuera poco, amenazado con pisotearte las pelotas

—¿Te acuerdas de mí, Sean?

—Por supuesto.

—Muy bien. Necesito que me hagas un favor.

—¿Un qué? ¿Un favor? ¿Yo?

—Háblame de Abby O'Malley.

—¿Qué quiere que le cuente?

—Todo. Venga, te escucho.

No pudo explicarle demasiado. Dooley le aclaró que nunca la había visto. Habían hablado unas cuantas veces, pero nunca cara a cara. Siempre por teléfono.

—¿Cómo podría contactar con ella?

—No tengo ni idea.

—¿Cómo que no tienes ni idea? ¿Hablas por teléfono con un extraño y no sabes cómo llamarlo?

—Mira, cuando te ofrecen tanta pasta, todo te da igual.

—¿De qué me hablas?

—Me pagaba muy bien por vigilar al viejo aquél. El inglés, un *lord* o algo así. Nunca me explicarón por qué. Tan sólo tenía que seguirlo, ver adónde iba, redactar un informe explicando qué hacía... Cosas de ésas.

—¿Cuántas veces te colaste en algún sitio?

—Unas cuantas. He estado en bastantes.

—¿En el mismo sitio donde estaba el viejo?

—Eso es. Pero nunca me pilló.

No necesitaba hacer ninguna llamada para saber algo de Louis Devereaux. Disponía de un montón de información. Toda oficial: Yale, Universidad de Chicago, CIA... Evidentemente, la preparación de su currículum le llevó bastante tiempo, sobre todo a la hora de seguir sus pasos en la Agencia Central de Inteligencia. Sin embargo, era consciente de que era muy difícil, por no decir imposible, dar con la verdad que se ocultaba tras todo aquello. No era un trabajo fácil. A medida que iba leyendo, se dio cuenta de que Devereaux había sido sincero durante su pasado encuentro en Atlanta. Los hombres de su clase no suelen perder el tiempo con mentiras pequeñas, pensó. Devereaux ansiaba tener la confesión en su poder. Pero ¿por qué? Walter estaba seguro de que iba por su cuenta. Que la CIA estuviese detrás de todo lo ocurrido era bastante inverosímil. No: era Devereaux. A pesar de ello, no acertaba a comprender el motivo. ¿Qué le hacía desear con tanto encono aquel documento? ¿Por qué estaba dispuesto a matar por él?

Walter consideró la situación, la secuencia de acontecimientos que le había llevado hasta aquel punto. Quizás se trataba de un encargo personal del presidente de Estados Unidos. De todos modos, si era él quien deseaba el documento y estaba al tanto de que lo tenía Harry Levine, ¿qué le costaba pedirlo? Tal vez lo hiciese. Quizás el presidente ordenó a Devereaux que se ocupase de todo. Se trataba de una posibilidad que convenía tener en cuenta. Harry nunca se lo mencionó. Jamás le comentó que el presidente le hubiese indicado cómo debía actuar.

No cabía duda, pensó: era Devereaux. Tenía que serlo. Por un momento se lo imaginó como un asesino, uno de los buenos. No estaba seguro de a qué se dedicaba en la CIA, pero sabía que Tucker Poesy trabajaba para él y lo hacía bien, aunque quizás estuviera de capa caída tras sus últimos fallos, sobre todo tras el episodio ocurrido en Saint John. Su aparente ineptitud le había costado muy cara: una mandíbula casi rota y una semana atada a una silla, completamente desnuda, sin poder alimentarse ni lavarse por su cuenta, haciéndoselo todo encima y, por si fuera poco, sin saber qué ocurriría después. Había pagado un alto precio, pero allí estaba. Y no había matado a Harry, aunque se atrevió a encañonarlo en su propia casa. Diez años antes, lo habría dejado seco sin dudarlo. ¡Que se joda!, pensó, no sin una cierta desazón.

Había algo en Abby O'Malley y Louis Devereaux que no acertaba a comprender, si bien Walter confiaba en desvelar todas aquellas incógnitas con prontitud. Los georgianos le planteaban mayores dificultades. Walter no tenía ni idea de quiénes podían ser. Tan sólo Aminette Messadou. Hasta aquel momento, desconocía por completo las historias de su tío abuelo y su exilio. Tampoco estaba muy al tanto de lo ocurrido durante la Revolución Rusa, salvo que los comunistas arramblaron con todo. Ni siquiera conocía el nombre del zar. No había visto la película y lo de la Federación Transnosequé le sonaba a chino.

Tras varias horas de búsqueda por internet, Walter telefoneó al doctor E. Bard Leon, profesor del Marlboro College, en Vermont. Tenía una extraña habilidad —que había desarrollado a lo largo del tiempo— a la hora de ponerse en contacto con un extraño y hacerle cualquier tipo de consulta. A pesar de que corría el riesgo de que le dieran con la puerta en las narices, solía salirse con la suya. Al igual que muchos otros, el profesor Leon aceptó con sumo gusto la visita de Walter. El trayecto de Boston a Marlboro, a unas cuantas millas de Brattleboro, fue una grata excursión. Antes de dirigirse al campus, se detuvo ante un pequeño restaurante que había a un lado de la carretera, un viejo edificio de madera —no una de esas moderneces de aluminio—, y se zampó un buen plato de macarrones con auténtico queso cheddar de Vermont. Los mejores que comió en su vida.

El profesor Leon resultó ser un aficionado a los largos paseos, además de un enamorado de la naturaleza, uno de esos hombres de mediana edad a los que les gusta vestir pantalones de algodón un tanto raídos y calzar botas de montaña. Llevaba el pelo largo, más que

Walter, aunque tan canoso como el suyo. Caminaron por el campus mientras conversaban. Por un momento, Walter pensó que quizás sería conveniente explicarle que se estaba recuperando de una operación de *bypass,* pero optó por no decirle nada. En el caso de que se cansara demasiado, se detendría y se lo contaría.

—Jamal-Adín Messadou era más que un alto dignatario. Era, sin duda, un hombre notable —el profesor Leon había escrito seis libros sobre historia de Rusia, incluida una biografía en dos volúmenes sobre el último zar, y otro más sobre la ya olvidada Federación Transcaucásica. Disfrutaba ante la posibilidad de hablar largo y tendido sobre aquellas cuestiones, y Walter lo escuchó atentamente durante más de una hora mientras daban vueltas por el campus y, luego, tomaron uno de los caminos que lo conectaban con la carretera. Iban poco a poco, por lo que Walter no se sintió especialmente cansado. Todo lo que Aminette Messadou había dicho se acercaba bastante a lo que el profesor le contaba. La llegada del georgiano causó un gran revuelo en Europa.

—¿Y qué ocurrió con la fortuna personal de Jamal-Adín Messadou? Ya sabe, las joyas, el oro... —preguntó Walter—. ¿Cómo se las apañó para salir del país antes de que los bolcheviques se hiciesen con el poder?

El doctor E. Bard Leon, un distinguido profesor de Historia de uno de los centros universitarios más prestigiosos del país, lo miró como si hubiese descubierto que la persona con la que hablaba no sabía nada de nada. No se las llevó a Occidente.

—No, no era ésa la razón de tanto alboroto. No, no, señor Sherman. No era eso lo que Jamal-Adín se trajo a Europa. Permítame que le hable de Solly Joel.

A juzgar por lo que le explicó, Jamal-Adín había acumulado varias toneladas de monedas de diez rublos acuñadas con la efigie del zar Nicolás II.

—¡Toneladas! —chilló mientras sonreía—. ¿Puede imaginarlo?

Todo aquel oro serviría para costear la independencia de Georgia y constituir la malhadada Federación Transcaucásica. El yerno de Jamal-Adín, Frederick Lacey, fue de gran ayuda para la joven nación. Insistió en la conveniencia de negociar acuerdos de comercio internacional que garantizasen el suministro de cuantas materias primas necesitase a cambio de ese oro. A pesar de que el valor facial de las monedas era nulo en el Reino Unido, Holanda, Italia o cualquier otro país europeo, el oro seguía siendo aceptado. Y cada una tenía 0,2489 onzas. Jamás se rechazó uno de tales pagos.

Con la ayuda del profesor Bard Leon, Walter conoció la historia de la Georgia independiente de Jamal-Adín. En 1917 el país estableció con sus vecinos la llamada Federación Transcaucásica. Durante la primavera del año siguiente, ya había quedado claro que el proyecto era inviable. En mayo de 1918 Georgia declaró su independencia. La Federación de Georgia, Azerbayán y Daguestán se vino abajo. Nunca se alcanzó la estabilidad necesaria y la región se hundió en el caos y acabó arrastrada por la guerra. A principios de 1920, cuando británicos y estadounidenses ordenaron la retirada de sus fuerzas expedicionarias de Rusia —«¿cuántas personas cree que estaban al tanto de lo ocurrido?», le preguntó a Walter—, el destino de Georgia quedó sentenciado. El joven país sucumbió ante el ejército ruso el 25 de febrero de 1921. El profesor Leon le hizo una descripción pormenorizada de la huida de Jamal-Adín a través del paso de Klujori y el papel decisivo de Lacey, quien botó tres barcos para evacuar a la mayor parte de los soldados, sus familias y las personas que pudiesen viajar en el puente y las bodegas.

Pero lo más importante comenzaba a partir de ese momento, le aseguró Leon. Al parecer, circulaba toda suerte de habladurías, aceptadas en parte por unos cuantos historiadores, según las cuales Jamal-Adín había zarpado con la mayor parte de aquella inmensa fortuna. Sólo alguien como Lacey —quien, al fin y al cabo, era pariente suyo— podía haberlo logrado. En Europa, quienes hacían algún tipo de transacción con el georgiano, siempre recibían pagos con aquellas monedas. Incluso se decía que el georgiano se había llevado consigo más de ocho toneladas de oro. Lacey había tomado parte y se convirtió en el principal administrador de aquella fortuna. Todo el mundo sabía que el oro estaba seguro en sus manos. Si Jamal-Adín era un hombre de una pieza, Frederick Lacey inspiraba el respeto y el temor entre los bandidos, daba igual si aparecía a lomos de un caballo espléndido o vestido con traje y corbata. Tras aquella larga lección, Walter comprendió que la importancia del documento no estribaba tanto en la confesión del asesinato de Kennedy como en la descripción del lugar preciso en el que se encontraba la fabulosa suma de oro. En sus páginas se ocultaba el secreto de un tesoro valorado en cientos de millones de dólares.

Cincuenta

Había tres bolas en el aire y, aunque Walter no se había decantado por ninguna, debía elegir con rapidez. Prefirió esperar un poco más. De momento, los datos que había recogido le ayudarían a inclinar la balanza a un lado o a otro, pero no la equilibrarían. El procedimiento de siempre. Ya vendría el momento de juzgar, cuanto tuviese toda la información bien ordenada y pudiese llegar a una conclusión con plenas garantías. La estancia en Vermont había valido la pena. La opción «Georgia» cada vez tenía más fuerza. En el caso de que Solly Joel tuviese razón, Lacey podría haber ocultado una cantidad de oro por valor de unos cinco millones y medio de dólares... de su época, lo cual, a precios actuales, rebasaría con creces los trescientos. No era extraño que hubiese gente dispuesta a todo para hacerse con aquella fortuna. Y después estaban los otros, menos interesados en el dinero... pero igualmente decididos a llegar hasta el final. Walter estaba seguro de que ambas partes serían capaces de matar por lograr sus respectivos fines. Los georgianos quizás fuesen los candidatos más firmes. Necesitaba dar con ellos cuanto antes. Pero antes debía hacer algo. No se trataba de una cuestión personal, sino estrictamente profesional.

Telefoneó a Isobel Gitlin.

La primera vez que habló con ella ocurrió hace muchos años, a raíz del caso de Leonard Martin. Por aquella época, Isobel escribía obituarios para el *New York Times*. Le sorprendió mucho su tenacidad a la hora de afirmar que los tres primeros asesinatos se debían a la misma persona. Nadie, salvo ella, había conseguido identificar al presunto culpable. No hacía mucho que la policía detuvo a un hombre, natural de Tennessee, al que achacaron la muerte de la tercera víctima de Leonard. Isobel estaba segura de que los agentes estaban completamente equivocados. Walter, como era de esperar, no dudaba de su hipótesis. Sin embargo, cuando le encomendaron que diese con él, decidió hacerlo por su cuenta. «Tienes razón», diría más tarde a Isobel y le explicó también que, por su edad, podría ser su padre y que no se preocupase de nada. Estaba en lo cierto. ¿Acaso debería temer algo de aquella joven? Cuando se vieron, ella le comentó que llevaba una pistola. Qué mona.

Cinco años puede ser mucho tiempo. Sin embargo, la conversación duró poco. Walter notó una cierta tensión en su voz, y ella, también. Isobel se mostró muy educada, tal como era de esperar, y, sí, le parecía bien quedar con él. Donde quisiera. Acordaron verse al día siguiente en Atlanta. Nada más colgar, Isobel, aún sentada frente a la enorme mesa de su despacho, se acordó de Nueva York, del secuestro y de la entrevista con Leonard Martin. Cuanto aquella extraña aventura llegó a su fin y se encontró por fin en su casa, a buen recaudo, telefoneó a Walter, quien, tras escucharla con atención, le comunicó que tomaría el primer vuelo a Saint John. Al día siguiente. A pesar de que el tiempo pasa rápidamente, Isobel tenía la impresión de que Walter le diría algo parecido. ¿Qué podría decir? ¿Se iría con él? De momento, se habían citado en un lugar llamado Malone's, un restaurante cercano al aeropuerto. Le indicó que la vería a las tres y media, demasiado tarde para comer y demasiado pronto para cenar. Una buena manera de asegurarse de que el local estaría bastante vacío. Así tendrían toda la intimidad que necesitaban. Cuando llegase, Walter la estaría esperando. «Búscame.» Y nada más: una despedida rápida y un largo día de espera... para los dos.

Uno siempre ha de enfrentarse a lo que conoce, no a lo que piensa, y, aunque Walter no pensaba caer en el mismo error de siempre, no las tenía todas consigo. Especular, en aquellas circunstancias, era demasiado peligroso. Siempre lo había sido. Mejor atenerse a los hechos: Harry Levine estaba muerto. Si lo habían descubierto, era por causa de Isobel, que se desmoronó cuando la intimidaron. Fuese quien fuese el tipo que la amenazó con cortar los dedos a su marido, no cabía duda de que formaba parte de todo aquello. ¿Se trataba de un hecho? Quizás. Walter iba a seguir aquella pista, tal como lo había hecho durante cuarenta años. Lo mejor sería no pensar en Isobel. Al menos por el momento. Debía evitar cualquier tipo de implicación emocional —uno de los secretos de su éxito—. Si esperaba descubrir al asesino de Harry, debía mantener la cabeza bien fría. Guardó la imagen de Isobel en el fondo más recóndito de su alma y se dedicó a pensar en Gloria, lo cual no lo calmó demasiado.

Isobel estaba al tanto del secreto que guardaba Leonard Martin y no estaba dispuesta a desvelarlo. Walter la había traicionado y, en cierto modo, echado de su lado. Cargar con tantas responsabilidades no era fácil y llegó el momento en que Walter perdió el control. Ocurrió algo parecido con Gloria. El encuentro en Il Localino lo cogió por sorpresa y se puso demasiado nervioso, algo que Devereaux no consiguió durante toda la velada. Debía evitar que ocurriese de nuevo.

—¡Caramba! —exclamó mientras se acercaba a la mesa donde Walter estaba sentado—. E-e-estás fantástico.

—Me alegro de verte, Isobel. Pero... siéntate, por favor.

Tanta formalidad la puso en guardia. La mirada de Walter había recuperado su entereza. Parecía más joven, oh sí, mucho más que cuando se cruzaron a la entrada de Il Localino. Tenía mejor aspecto que el que recordaba. Deseaba saber qué le había sucedido, por qué estaba tan cambiado, aunque tenía muy claro que aquella cita no era precisamente un encuentro amistoso.

—Por favor, siéntate —sin duda, se trataba de algo serio.

Después de que la camarera se hubiese marchado, Walter miró nuevamente a Isobel, quien, tras dudar un poco, había pedido una copa de merlot y un bocadillo de ternera con patatas fritas. Walter, como de costumbre, tenía delante una Diet Coke y esperaba tranquilo a que le trajesen su comida. Isobel estaba ansiosa por preguntar qué había pasado, qué había sido de Harry Levine, pero temía la respuesta. La mirada de aquel hombre lo decía todo. Tenía un nudo en el estómago y a duras penas soportaba tanta vergüenza, aunque no se arrepentía de nada, pues jamás permitiría que hiciesen daño a Otto.

—Lo mataron —le espetó Walter sin más.

—L-lo s-s-siento.

—No he venido para exigirte que me pidas perdón.

—Y... entonces... ¿por qué...?

Sintió un leve espasmo. ¿Cómo podía hacer una pregunta como aquella? ¡Maldita sea! Esperaba decirle algo como «por ti, he venido por ti». Pero... pero ¡qué gilipollas!

—Necesito saber quién era el tipo que os amenazó a tu marido y a ti. Tengo que atraparlo, esté donde esté. Gracias a él podré atrapar a esa gente, aunque por ahora no sé ni quiénes son.

—Walter, ¿de qué me estás hablando?

—Lo sabes. ¿Quién es Harry Levine? Mejor dicho: ¿quién *era?*

—Si me lo dijeses, sería una buena manera de comenzar.

Walter le habló de Harry, de su trabajo como miembro del Servicio Exterior en Londres y de las circunstancias que lo llevaron a acudir al despacho de Sir Anthony Wells. También mencionó el documento que había escrito Lacey y, casi de pasada, le comentó que estaba relacionado con el misterio que rodeaba el asesinato de Kennedy. No tardó demasiado en darse cuenta de que Isobel le creía, lo cual le agradó. Había gente dispuesta a cualquier cosa con tal de obtenerlo o de evitar que se hiciese público. Le explicó asimismo que había encontrado a Harry en Europa y que se lo llevó a Nuevo México para mantenerlo a salvo. Eso era todo. No dijo nada de Conchita Crystal. Después de todo, ella había contratado sus servicios y, aunque le había devuelto el dinero, la consideraba su cliente, por lo que se sentía obligado a mantener su identidad en secreto. Sin embargo, la puso al corriente sobre la relación que hubo entre Frederick Lacey y Joseph P. Kennedy. Le repitió todo cuanto Harry le contó acerca de los sucesos ocurridos en el verano de 1940 y, en especial, con el suicidio de Audrey Lacey, pero omitió todo lo referente a la esposa de Lacey y el resto de la familia. Consideraba que, dada la situación, era más importante ponerla al corriente de Devereaux, al que se refirió varias veces llamándolo por su nombre. Le aclaró que se trataba del mismo hombre que lo acompañaba en Il Localino. Isobel no pudo ocultar su contrariedad cuando Walter se lo recordó. Sin apenas darse cuenta, ya lo sabía todo.

—Bueno, ahora nos toca hablar sobre el tipo que dijo ser Christopher Hopman.

Mientras Walter iba desgranando todos los detalles de la historia, la camarera les había servido el bocadillo de ternera y la ensalada de marisco que habían pedido. Al terminar, ella había dado cuenta de su plato, pero él ni siquiera lo había probado. Por un momento, recordó la manera en que ella se había abalanzado sobre la hamburguesa que le sirvieron en Billy's después de un largo viaje desde Nueva York. Volvió a mirarla, no sin curiosidad, y se la imaginó con aquel top rayado, comiendo con tanta ansiedad. Ahora, todo era distinto.

—Walter, ¿te acuerdas de la época que pasamos en Nueva York? En mi apartamento. Metidos en faena, trabajando duro para descubrir quién había asesinado a Hopman y el resto, intentando identificar a Leonard Martin... —La pregunta no dejaba de ser tonta. Tanto, que estuvo a punto de ofenderlo. Quizás Isobel la hizo sin esperar ninguna respuesta—. Había algo... Algo que tú no me querías contar. Un presentimiento, sí. Sobre el yerno de Leonard, Carter Lawrence, al que llamábamos *Kermit*. Tu recelo me dolió, sobre todo porque confiaba en ti y tú, en cambio, me diste la espalda. No digas que lo has olvidado porque no te creo. No es verdad.

—Claro que me acuerdo.

—Por aquel entonces me dijiste... me dijiste que me habías contado todo lo que sabías. Pero no me explicaste en qué pensabas realmente. Lo recuerdo perfectamente. Ésa era tu manera de trabajar. Eso decías. A lo mejor te supo mal hacerme aquel daño. Quizás no supiste hacerlo de otro modo, ¿no?

—Podríamos decirlo así.

—Por lo menos, has cambiado. Aun así, deberías habérmelo contado. Estoy al tanto de lo que hiciste y me hago cargo de que no era fácil trabajar con tanta presión. Pero, al parecer, esta vez has vuelto a dejarme a medias. Olvídate de todo y dime la verdad, porque tengo la sensación de que ni siquiera me has explicado la décima parte de lo que ha ocurrido.

Al oír aquellas palabras se sintió atrapado. No supo qué contestar y prefirió retomar la cuestión que tanto le preocupaba:

—Háblame de la visita —e hizo un esfuerzo por contener su ira—. Según me comentaste, aquel tipo tenía un poco de acento.

—Sí. De hecho, sospeché algo desde que... desde que...

—¿Qué acento?

—De Europa del Este, tal vez. O un poco más lejano. Asiático. De alguna parte de la Unión Soviética, o de lo que era la Unión Soviética. De la parte más occidental de Asia Central. De esas nuevas repúblicas. La gente que vive allí es más europea que asiática. Al menos, genéticamente. Son blancos. De hecho, aquel hombre era caucásico. ¿Cómo se llama esa región montañosa...?

—¿Azerbayán? ¿Daguestán? ¿Georgia? ¿Piensas en alguna de ellas? ¿La Federación Transcaucásica? ¿Venía de allí?

—¿Qué?

—He oído cómo hablan. Incluso podría señalarlo en el mapa. No me tomes por tonto, Isobel.

—Yo n-n-nunca pensaría que...

—¡Claro que sí! —no había podido contenerse. La amaba, por Dios, la amaba con locura. Hubiese cambiado por ella, pero, por desgracia, ella nunca quiso volver a su lado. Tenía un futuro prometedor y un hombre tan mayor, y tan tonto, no le sería de mucha ayuda—. ¿Quieres saber algo más? —la retó—. Pues bien: tú lo mataste. Eso es. Lo hiciste tú. Ofreciste la vida de Harry Levine a cambio de los dedos de Otto.

—No, no, no —gimió Isobel—. Yo no sabía...

—¡Y una mierda, Isobel! Eras consciente de lo que iba a pasar. El hijoputa que te amenazó quería que le entregases a Harry, y tú lo hiciste.

—Lo-lo siento —sollozó—. Lo siento, lo siento.

—Que te den —Walter sacó unos cuantos billetes de su bolsillo, los echó de mala manera sobre la mesa mientras se levantaba y se fue. «¡Dios! —pensó—. Y ahora ¿qué hago?»

Cincuenta y uno

Para Walter, Tuker Poesy era como un libro abierto. Harry le había proporcionado sus señas y, lo más importante, el número de su teléfono móvil, que pudo anotar cuando, en un descuido, se lo sacó del bolso. Aunque podría haber cambiado de aparato, no había ninguna razón para ello. A fin de cuentas, no iba a dejar su apartamento sólo porque Harry lo hubiese visto. De hecho, aquella mujer había tenido los arrestos suficientes como para dejarlo seco en su propia habitación, y Walter, en aquel momento, después de su operación, estaba dispuesto a pasarlo por alto. Ya le había dado su merecido al retenerla atada a una silla durante casi una semana. Sonrió al recordarlo. No se arrepentía de nada. Estaba seguro de que ella habría hecho lo mismo. Es más, no cabía descartar la posibilidad de que intentara vengarse, aunque habría que ver cómo lo lograba, ya que la paciencia no era una de sus virtudes. Pero volviendo a la cuestión: Walter estaba completamente seguro de que Tucker se encontraría en su casa, lamiéndose las heridas. La telefoneó a Londres. Por suerte, no había cambiado de número.

—Hola, Tucker. Soy Walter Sherman.

—¡Chupapollas hijoputa! ¿Quién coño te crees que eres? ¡A la puta mierda! Que te den si es que no te gusta. Que te folle un pez, ¡hijo de la grandísima puta!

—Pero ¿te falta un tornillo o qué?

—¡A la puta mierda!

—Tenemos que hablar. Te conviene más que a mí. No sabes nada todavía.

—¡Que te jodan!

—Vale, pero si estás tan cabreada, ¿por qué no cuelgas? —no se oyó nada al otro lado de la línea. Joder, rió Walter. Sería mejor no presionarla demasiado. Volvió a telefonear.

—¿Eres tú otra vez?

—Sí.

—Vale. ¿Qué coño quieres?

Le explicó lo suficiente, aunque no todo, como para llamarle la atención. Después, le repitió que debían verse, cara a cara, para hablar. Le indicó cómo.

—¿Quieres que vaya a verte? —le preguntó sin apenas creérselo.

—Sí. ¿Qué prefieres que haga: te golpeo de nuevo o te ato?

—Mira, viejo, no me jodas, no me jodas...

—¡Caray!

—Te lo aseguro, no...

—Nos encontraremos en un lugar seguro, un sitio donde estés a gusto. Ya me las apañaré. Voy con buenas intenciones. De verdad.

Tucker Poesy aceptó la cita. En dos días. Le dio unas instrucciones bastante precisas, aunque le dejó bien claro:

—Sin truquitos. No intentes joderme.

—Nos vemos pasado mañana.

El viaje no tuvo demasiadas complicaciones: apenas un breve salto desde Saint Thomas. Walter no tenía por qué pasar la noche fuera y evitó hacer cualquier reserva. De hecho, compró un pasaje de vuelta para aquella misma tarde. Se imaginó que estaría en casa a las nueve, quizás a las diez. A lo mejor tenía tiempo incluso de cenar en Billy's, lo cual sería magnífico. Tucker quedo con él a las tres en punto. «Si llegas un minuto tarde, me voy», le advirtió. Cómo se notaba que no lo conocía, pensó. Si había algo de lo que podía estar segura, era de su puntualidad. Siempre llegaba a tiempo a todas partes —salvo cuando sufrió el ataque al corazón—. No se esperaba que el día fuese tan soleado. Tucker no le había dicho nada acerca de sombreros o gafas de sol. Había salido sin ninguna protección y la luz caía a plomo. A lo mejor era eso lo que ella quería, aunque... ¡quién iba a maldecirla!, pensó. Al fin y al cabo, estar unos minutos así no era tan malo como permanecer atada durante casi una semana.

Todas las playas de Puerto Rico son públicas. Los lujosos hoteles en primera línea y los complejos turísticos no pueden reservar la arena para sus mejores clientes. En la zona de Isla Verde, el océano queda tapado por una ristra de enormes edificios, entre los que destaca el Hotel San Juan, uno de los establecimientos más emblemáticos del país desde hace muchos años. En sus buenos tiempos, el vestíbulo poseía una elegancia sin igual gracias al uso de maderas como el roble y el palisandro. En su casino, no menos famoso, jugaban hombres vestidos con trajes oscuros, algunos incluso con esmoquin, rodeados de bellas mujeres que seguían con ojos seductores el ir y venir de las fichas. Poco a poco, todo fue cambiando. Las reformas, sobre todo las acometidas tras la adquisición del hotel por el Wyndham Group, acabaron con buena parte del mobiliario original para sustituirlo por otro mucho más moderno y frío. Sus clientes también eran algo distintos: por aquel entonces abundaban los polos y los pantalones cortos. Las mujeres, por si fuera poco, parecían más viejas y gordas. ¿Qué se había hecho de tanta belleza? Durante el invierno, el hotel estaba lleno de neoyorkinos rojos como langostas, muchas veces acompañados de niños chillones y alborotadores. Walter prefería los hoteles antiguos, mucho más elegantes y tradicionales. Lo mismo le pasaba con los casinos.

Aunque el juego no formaba parte de sus aficiones, de vez en cuando le gustaba darse una vuelta por alguno. Le gustaba contemplar a las mujeres, así como a las personas desesperadas que son capaces de apostarlo todo a una sola carta. Se sentía atraído por ellas. Sin embargo, en aquel momento no pensaba en eso. No tenía tiempo para aquellos caprichos. El sitio donde había quedado estaba lleno de niños con sus padres, treintañeros que, a juzgar por su aspecto, debían de ganar un cuarto de millón al año, pues calzaban Nikes, llevaban pantalones Hugo Boss y gastaban dinero a espuertas, como si no les importase mucho. Las madres, con botes llenos de fichas, no dejaban de jugar a las máquinas tragaperras. No se veía ni una moneda de verdad. Aquello no era para Walter. El idilio había llegado a su fin. No obstante, se preguntó cómo era posible que alguien pagase cientos de dólares por hospedarse en un lugar como el San Juan.

Tucker Poesy le había comentado que la encontraría en la playa, a medio camino entre la zona de recreo del hotel y la orilla que estaba justo enfrente. Las tres en punto. Nadie. Tan sólo unas cuantas personas en el agua. Ni sombrero, ni gafas de sol, ni toalla. Nada, salvo su bañador. Así era el trato. De pronto, se le acercó por detrás. Llevaba un biquini de color amarillo, tan minúsculo que apenas le tapaba algo, lo cual la hacía aún más atractiva que cuando la vio desnuda —aunque, para ser sinceros, en aquella ocasión, estaba atada con cinta de embalar y tenía la mandíbula amoratada, o casi rota, a causa del puñetazo que le había propinado—. Por suerte, su rostro tenía muy buen aspecto. Ni huella.

—¡Jesús! ¿Qué le ha pasado? —y señaló la cicatriz rojiza que le cruzaba el pecho así como la otra que le subía desde la rodilla hasta la cadera.

—Un *bypass*. Da repelús, ¿eh?

—Pues sí. Parece Frankenstein. ¡Vaya mierda!

—No. La mierda es marrón y blanda. Yo, no. Ya le daré yo Frankenstein. Más bien, diría que me parezco a alguien a quien han cortado en rebanadas.

—Y que lo diga.

—Por otra parte, tiene un aspecto... espectacular.

—No habrá venido para eso. ¿En qué está pensando?

—Bueno, ahora que ha visto que no vengo armado, ¿podemos ir a un lugar más cómodo?

—Claro —había esperado aquel momento. Sabía perfectamente que, en el caso de que la cosa fuese en serio, no podrían hablar de nada en la playa. Walter le dio a entender que era importante. Ella quería saber algo más—. Vamos al bar de la piscina.

—¿Aquí, en el San Juan? Me dijo que viniera sin nada. No llevo dinero.

—No se preocupe. Ya me encargo de todo. Le invitaré a lo que quiera, aunque sigue siendo un hijoputa.

Se acomodaron bajo una sombrilla multicolor que brotaba del centro de una mesa como si de un árbol de plástico se tratase. Walter tomó el salero y empezó a hablar ante la mirada atenta de Tucker Poesy.

—Aquí es donde comenzó todo: en Schiphol —ella asintió. Acto seguido, colocó el pimentero en el extremo opuesto y la observó. Ninguno de los dos dijo nada. Entonces, de una manera un tanto juguetona, lo empujó con el dedo índice hasta que cayó al suelo. Tras un breve ruido, se hizo el silencio de nuevo—. Eso —y señaló abajo— es nuestro final.

—¿Me está diciendo que no sabe cómo va a acabar esto?

—Más bien le estoy insinuando que que nos han hecho creer que todo ha terminado —y señaló al punto donde unos instantes antes estaba el pimentero—. Ahí se suponía que todo había acabado. O, al menos, así lo pensaba alguien.

—Pero ¿hay más? —no se trataba tanto de una pregunta como de un requerimiento para que fuese más preciso. Walter asintió mientras esbozaba una sonrisa.

—He venido a explicarle lo que sé... y lo que me imagino que ha pasado. Cuando lo haga, estoy seguro de que pensará que no soy más que un viejo loco. Bueno, eso y que ha venido a Puerto Rico para invitarme a tomar una copa y nada más. Incluso es posible que suponga algo peor, pero basta con que algo de cuanto le digo tenga algún significado para usted para que el viaje haya valido la pena. Es preciso que usted y yo seamos los únicos que decidan dónde debe acabar todo.

—¿A qué se refiere con eso de «usted y yo», eh?

—Por ahora, da igual. Como puede ver, alguien nos ha estado tomando el pelo —Tucker Poesy miró incrédula a Walter, quien se dio cuenta de que no se sentía demasiado cómoda con todo aquello—. Hemos de trabajar como si tocásemos el piano: uno toca las teclas y el otro pisa los pedales. Ahora dependemos el uno del otro y quizás se trate de una tontería o no. Por algo ha venido usted hasta aquí.

—Quizás no seamos unos buenos pianistas, ¿no, señor Sherman?

—Llámeme Walter, si le gusta más.

—De acuerdo. Muy bien. Y usted llámeme Tucker si se siente más cómodo. Ahora le agradecería que me explicase qué es eso de tocar juntos y, sobre todo, por qué.

—Usted no ha dejado de meterse por en medio desde que me encargaron este trabajo, lo cual me hace pensar que usted forma parte del plan. Cada uno de nosotros ha interpretado un papel en un escenario que alguien ha preparado meticulosamente. Sin embargo, ni usted ni yo sabemos qué se espera de nosotros.

—Bueno, y entonces, ¿qué coño estamos haciendo aquí? Fíjese: nos hemos sentado tranquilamente en una playa de Puerto Rico a tomar algo. ¿Y...?

—Fue un fallo mío. Me metí demasiado en el asunto. Tan sólo debía subir a escena y recitar mi papel. Pero tropecé y acabé por destrozar el decorado.

—Ah, claro, claro... ¿Y lo ha hecho todo usted solito?

—Piense que no la maté —vio cómo en sus ojos aparecía un brillo acerado y no pudo dejar de imaginarse que la ira debía de estar consumiéndola por dentro. Tucker Poesy no era tonta. Su carrera como asesina la había convertido en un sicario frío como el acero. Walter volvió a mirarla fijamente sin que ella dijese nada. Estaba seguro de que sabía que tenía razón. Lo que venía a continuación sería más sencillo.

Hasta aquel momento, Walter nunca había mencionado el nombre de Isobel en presencia de Tucker. Sin embargo, las circunstancias le obligaban a explicarlo todo con sumo detalle. Le contó el episodio de la visita en el despacho de la Fundación para la Defensa del Consumidor, cómo la amenazaron con torturar a su marido y lo que hicieron con Harry. El documento de Lacey había desaparecido, una vez más. El asesino, fuese quien fuese, se lo llevó. Le habló también de Abby O'Malley, Sean Dooley... «¡Joder!», pensó Tucker. Los había seguido hasta aquel piso de Amsterdam y luego se fue a descansar al hotel pensando en regresar a su puesto de observación por la mañana. Dooley había intentado algo, sin duda. Walter tampoco calló nada acerca de Devereaux, aunque evitó toda alusión a Conchita Crystal por considerarlo una cuestión de honor. A fin de cuentas, a pesar de haberle devuelto el dinero, siempre la consideraría su cliente, por lo que puso especial cuidado en mantenerla fuera de todo aquello.

Cuando terminó el relato y, en cierto modo, volvió a la mesa donde habían permanecido sentados los dos, en aquella terraza del bar del Hotel San Juan, permaneció en silencio unos instantes y la miró fijamente. No se proponía esbozar ninguna conclusión, aunque tampoco era el momento de quedarse allí parados. Había puesto toda la información sobre la mesa y, ahora, ella la tenía. Era preciso tomar una decisión. Sobraban las preguntas.

—De acuerdo —le espetó sin dudarlo. Tucker se agachó y recogió algo del suelo. Carraspeó ligeramente y escupió hacia la playa. Después, con una mirada burlona, repuso—: El pimentero.

Cincuenta y dos

Tucker Poesy no logró entrevistarse con Abby O'Malley. Aunque hizo cuanto Walter le había dicho, no sirvió de nada. Dijo todo lo que le ordenaron, pero la secretaria de la señora O'Malley se mostró inflexible. «Déjeme su número y la telefonearé», obtuvo por única respuesta. ¡Joder! La secretaria, no Abby O'Malley. Decidió resolver el problema a su modo.

—Dígale a la señora O'Malley que llamo de parte de Walter Sherman —le espetó nada más descolgar—. Dígaselo y si no habla conmigo esta vez, y se lo digo muy en serio, no llamaré nunca más.

—Lo siento, pero la señora O'Malley...

—¿Cómo coño quiere que se lo explique? ¿Tiene otro trabajo al que ir cuando pierda éste? Le doy veinte segundos —en mucho menos tiempo, Abby O'Malley se puso al aparato.

—Soy Abby O'Malley.

—Mire —por el tono, Tucker Poesy estaba muy enfadada—. Me llamo Helen Valdecañas —ése era el nombre que Walter le dijo que utilizase. A Tucker no le pareció extraño: en su trabajo, era más que habitual. De hecho, aquel le gustaba bastante: Helen Valdecañas—. Tengo que darle un mensaje de parte de Walter Sherman.

—Bien, yo...

—Me encontrará en un lugar llamado Chelsea Royal Diner. Un viejo edificio de madera, pintado de blanco y verde, con un letrero grande, en la carretera 9W, a dos millas al oeste de Brattelboro, en Vermont. No hay pérdida. Estaré allí a las cuatro. La reconoceré. Venga sola. Si no lo hace, su viaje habrá sido en balde.

—Señora...

—... Valdecañas.

—Sí, señora Valdecañas. Le ruego que diga al señor Sherman...

—Será mejor que salga cuanto antes. El viaje es largo —y colgó.

Tucker Poesy había telefoneado desde una habitación del Toomey's Inn, donde se había acomodado. Mientras hablaba, dio cuenta de un maravilloso desayuno que le habían traído unos minutos antes. Norman y Ethel Toomey tenían la suerte de dirigir un lugar maravilloso. Los alojamientos eran muy baratos pero su gran baza era sin duda el entorno, pues el hotel se encontraba bastante cerca del Chelsea Royal Diner. Por un momento pensó en echar una cabezada. Aquello debía de tener unas setecientas cincuenta páginas por lo menos. Tardaría seis horas en averiguar qué tenían que ver los Kennedy en todo aquello. Si Walter Sherman estaba en lo cierto —y no le cabía duda de ello, al menos en un noventa por ciento, sobre todo tras la charla que tuvo con el profesor Leon la víspera en el Marlboro College, a sólo quince minutos, por la 9W—, era un tipo como había pocos. Comenzaba a comprenderlo todo.

Abby O'Malley se presentó con puntualidad. Iba sola. Nadie fue con ella al restaurante y, desde que Tucker Poesy había llegado, hacía una media hora, más o menos, no había entrado nadie más. Abby se dirigió a ella y, cuando faltaban unos pocos pasos, le hizo una seña. Ambas se dieron la mano, intercambiaron un par de sonrisas y se sentaron a la misma mesa, una frente a la otra, al lado de una ventana que daba a la carretera.

—Es usted más joven de lo que pensaba —le comentó Abby—. Supongo que, cuando está enfadada, su voz la hace parecer mayor.

—No tenía nada contra usted. Todo se debió a su secretaria. ¿Cómo puede cerrar un trato con alguien así?

—No me dedico a cerrar tratos. Además, permítame decirle que no suelo hablar con gente a la que no conozco.

Tucker Poesy frunció el ceño e hizo un gesto que podría interpretarse como «¿quién coño te crees que eres?». Sin embargo, prefirió hacerle una pregunta de otra clase:

—¿Desea comer algo? Hace un rato que lo he hecho. Las hamburguesas son muy buenas, en especial las que llevan cheddar blanco, aunque le recomiendo los macarrones con queso. Sobre todo con cheddar de Vermont. ¿Qué le parece?

—No está mal. De todos modos, me basta con un café —Tucker alzó el brazo para llamar a la camarera y se lo pidió junto con otra taza de té para ella. Tras servírselos, y una vez que se aseguraron de disfrutar de la intimidad necesaria, Tucker reemprendió la conversación.

—¿Cuánto está dispuesta a pagar por el documento?

—¿Habla en representación de Walter Sherman?

—Sí.

—¿No lo hará quizás en nombre de Harry Levine?

—¿Y qué más da? Walter tiene algo que a usted le interesa: el documento... a cambio de una suma de dinero. ¿Cuánto cree que vale?

—Señora Valdecañas, conozco al señor Sherman. ¿Y usted?

—¿Qué es esto? ¿Una broma?

—No creo que Walter sea de esa clase de personas que vendería el documento en el caso de que lo tuviese. Y algo me dice que no lo tiene. Por otra parte, yo no soy una anciana con problemas de atención. Sé que Harry Levine ha muerto.

—Así pues, ¿qué coño hacemos aquí? —le espetó Tucker—. Ha recorrido un camino demasiado largo si cree que miento.

—No he dicho eso. Tan sólo le he preguntado a quién representa. No puede tratarse de Walter Sherman ni de Harry Levine, por las razones que ya le he dicho. Estoy segura de que usted sabe perfectamente que estoy al tanto del alto coste de una transacción como ésta. No espere que llegue a ningún trato con usted. Espero no haberla ofendido. Si usted puede ofrecérmelo, tendrá que darme alguna prueba... y yo me ocuparé del resto. Cuando sepa que me dice la verdad, hablaremos.

—Muy bien —su tono de voz era mucho más relajado que el habitual—. De todos modos, usted se ha desplazado desde Boston con la esperanza de comprar el documento de Lacey.

—No he venido a otra cosa, señora Valdecañas.

—Pues no lo tengo.

Antes de dejar Puerto Rico, Walter dio unas cuantas lecciones a Tucker Poesy sobre cómo analizar las reacciones de la gente con la que hablaba, sobre todo al estar bajo presión. Le explicó la manera en la que se dio cuenta de la pequeña viruela que tenía encima del labio, junto a la comisura derecha y cómo la manera en que la miraba le sugirió la idea de asestarle un buen gancho.

—Me mentiste con lo de Denise, ¿a que sí? Me dijiste que estaba detrás de mí y yo me lo tragué como una gilipollas. ¡Qué hijoputa!

—No, no fue así. No habría servido de nada.

—¿Entonces...?

—Tus pechos. Cuando hablaba contigo, me fijé en tus pechos... y tú también. No parabas de mirarlos —bajó la cabeza poco a poco mientras observaba a Walter... y a aquella parte de su cuerpo que le causaba tanta admiración. Creyó entrever el bosquejo de una sonrisa.

No disponían de demasiado tiempo. Walter se centró en los cambios de respiración, las arrugas en torno a la boca y los ojos, la dilatación de las pupilas y el sudor que se insinuaba bajo el flequillo. Tucker recurrió a todo aquello durante su encuentro con Abby O'Malley y llegó a la conclusión de que aquella mujer le decía la verdad. Abby estaba dispuesta a comprar; no iba a liquidarla. Tal como Walter le había indicado, dio un paso más.

—Usted sabía que Walter y Harry estaban en Amsterdam.

—Sí.

—Y Sean Dooley era uno de los suyos.

—Sí, lo era. ¿Walter se lo ha contado todo?

—Bueno —rió—, eso nunca se sabe, ¿no? Walter es demasiado listo —Abby sonrió y posó su mano sobre la de Tucker. Se trataba de un gesto cordial, una señal de que comenzaban a hacerse amigas.

—¿Adónde vamos?

—Todavía no he dicho nada. ¿Sabía cuándo llegaba Walter a Schiphol?

—¿Se refiere a Amsterdam? No, no lo sabía.

—Así que... ¿supo después que se encontraba en aquel apartamento?

—Sí, más tarde. Me dijeron que estaba allí con Harry Levine y que tenía el documento.

—Yo sí sabía cuándo llegaba. Lo esperaba en el aeropuerto y lo seguí en el tren, hasta un pueblo llamado Bergen op Zoom. ¿Le suena?

—No. Pero es un nombre bonito.

—Luego los seguí en su regreso a Amsterdam. Hasta su apartamento. ¿Y qué hice entonces? —Abby la escuchaba con el gesto demudado. La lección de Walter daba resultado. Tucker apreció una ligera tensión en las comisuras de los labios de aquella mujer. Su respiración se aceleró. Por un momento, Tucker creyó que podía ver cómo la sangre le afluía al rostro—. Venga, respóndame. ¿Qué cree que hice entonces?

Aunque Abby O'Malley no era tonta, se había quedado sin palabras. Se echó hacia atrás, dejó caer los brazos y se sonrojó.

—¡Dios mío! —suspiró de manera entrecortada—. Usted trabaja para Louis, ¿verdad?

Cincuenta y tres

Roy Messadou vivía en la calle 77, justo detrás de la Quinta Avenida, en un bello edificio de tres pisos construido en piedra gris. Delante tenía una pequeña extensión de césped, de apenas un metro de ancho, además de un garaje, algo extrañísimo en Nueva York, incluso en los barrios más exclusivos de la ciudad. Aquel hombre podía ir en coche hasta su casa. «No está nada mal, no señor», pensó. Sin duda, se trataba de un lugar precioso si se estaba dispuesto a pagar quince o veinte millones de dólares. Nueva York había formado parte de la vida de Walter durante cerca de quince años, desde el primer momento en que su madre lo llevó en tren desde Rhinebeck hasta la Gran Estación Central. Allí se sentía a gusto. Conocía un sinfín de restaurantes, hoteles, barrios... Le encantaban Greenwich Village y Chinatown. Y Central Park, también, hasta el punto de tener la costumbre de hospedarse en el hotel Mayflower, en la calle 61, al oeste del parque. No le gustaban demasiado los cambios y, cuando se marchó, sintió una profunda desazón. Sin embargo, llevaba mucho tiempo en Saint John. El tiempo discurría de maneras distintas en Nueva York y en el Caribe. Que Roger Messadou hubiese pagado quince o veinte millones de dólares por aquello le traía sin cuidado. A juzgar por las noticias que tenía de él, no era un hombre al que le gustase lo barato. Había aceptado entrevistarse con Walter y en su casa, tal como éste le había propuesto. Parecía muy amable por teléfono. De hecho, era la primera persona a la que telefoneó tras volver de Puerto Rico. Tucker y él habían decidido repartirse la faena: ella hablaría con Abby y él, con Roy. Después, ya verían.

Le abrió un mayordomo. Un hombre muy alto y delgado, vestido con un traje negro, camisa blanca y una fina corbata de seda, negra también. Si no fuese por su sonrisa y el brillo de sus ojos, su aspecto sería más propio de un encargado de pompas fúnebres. Walter iba con el atuendo que solía llevar cuando ponía los pies en el continente: pantalones grises, un blazer cruzado, con botones dorados, y una camisa azul, abierta y sin corbata. Sabía que no iba demasiado arreglado para la ocasión, pero no le preocupaba demasiado. El señor Messadou se encontraba en el piso de arriba y vendría de inmediato, le indicó mientras lo acompañaba a un enorme despacho que había en la planta baja. «Lástima —pensó Walter—. Estaría bien dar una vuelta por aquí.»

—Por favor, señor Sherman, le ruego que se ponga cómodo. ¿Desea tomar algo? —le pidió una Diet Coke—. Muy bien, señor.

El mayordomo cerró la puerta y lo dejó a solas. Una de las mejores maneras de conocer a alguien consiste en observar cómo vive. Walter se fijó atentamente en cuanto le rodeaba. Cada uno de los elementos de aquella estancia tenía su propia historia o formaba parte de otra no menos interesante. Los muebles, mesas y sillas, lámparas y apliques, alfombras, cuadros y esculturas, recuerdos, objetos personales y, en especial, libros y revistas, tenían su importancia. Sin embargo, la mayor parte de cuanto pudo ver no le aportó ninguna información. Sólo un bobo sería capaz de vivir en una casa sin dejar huella. Y Roy Messadou no era precisamente un tonto.

Al cabo de unos minutos se presentó en la sala un hombre relativamente joven que, mientras se iba acercando, le ofreció su mano y la mejor de sus sonrisas. Vestía un chándal Nike, con zapatillas deportivas de la misma marca, y no cabía duda de que acababa de practicar ejercicio. Por el cuello y su pelo, largo y castaño, se deslizaban gotas de sudor. No debería de tener más de treinta y dos años.

—Buenos días, soy Rogers Messadou, pero llámeme Roy. Todos lo hacen —se detuvo como si alguien hubiese pulsado el botón de pausa de un mando a distancia y, tal vez sin quererlo, adoptó una pose que recordaba a la de un muñeco articulado. Su sonrisa estaba congelada.

—Así lo haré, Roy.

—Muy bien, Walter. Pero siéntese. Jake volverá dentro de un momento. Le ha pedido algo, ¿verdad?

—Una Diet Coke.

—Muy bien, muy bien. Me encanta, aunque ese edulcorante artificial no me vuelve loco precisamente. Pero, bueno, ¿qué puedo hacer por usted? No suelo recibir muchas llamadas para solicitarme una entrevista y hablar de mi tío abuelo.

—He venido porque desearía charlar con usted sobre las monedas de oro del zar.

Walter fue directo al grano. Explicó a Messadou que trabajaba para personas muy influyentes y que había pensado que tal vez Roy le pudiese ayudar a aclarar algunas cuestiones referentes a su tío abuelo. Su anfitrión accedió gustosamente. Tal como le aclaró por teléfono, «Jamal-Adín Messadou fue un gran hombre». Por suerte, Walter pudo hacer gala de sus conocimientos antes de comenzar con algunas preguntas. Comenzó por un breve relato de sus logros y hazañas más significativos. Vio cómo Roy lo escuchaba con atención, muy impresionado, sobre todo cuando mencionó la Federación Transcaucásica. ¿Cuánto hacía que no oía aquellas historias? No porque el asunto fuese especialmente complicado, sino más bien porque pensaba que los estadounidenses, en cuanto a conocimientos históricos —tanto los relativos a su país como del resto del mundo—, eran bastante ignorantes. En aquellas ocasiones, Roy Messadou olvidaba que también era americano, de segunda generación. Las lealtades familiares suelen ser más fuertes que las nacionales. Walter había aprobado el examen: no cayó en el error de hacer chistes malos ni pronunciar mal esos nombres tan exóticos. Ni siquiera pasó por alto que los Messadou hacía tiempo que habían abandonado la fe musulmana. Cuando se dio cuenta de que se había ganado la confianza de Roy, retomó el hilo de la conversación.

—Antes de nada, desearía aclararle que las personas para las que trabajo no están interesadas en absoluto en las monedas. Sinceramente, ni siquiera saben que existen. Sólo yo estoy al tanto y me traen sin cuidado. No busco el oro. Sólo necesito conocer un poco más acerca de todo este asunto para completar mi investigación. Si me pregunta quiénes son, no podré contestarle, pero si me explica un poco qué ha pasado con esa fortuna o lo que se cree que ha pasado, me será mucho más sencillo dar con la persona a la que busco. Se trata simplemente de eso.

—¿Cómo? Por favor, Walter, cuénteme un poco.

—No estoy seguro de a quién me encontraré cuando todo esto acabe. Creo que él, o ella, o incluso ellos, se proponen obtener esas monedas. Cuanto pueda saber al respecto me será de gran ayuda para proseguir con mis pesquisas. Por otra parte, si hubiese otros sospechosos en la lista y lograse demostrar que no tienen ninguna relación o interés por esta cuestión, avanzaría mucho.

—¿Y qué le hace pensar que yo puedo ayudarle?

—Su apellido.

—¿Sabe, Walter? —su tono de voz no era tan jovial como al principio—. La mayoría de los hombres más poderosos del planeta, con una enorme influencia, son ricos. Sin embargo, no todos los ricos son poderosos. Como ya habrá visto, soy rico. Basta con echar una ojeada a nuestro alrededor. Riqueza, sin duda. Pero no tengo poder, ni lo busco, y tampoco soy demasiado influyente. Y me siento muy a gusto con mi situación. Todo cuanto ve lo he comprado con el dinero que he ganado. Nada viene de los zares —y prosiguió con su relato de hombre hecho a sí mismo sin darse cuenta de que Walter lo había comprendido todo perfectamente, aunque estaba encantado con su anfitrión, ya que le permitía contrastar la información que había recabado hasta el momento. No hay nada como que alguien haga el trabajo por uno.

Roy le habló de su abuelo, que llegó a Estados Unidos tras la Segunda Guerra Mundial y abrió un pequeño restaurante que se convirtió en centro de reunión de la nueva colonia de georgianos del área de Nueva York. Poco después, en 1948, nació su padre en Nueva Jersey. Aunque la clientela era bastante modesta, el negocio se mantuvo y la familia prosperó. El padre de Roy y sus tíos y tías crecieron, fueron a la escuela, a la facultad y poco a poco el restaurante perdió su interés.

—Mi padre era una persona ambiciosa. Importábamos casi todos los alimentos con los que se preparaba el menú y pronto se dio cuenta de que había un mercado más amplio que un pequeño restaurante de Nueva Jersey —rió con la misma cordialidad que Walter había visto antes—. Y acertó.

El padre de Roy Messadou abrió una empresa que importaba productos rusos y exportaba bienes de lujo. No era demasiado, pero por lo menos era más grande que el restaurante. Para la generación de Roy, una casa en las afueras, coches nuevos y las mejores universidades formaban parte del sueño americano. Su padre logró que la familia accediese a la clase media acomodada. América era un gran país y los Messadou estaban orgullosos de formar parte de él.

—Estudié en Princeton y realicé un máster de administración de empresas en Harvard —le aclaró.

—Pensaba que fue en Columbia y en la Wharton School.

—Está bien, está bien —aceptó en un tono jovial—. Ya me gustaría saber tanto como usted. Le ruego que me disculpe. Es muy bueno, Walter.

—No tanto. Pero le agradezco el halago.

—Me gustaría que me explicase qué hacemos aquí.

—Mire, Roy. Voy tras las huellas de un asesino y estoy al tanto de ciertas revelaciones que aparecen en el diario personal de Frederick Lacey, algo que le garantizo que no tiene nada que ver ni con usted ni con su familia. Mientras investigaba, me di de bruces con una mención a la esposa de Lacey y su padre, su tío abuelo, así como con una historia acerca de montañas de oro. Al principio pensé que no tenía nada que ver con la confesión de Lacey, pero luego me di cuenta de que el móvil de los crímenes estaban relacionados precisamente con ese tesoro. Si todo cuanto se dice es cierto, es muy probable que persiguiese a la persona equivocada. Por eso he venido a visitarle.

—Un asesino.

—Sí.

—De los que matan.

—De los que matan.

—Pero usted no es un policía.

—No. Permítame que le responda antes de que comience a preguntar. Buena parte de lo que usted sabe no me serviría de nada. No sé si me explico.

—Sí. De hecho, me ha llamado la atención eso de que usted persigue a un asesino, aunque prefiere hablar más del asesinato, por lo que me inclino a pensar que el crimen ya se ha llevado a cabo.

—Exacto.

—Como ya sabrá, tan sólo me dedico a las inversiones, aunque soy de los mejores. Bueno, para qué andarse con falsas modestias, el mejor. Sin embargo, también soy un Messadou, lo cual me enorgullece. La historia de mi familia ha sido tergiversada. Le aseguro que sea cual fuere el asesinato que usted investiga no tiene nada que ver con Jamal-Adín Messadou. ¿Y sabe por qué?

—Su hermana no debe de pensar lo mismo. De hecho, cuando hablé con ella, parecía muy interesada. La fortuna familiar, *su* fortuna familiar, fue puesta a buen recaudo por Frederick Lacey. Según lo que su hermana me ha contado, él nunca le dijo dónde. Es más, tras la muerte de su suegro, guardó el secreto para sí. Pero no se preocupe: estoy seguro de que Lacey no la dilapidó. No necesitaba dinero, precisamente. Con todo, ese dinero debe de estar en alguna parte. Su hermana cree que la familia tiene derecho a recuperarlo. Ni entro ni salgo en esa cuestión. Como le decía antes, no me preocupa el oro. Sin embargo, si alguien a quien usted conoce está perpetrando esos asesinatos para hacerse con el documento de Lacey y encontrar las monedas del zar, le aseguro que lo encontraré. No le quepa duda.

La voz de Walter sonó con una sinceridad y un grado de firmeza que Roy Messadou no pudo obviar.

—Walter, creo que le han informado mal.

—¿Sobre qué?

—No hay ningún oro. Nunca lo ha habido. My tío abuelo fue un gran hombre, quizás no muy bien tratado por la historia, aunque no por eso dejaba de ser... un tanto simple, al igual que mi abuelo. Jamás ha existido ese oro.

—Eso no es lo que su hermana me ha dicho.

—¿Cuál?

—Aminette. Aminette Messadou. Su padre le dio el mismo nombre que la esposa de Lacey.

—Tengo otra, más pequeña, Piper, que vive aquí, en Nueva York, en Far Rockaway, en el distrito de Queens. Es un poco lenta, ya sabe a qué me refiero. Retrasada, suelen decir. Vive en una residencia especial, un lugar maravilloso que da directamente a la playa. Corro con todos los gastos y la visito cada semana. A veces sabe quién soy y a veces no. Tengo otra, Jean, que vive en Houston. Está casada con el directivo de un departamento financiero. Trabaja bien. No como nosotros, pero no está mal. Jean está muy orgullosa de él. Jamás me ha pedido ni un centavo. Ni tampoco necesita el oro de nadie. ¿Dice que ha estado con mi hermana Aminette? Siento decepcionarlo, pero no tengo ninguna hermana que se llame así.

—¿Y qué aspecto tiene Jean? —Walter sintió una sensación muy molesta en el estómago, como si le hubiesen golpeado en los pulmones.

—Tiene unos cuarenta años y un cierto sobrepeso.

Por unos instantes, a Walter le faltó el aliento.

Cincuenta y cuatro

En Saint John nunca hace frío, pero tampoco demasiado calor, y sus habitantes suelen agradecer que llueva de vez en cuando. Con todo, para ser fieles a la verdad, conviene tener en cuenta que los meses de septiembre a octubre acostumbran a traer consigo ciertas incomodidades, a causa, sobre todo, de los huracanes, aunque las tormentas no son tan malas como aparecen en los telediarios. En febrero, además, la temperatura es bastante agradable, no pasa de los veinticinco grados, el sol brilla y las olas se mecen al compás de la suave brisa marina. Las nubes, no demasiado gruesas, corretean sobre Saint John y se arremolinan sobre la vecina isla de Saint Thomas. Aun durante esa época del año, los hoteles están completamente llenos y raro es encontrar una casa sin alquilar. Las playas están atestadas de turistas, al igual que los restaurantes y bares de Cruz Bay, hasta el punto de que, en pleno invierno, conviene reservar con bastante antelación una mesa para cenar.

La entrevista con Roy Messadou planteaba no pocos quebraderos de cabeza a Walter. No había manera de dar con una solución plausible. Se quedó hasta tarde pensando en todo aquello. Tenía por costumbre acostarse tarde. Le gustaba ver un par de películas hasta el amanecer. Por aquellos días no solía dormir más de tres o cuatro horas. La operación había trastocado todos sus hábitos, incluidos los del sueño y no era raro que se levantase hacia las nueve y media o las diez de la mañana, algo insólito para él. Denise se había adaptado a su nuevo ritmo de vida y, a esas horas, siempre tenía una taza de café recién hecho con el que darle los buenos días. Luego, como de costumbre, se iba a desayunar a Billy's.

El domingo se dejó caer por el bar pasadas las diez. Billy estaba aún en la trastienda comprobando la carne y el pescado. Ike, sentado en su mesa de siempre, daba cuenta de su desayuno. En cuanto se vieron, intercambiaron unas amplias sonrisas. No haría ni cinco minutos que se había sentado en el lugar de siempre cuando apareció Helen con su plato de huevos revueltos, su tostada con mantequilla —sólo un poco— y una botella de Diet Coke bien fría. A su lado, encima de la barra, la edición dominical del *New York Times,* aún sin abrir, como de costumbre. Franki Valli y los Four Seasons sonaban por toda la sala, gracias al excelente equipo de música del bar. «I love you, baby». Un día como otro cualquiera.

—El mejor desayuno que he comido desde... —Ike se tomó su tiempo para pensarlo. A su edad, había muchas efemérides entre las que elegir. Cigarro en mano, exhaló una enorme nube de humo—. Desde lo del ejército —sentenció.

—Muchas gracias, Ike.

Helen se sentía muy halagada. En lugar del huevo duro y las tres o cuatro lonchas de beicon habituales, le había llevado algo distinto, un tazón con copos de avena.

—No es bueno que siempre estés comiendo cerdo. Sobre todo si fumas tanto —le había aconsejado.

—¿Eh?

—Quiero decir que eso te matará. Las dos cosas: los cigarros y la carne de cerdo.

—Caray, Helen —nada hacía mella en su dignidad—. Aunque estás casada con Billy, parece que seas mi mujer...

—Vaya... —le replicó con una sonrisa un tanto pícara. Ambos bromeaban y no tenían en cuenta sus palabras, por lo que no había nada que temer.

—¿Cuándo estuviste en el ejército? —le gritó Walter desde la otra punta del bar. Sabía perfectamente que Ike nunca se había alistado.

—¿El ejército? ¿He dicho que estuve en el ejército?

—Sí —repuso Helen.

—Los copos, Ike. Los mejores que, según tú, habías comido desde que estuviste en el ejército.

—Ah, eso... No quise decir que estuve *en* el ejército, porque no estuve. Nah. Lo intenté, pero no me dejaron. No querían negros y tal. Creía que había dicho *desde lo del ejército*. Estuve en la Armada, ¿sabéis? Oficial de cocina, segunda clase. Dejadme que os cuente lo que hacíamos.

—¿Y qué tienen que ver el ejército y los copos de avena? —Helen parecía confusa.

—Allá estaba en el buque: un chico de color en el vientre de la ballena. Hasta que llegamos a Irlanda, donde me encontré con las tropas de soldados negros, el 92 de Infantería. Qué tíos. Bragados. No les dejaban luchar y los habían llevado allí, a Irlanda. ¡Pero si allí no había nazis! Por lo menos podían beber y flirtear con las chicas. En cierto modo, servían a la patria. Dejaron el pabellón bien alto, ya me entendéis. Me lo pasé muy bien con ellos. Una mañana fui a donde solíamos reunirnos y nos sirvieron la avena. Imaginaos: cincuenta negros sentados y comiendo gachas. ¡Era la primera comida que valía la pena desde que salí de Saint John! ¡La primera! —señaló el cuenco vacío mientras lanzaba una de sus sonrisas—. Y ésta... ¡la segunda!

Billy salió de la trastienda con una taza de café en una mano y una factura en la otra.

—¡Qué hijoputa! —rezongaba—. Me ha tomado el pelo con el pescado —le tendió el papel a Helen—. Llámalo y dile que se lleve esta mierda de aquí. Que se lo lleve todo. ¡Y ahora! Si lo hago yo, os juro que no dejaré ni un trocito. Joder, que no es la primera vez.

Walter había dado cuenta de su desayuno sin apenas decir nada. Todo parecía igual. Pero se iba haciendo tarde y los clientes comenzaban a entrar para tomar sitio. Se acercaba la hora del almuerzo. «Todavía estamos en febrero», pensó. El bar siempre estaba lleno de gente, tanto por la mañana como por la tarde, por lo que no le extrañaba que estuviese tan enfadado con lo del pescado. Para Billy, no había nada peor que confesar que no disponía de pescado. Estaba orgulloso de su eficiencia y profesionalidad —y Helen, también—, y el mero hecho de no ofrecer una de sus especialidades lo sacaba de quicio.

—Más le vale a ese pescatero venir ahora con buen género —sentenció Ike—. Si no, estoy seguro de que lo matas.

—Nah —le contestó Billy—. Me jode, pero no tanto. No hay por qué acabar con él. Con un buen par de hostias vale. Tan sólo estoy...

—¿Cabreado? —Helen le ayudó a encontrar la palabra exacta. No era la primera vez que lo hacía y, al parecer, a Billy no le molestaba.

—Eso, cabreado. Así es como estoy. La gente mata por dinero, Ike. Y por amor. Por dinero y amor.

—¿Eso crees? —terció Walter.

—Hombre, Walter, ¡si todavía estás aquí! —bromeó Ike—. No se te oía ni respirar.

—Aquí me tienes, viejo. Dinero y amor. ¿Es eso, Billy?

—Creo yo —le respondió—. Ya sé lo que dirá Ike —lo señaló—, pero me parece que está equivocado. Hay gente capaz de matar si se siente acorralada, claro, pero no se trata de eso. Conocí a un tipo cuya mujer se lió con otro. Mal asunto. Su marido no se andaba con chiquitas. Ya sabéis...

—El de Nueva Jersey, ¿no? —le preguntó Helen. Billy la observó en silencio por un momento y repuso:

—El mismo.

A Walter le llamó la atención aquella manera de mirar. ¿Nueva Jersey? Estaba seguro de que Ike también se habría extrañado. ¿Pertenecería aquella anécdota al misterioso pasado de Billy? Apenas sabían nada sobre él, sólo lo que les había contado.

—En resumen: alguien le dio el paseo a la mujer.

—¿Que se fue de paseo?

—Mira, Helen, atiende —Billy parecía muy enfadado—. A la tía le pegaron un tiro. Así de claro. En la cara y ahí abajo —y bajó la vista en dirección a la ingle.

—¿Que le disparó al...?

—¡Helen!

—Lo siento.

—Bien —prosiguió—. Todos pensamos que había sido el marido. Ya sabes, cosa de los celos. ¿Quién si no podría haberlo hecho? Los polis creían lo mismo. Dios, pero si cada vez que hablaba con su mujer por teléfono daba pistas. La pasma estaba al tanto de todo.

—¿Y tan fácil fue que le tomara el pelo? Al marido, digo —preguntó Ike, quien estaba a punto de contestarse a sí mismo—: Vaya si lo fue.

—Sí, claro. A cualquiera podría pasarle. Ya sabes... A todo el mundo... Tu mujer se tira a alguien y la poli lo tiene todo grabado. Pero el marido no la asesinó. ¿No os parece raro? A ellos, también.

—¿Y quién la mató? —inquirió Walter desde el fondo de la sala.

—¿La mataste tú, Billy?

—Mira, Ike, ¡que te den! ¿Estás loco o qué? Yo no la maté, joder. A mí déjame al margen. Te estás yendo por las ramas.

—Vale —le contestó el anciano mientras inhalaba una bocanada de humo mayor de la que podía almacenar en sus pulmones—. Pero venga, cuenta, cuenta...

Billy había apoyado las manos sobre la barra. Walter observó una cierta tirantez en su mandíbula, como si apretase los dientes. Sea lo que fuere, no era un recuerdo demasiado agradable. Lo estaba pasando mal. Le habría gustado echar una mano a su amigo, pero no sabía cómo. Helen tampoco. No paraba de retorcer la bayeta, nerviosa, en silencio, a la espera de que ocurriese algo.

—Fue el otro. El que se la tiraba.

—¡No! —Helen abrió los ojos como platos.

—La razón por la que lo hizo era que quería echar toda la culpa al marido. Ya visteis qué pasó.

—Claaaaro, parecería la obra de un marido cabreado —terció Ike—. Como si lo viera.

Billy tomó una buena bocanada de aire fresco. La necesitaba.

—Imaginaos por un momento que estuvieseis en la misma situación y pensad cómo os sentiríais. Avergonzados, ¿verdad? Y, además, os vendrían unas ganas terribles de cargaros a alguien. Pero detrás de todo esto había algo más. Lo de siempre: el dinero.

—¿Qué dinero? Si no has dicho nada... —le indicó Helen.

—El marido guardaba un montón de dinero en casa. Le iba bien. Os lo aseguro: un pastón, quizás doscientos mil. El tío que se enrolló con su mujer quería saber dónde la guardaba. La mató, tal como os lo cuento, se lo llevó todo y, para borrar sus huellas, le echó toda la culpa al otro.

—¿Y cómo consiguió librarse del marrón? —se interesó Walter.

—¿Cómo crees que lo hizo, Walter? —terció Helen.

—Oh, lo hizo. No cabe duda, ¿verdad, Billy?

—Vale, te lo diré, Walter. El tipo aquél tenía ciertos amigos y cuando nosotros... Cuando esos amigos se enteraron de la cantidad de pasta que guardaba, se fueron directos a Atlantic City y a otros sitios por el estilo hasta que dieron con el amante. Se lo llevaron y, tras tenerlo sentado durante un rato... lo contó todo. Después, repitió la confesión ante los polis y éstos dejaron libre al marido.

—Y el otro, ¿acabó en la cárcel?

—No, Helen. Nunca fue a la cárcel. No cumplió la condena. Le ocurrió algo que ahora llevaría mucho tiempo explicar.

—Quieres decir que...

—Ésta es otra historia que ahora no viene a cuento —le atajó Billy con un tono de voz que dejaba muy claro que su relato había terminado.

Walter miró a Ike e hizo un gesto con el que daba a entender algo al anciano, algo como *¿y qué?*

—Billy, me has dejado hecho polvo. No sé qué decir. Hoy has quedado el primero. Walter no ha dicho ni mu.

—Sólo he explicado una historia. Punto. Y venga, que los turistas están a punto de llegar. A votar.

—¿Votar qué?

—Ya lo sabes, Billy: ¿amor o dinero?

—Genial —repuso Ike—. Me parece genial, pero que creo que debemos buscar algo más. Siempre elegimos entre tres opciones, ¿no?

—Amor, dinero y... pena —Billy se rascaba la mejilla, recién afeitada—. Por mí, vale.

—Pues anótalo —dijo Walter.

—Eso, eso —lo animó Ike.

—¿Puedo hacerlo yo? —preguntó Helen. Billy miró a sus amigos y no encontró ninguna oposición. Así pues, le lanzó la tiza, que cogió al vuelo con una sonrisa triunfal que podría interpretarse como *¡Por fin soy de los vuestros!* Después, con grandes letras mayúsculas, escribió en la pizarra que había al lado de la caja registradora las tres palabras siguientes: AMOR, DINERO, PENA.

De todos modos, Walter creía que todo se hacía por dinero.

Cincuenta y cinco

Cuando Tucker Poesy entró en Billy's le sorprendió verlo tan cambiado. A decir verdad, la última vez ni siquiera lo había pisado. De hecho, no la dejaron: la llevaron atada a una silla que no trasladaron con demasiados miramientos. En aquella ocasión Billy's no estaba abierto al público —serían las cuatro de la mañana, más o menos— y Walter estaba de viaje, fuera de la isla; no en Washington, como pensó en un principio, sino en Nuevo México, como pudo saber después. En aquel momento la situación era muy distinta, pues Walter no sólo la oyó entrar, sino que la esperaba. Tucker iba vestida de acuerdo con la temporada. No había duda de que aquella mujer sabía cómo moverse por el mundo. Vestía unos pantalones cortos, de color blanco, que dejaban ver sus piernas de bailarina, y una camiseta azul con un dibujo de las Dixie Chicks bajo el que podía leerse FUTK, lema que Walter fue incapaz de comprender. Al no llevar ningún tipo de equipaje, pensó que debía de haberse acomodado en algún lugar. De hecho, por su aspecto nadie hubiese imaginado que no era una de las muchas turistas que tomaban el transbordador desde Saint Thomas. No le costaría demasiado hacerse pasar por una joven de Pittsburgh o Minneapolis que se hubiese dejado caer por Saint John para hacer algunas compras y tomarse algún combinado más o menos exótico en Billy's. Sin embargo, era una de esas mujeres que Billy parecía conocer tan bien. A fin de cuentas, se había ocupado de ella, aunque no en las mejores condiciones —pero no podía reprocharle que la hubiese regado convenientemente.

—Hey, Billy —gritó.

—Hola —replicó, no sin cierta reticencia. Walter le había puesto al corriente de todo, aunque a Billy le costaba aceptar la situación. No entendía nada. ¿Qué habría sucedido si, un buen día, se presentase alguien de, pongamos por caso, Nueva Jersey, alguien que formase parte de su pasado, aunque con otro nombre, se dirigiese a la barra y dijese sin más «hola, Billy»? Mierda. Su amigo debería tener más cuidado con lo que hacía.

Sin embargo, Walter se limitó a darse la vuelta y sonreír.

—Caramba, Tucker, tienes un aspecto magnífico. Me alegro mucho de verte. Ike, Billy, Helen, os presento a mi amiga Tuker Poesy.

—Encantada —la joven sonrió a todos mientras los saludaba, incluso al barman, al que trató como si acabase de conocerlo. «Esta tía los tiene bien puestos», pensó Billy.

Ike, que llevaba una gorra de los Cleveland Browns —Helen estaba segura de que se la había puesto en honor a Jim Brown y, de paso, para mortificarla un poco—, le devolvió el saludo sin disimular su reacción. No sabía qué hacer. Tenía la impresión de que su mente había saltado en pedazos. ¡Buuuuum! Por un momento creyó ver ante sí a Isobel Gitlin, tan clara como la luz del día. Aquella mujer no había sido buena para Walter, no señor. Tan sólo le había causado disgustos. Sólo Dios sabía el daño que le había hecho. Algunas personas, de eso Ike estaba seguro, dedicaban toda su vida a buscar algo... o a alguien. Otras, en cambio, hacían todo lo contrario: huir. Walter era un caso especial, una extraña mezcla de los dos tipos. Por eso estaba seguro de que si hubiese visto lo mismo que él, habría salido corriendo.

—¿Qué le trae por aquí? —preguntó Billy a Tucker. La joven se le acercó al oído y le susurró:

—Vengo a comer y beber de gorra —el barman asintió. No podía hacer menos.

—¿Qué tomará? —casi no se atrevía a mirarla a los ojos.

—¿Qué te parece una copa de tu mejor botella de champán? Ya sabes, una de esas que valen ciento setenta y cinco pavos...

—No tengo de eso.

—Bueno, pues pídela. Tengo todo el tiempo del mundo. Mientras tanto, ponme una Corona —Billy fue hacia la nevera. Aquello iba a costarle bastante caro.

Walter y Tucker Poesy estuvieron en el bar toda la tarde. La joven se bebió la cerveza acompañándola de un jugoso filete. Él, fiel a sus costumbres, comió un plato de verdura que Helen le preparó mientras bebía el refresco de siempre. Le explicó cuáles eran sus propósitos sin ningún ambage. Había pensado un par de veces en todo aquello, pero, como bien decía Ike, se había retirado. Al diablo con todo. Ya no tenía por qué seguir las reglas. Ya no trabajaba para Conchita Crystal. Eso era todo. Habían matado a Harry y él se había convertido en *el Cowboy*.

Estaba al tanto de todo. Conocía la historia, desde el principio hasta el final. Bueno, no por completo. Había algunas cuestiones por aclarar, sobre todo las que se remontaban a los orígenes del asunto, aunque la situación ya no le preocupaba. Esperaba que Tucker se hiciera cargo del resto, pero no se atrevió a decírselo. Tenía miedo de que se lo tomase al pie de la letra y optó por dejar caer una breve insinuación para que se lo imaginase. Quizás por eso no le hizo una descripción del caso y prefirió centrarse en algunos detalles. Le explicó que alguien le había propuesto aquel trabajo. Prefirió no mencionar el nombre de Conchita Crystal. Walter se había pasado los últimos cuarenta años velando por la vida privada de sus clientes. Aunque quisiera, sería incapaz de romper esa regla. De hecho, tampoco era tan importante. Había que prestar atención a la secuencia de acontecimientos, a las piezas que componían aquel rompecabezas que no acababan de encajar —nunca lo hacían, al menos perfectamente, para qué engañarse—. Chita sería una de las piezas que faltaban. No obstante, sí que habló de la tía de Harry, Sadie, quien le puso en la pista de Bergen Op Zoom, así como de la suerte que tuvo al contar con un amigo como Aat en Holanda. Después, pasó a la parte más sencilla. Habló de Devereaux, la cena en Il Localino. Le costó mucho disimular su incomodidad al recordarlo. Tucker se dio cuenta. Aquel hombre sabía qué se traía entre manos e, incluso, quién lo había contratado.

—¿Quién?

—No puedo decírtelo, Tucker. Pero no te preocupes: no tiene importancia.

Cuando la historia llegó a Amsterdam, la joven dio su versión de los hechos. Devereaux la telefoneó a Londres para encargarle que recogiese a Harry Levine, consiguiese el documento y se lo entregase. Aunque no lo dijo, Walter se imaginó que también le había ordenado que lo asesinase. Le daba igual. Aquella chica le agradaba mucho más de lo que había pensado, pero no debía olvidar que era una asesina. La más peligrosa de todas. El esbirro perfecto. Podía matar a cualquiera, como si fuera una mosca, sin preguntar por qué ni sentir remordimientos. Su oficio consistía en disparar a la gente. De todos modos, Walter se preguntaba si sería capaz de asesinar a alguien a quien conociese. Como Harry Levine. ¿Lo habría hecho? Jamás lo sabría. Tucker proseguía con su narración: se encontró con Harry, pero éste no llevaba el documento consigo. No hizo bien su trabajo y así lo reconoció frente a Walter. Lo dejó escapar y Harry huyó a Holanda. Tucker le contó que Devereaux volvió a llamarla para ponerla al corriente de sus planes de vuelo. Por eso, cuando Walter llegó a Schiphol, ella lo estaba esperando. El resto ya lo conocía. Lo siguió hasta Bergen op Zoom y, desde allí, de nuevo a Amsterdam, donde, tras cerciorarse de que no saldrían del apartamento en toda la noche, se retiró al hotel para descansar. Cuando regresó a su punto de observación, ya era demasiado tarde y Devereaux optó por enviarla a Saint John.

—Sabía que habías vuelto a casa.

—Sí, para encontrarme con Abby O'Malley. Déjame que te cuente algo sobre ella.

Los registros de llamadas de Abby indicaban que tenía una relación bastante fluida con Devereaux. Walter comprobó que solían hablar con cierta regularidad y le preguntó a su contacto en la compañía telefónica si sería demasiado complicado saber desde cuándo lo hacía. Fue más fácil de lo que pensaba. Por lo que pudo averiguar, solía hacerlo desde que la empresa comenzó a almacenar los datos de sus clientes. No le costó demasiado enterarse de que ambos habían estudiado en la Facultad de Derecho de la Universidad de Chicago. Unas cuantas preguntas a algunos antiguos compañeros y profesores le proporcionaron mucha más información acerca de aquella pareja de distinguidos alumnos. Abby O'Malley y Louis Devereaux habían trabajado juntos durante décadas. Todo eso explicaba el asunto de Sean Dooley.

—Llamaste a Devereaux, ¿verdad? —le preguntó a Tucker.

—Claro.

—Y le dijiste que me había instalado en un apartamento de Amsterdam con Harry.

—Claro.

—Y le indicaste dónde.

—Sí. Y también que iba a esperar hasta el día siguiente. ¡Mierda! —exclamó Tucker, molesta al darse cuenta de su ingenuidad. Billy la miró desde la barra. La joven se llevó la mano a la boca y musitó un «lo siento» mientras le daba a entender que no volvería a gritar. Después, se disculpó con Walter—. El hijoputa de Devereaux telefoneó a O'Malley —dedujo— y ésta envió a Dooley. Pero como no era un artista en lo suyo precisamente, le diste una buena. Y yo, ¡hala!, durmiendo en una habitación del hotel de la esquina.

—No está mal. El hotel de la esquina. Suena a tango. Un tango holandés.

Walter tomó la palabra y le contó su viaje de vuelta con Harry. Ya habían hablado de aquello en Puerto Rico y tal vez no convenía demasiado repasar ciertos detalles, pero Walter, al igual que muchos atletas, creía que la repetición era la clave del éxito. Cuanto más se analizaba un hecho, más seguro se podía estar de su validez. Luego pasó a su primer encuentro en Saint John. Por un momento pensó que a Tucker quizás no le hiciese mucha gracia recordar todo aquello, pero Walter se limitó a explicarlo sin más. La joven lo escuchó en silencio. A fin de cuentas, si él se lo tomaba como algo sin importancia, ¿por qué no podía considerarlo ella como un simple gaje del oficio?

—Y ahora llegamos a la parte en la que Devereaux intenta jodernos. ¿Podrías aclararme cómo?

—Claro —Tucker se disponía a contarlo todo con la misma frialdad—. Se suponía que tú ibas a matarme. El hijoputa ése...

—Exacto, querida. Se suponía que yo iba a matarte. No pongo en duda que haces muy bien tu trabajo, pero engañar a la gente no es lo tuyo. No vales para eso. Y Devereaux sabía que eres impulsiva, que harías algo sospechoso o sin sentido y que yo acabaría contigo.

—No tenías el documento. Devereaux sabía que no lo tenías. Habría sido una tontería por tu parte. Así que me envió a buscar algo que no iba a encontrar. Pero ¿por qué quería librarse de mí? ¿Qué razones tenía para desear mi muerte?

—Ya no te necesitaba. Tal vez ya había descubierto dónde se encontraba el diario de Lacey o estaba a punto de hacerlo. Tienes demasiada información. Aunque no lo hayas leído, sabes que hay gente dispuesta a matar por él.

—¿Que ya no me necesitaba? ¿Quieres decir que quería deshacerse de mí? —por su tono de voz, no daba crédito a lo que oía.

—Sí. Una manera como otra de borrar las huellas —Walter imitó los ademanes de Devereaux—. Debía escoger a uno de los dos. La alternativa era bastante sencilla. Trabajabas bien y no tenía por qué dudar de ti. Pero, creo, ahí se equivocó. Pensaba que le guardabas una lealtad completa y por eso te envió. Se imaginó que yo te mataría y así acabaría todo. Sin embargo, no lo hice y me demostraste que tú tampoco asesinaste a Harry.

—Pues te lo pasaste muy bien conmigo.

—Así es la vida. Ten en cuenta que estamos metidos en un mal asunto.

—Y ahora ¿qué?

—Devereaux mató a Harry Levine o hizo que alguien se encargase de ello. Y me utilizó para acabar contigo. Y no dudes de que también estará planeando cómo deshacerse de mí. Todo a su tiempo. Pero ha llegado la hora. La suya... y la nuestra.

—Vamos a por ese cabroncete.

Cincuenta y seis

La casa de Kalorama Road era un bello edificio colonial de obra vista, con ventanas dobles y fallebas de hierro forjado, dormitorios en el piso de arriba y un portal con arco de medio punto. El vecindario era seguro, como cualquier otro de Washington, por eso muchos funcionarios de alto rango habían escogido aquella zona del distrito de Georgetown. La enorme suma que hubo de pagar no preocupó en absoluto a Devereaux. De hecho, se benefició de un descuento bastante sustancioso porque, tal como le confesó la representante de la agencia inmobiliaria, «mucha gente cree que el sitio está encantado», aunque, como se había figurado, el señor Devereaux no era de esa clase de personas que creen en tales tonterías, pues de lo contrario ni se la habría enseñado. Quizás no lo parezca, pero cuesta tanto vender una casa encantada como otra en la que alguien se haya suicidado o, peor aún, haya sido asesinado.

—De todos modos, estamos obligados a decirlo —le aclaró— y, créame, más de un comprador se echa atrás.

Por suerte, esa dificultad se transformaba en una ventaja, ya que esas ridículas preocupaciones acababan por bajar el precio de la vivienda. Además, por muy realista que fuese, a Devereaux no le molestaba compartir su casa con un fantasma o dos. Aquella experiencia podía convertirse en todo un desafío.

Llegó hacia las ocho, como de costumbre, y se dirigió sin entretenerse al dormitorio para ponerse más cómodo. Se cambió de pantalones y la corbata y la camisa por un jersey. Se lavó la cara, se cepilló los dientes a conciencia —por razones que no vienen al caso, siempre lo hacía antes y después de comer— y bajó a la cocina para prepararse una bebida. Con la copa en la mano, se sentó en su sillón favorito, tomó el mando a distancia que reposaba en la mesilla que tenía delante y encendió el televisor.

—Apáguelo —Walter salió del vestíbulo que llevaba al despacho y la habitación de invitados. Empuñaba una pistola que apuntaba directamente a Devereaux. La pantalla se oscureció.

—¿Cómo ha entrado? —Devereaux no daba crédito a lo que estaba ocurriendo, lo cual satisfizo a Walter. Esta vez sería él quien llevase la voz cantante, no como durante la cena en Il Localino.

—¿Se refiere a cómo he logrado inutilizar la alarma? ¿El sistema que le ha instalado la gente para la que usted trabaja... o debería decir la gente que trabaja para usted? Podría explicárselo, pero no serviría de nada, así que olvídelo, Louie. Estoy aquí y punto.

—¿Qué...? —Devereaux prefirió callarse, la pregunta habría resultado demasiado melodramática, y se limitó a esbozar una sonrisa, a la espera de que el intruso dijese algo más. Si Walter decidía matarlo... bueno, moriría. Pero estaba seguro de que deseaba algo más. Devereaux sabía que tenían todo el tiempo del mundo y, por el momento, le convenía tener la boca cerrada. Walter debía mostrar sus cartas.

—¿Pensaba que podría tomarme el pelo? ¿Acaso le parecí demasiado viejo o algo así?

—Más bien... lo sé todo sobre usted. Vietnam. Todas esas misiones *especiales,* la mayoría, confidenciales. Y más importantes de lo que imaginaría. Demonios, usted era la combinación perfecta de destreza, una formidable destreza, como no se conocía antes, y como quizás no volvería a verse... y vulnerabilidad. Siempre igual: bajo su apariencia fría y distante, bullía algo oculto. Usted se había convertido en una figura legendaria. Walter Sherman, el Hombre Enmascarado, el Localizador. Demasiado bueno para ser verdad. Le admiro. No sabe cuánto.

—Al principio —por el tono de voz, Walter no había prestado demasiada atención a los elogios de Devereaux—, creyó que el trabajo era sencillo: bastaba con guiar a Harry para que cayese en las redes de Tucker Poesy y ella le quitase el documento. Pan comido. Le entiendo. Probablemente, yo habría hecho lo mismo. Además, en ese momento estábamos del mismo lado, ¿verdad?

—No tengo nada que objetar.

—Pero Harry no hizo lo que debía: se presentó sin el documento y, por si fuera poco, Tucker lo ahuyentó. Y ahora es cuando entro en escena. Harry se ha escapado. Alguien muy cercano a él me encarga que lo busque y usted, que como es obvio me conoce perfectamente, se imagina que morderé el anzuelo y aceptaré el caso. Yo seguiría a Harry y Tucker Poesy andaría tras de mí. ¿A que sí?

—¿Adónde quiere llegar?

—¿Que adónde quiero llegar? A que todo esto es una vulgar charada, una farsa, un guiñol manejado por usted.

—Walter, me mira con muy buenos ojos...

—¿Buenos ojos? —se burló Walter—. No me sea modesto —su voz dejaba entrever la ira y el desprecio que sentía por él, pero no iba a dejarse llevar, al menos por el momento.

—La excusa de siempre —Devereaux repitió las palabras poco a poco, dándoles un énfasis muy especial—: *la ex-cu-sa de siem-pre.* Déjeme explicarle algo. Ese tipo de explicaciones tan sólo justifican por qué el mundo debe ser preservado de gilipollas hipócritas como usted. Qué bien se vive en su isla paradisíaca, ¿verdad? Oculto en un mundo donde tiene todo bajo control. Pero ¿ha pensado en qué lo hace posible? Dígame. ¿Quién permite que todo eso sea posible? *¿Quién?* El de siempre. Alguien como yo.

—¿Usted es el tío que está al mando de todo? —se burló Walter. Su sarcasmo hizo que Devereaux le gritase:

—¡Puede darlo por seguro!

—Curioso. Piensa que lo sabe todo, ¿no es cierto, Louie?

—Lo que sé... Lo que sé... Para que se entere, señor Localizador, lo que yo sepa o pueda saber es lo que le permite vivir en libertad. Le evitará acabar en la cárcel... y que Hacienda no haga demasiadas preguntas. Lo que yo sé mantiene a sus clientes en el anonimato y, sobre todo, mantiene a salvo a Gloria, *su* Gloria. No lo dude. Ni por un momento.

—*Ubi dubium ibi libertas.*

—¿Latín? ¿Usted? ¡Caramba, qué sorpresa! El mío está un poco enmohecido.

—Le traduzco: donde hay dudas, hay libertad. Me lo dijo Harry Levine. Lo leyó en el diario de Lacey. Al pobre Harry le recordaba a Roy Orbison. Ya sabe, dubi dubi dubi... Pero ¿qué clase de hombre es usted, Devereaux? ¿Piensa que puede ordenar que maten a Harry Levine? ¿Sin más? ¿Cree que eso lo hace más poderoso? ¿Se imagina que el mundo no puede girar sin usted? Su vida es una puta mierda. No dejará ninguna huella.

—¿Yo? ¡Si soy la excusa de siempre! Mi vida es una puta mierda... Oh, qué divertido. Sobre todo cuando viene de usted. Un fracasado que se oculta tras un rostro imperturbable. Mi obra perdurará.

—Hace años —prosiguió Walter en un tono mucho más calmado—, cuando tenía dieciséis o diecisiete, justo cuando todos nos sacamos el permiso de conducción, solía ir hasta Nueva York. Tan sólo había un par de horas desde Rhinebeck. Una noche, mientras dábamos una vuelta por el pueblo, yo conducía y Bobby Hatton, un amigo, iba a mi lado, me dijo: «¿Listos?». Aquello sólo podía significar una cosa: ir a Nueva York. Tomé la avenida Takonic y nos dirigimos hacia la Gran Manzana. Al volante, me sentía el rey de la carretera. Al igual que usted, lo tenía todo bajo control. Pero mi otro amigo, Joel Adler, que se sentaba atrás, nos dijo que se bajaba, que no iba. Estaba cabreado y cada vez gritaba más. Se abalanzó sobre mí, sin tener en cuenta que yo era el conductor. Tras forcejear un poco, se echó atrás y se sentó de nuevo, por fin. No había nada que hacer. Por lo menos, Joel estuvo callado durante una hora, más o menos. Después, dijo algo. ¿Sabe lo que dijo? —Devereaux lo miraba con una sonrisa de satisfacción. ¿Cómo iba a discutir con alguien que lo apuntaba con una pistola?—. No, claro que no lo sabes, Louie. ¿Cómo podrías? Joel Adler me dijo: «Eres un mierda. Tu vida está vacía».

Piénselo. No me lo tomé a mal. Simplemente creí que se había equivocado. Incluso me pareció divertido. Un mierda con la vida vacía. Usted y yo podemos creernos poderosos, pero para alguien como mi amigo Joel, que no tenía grandes ambiciones, seríamos un par de mierdas con la vida vacía. Y eso es exactamente lo que es usted: un mierda con la vida vacía. Y esto es el final.

Devereaux no contestó. Walter se sentó en una silla que quedaba enfrente de su adversario. Le apuntó.

—Cuando Tucker le telefoneó desde Amsterdam, usted se puso en contacto con Abby O'Malley y ella envió a aquel pobre diablo, Sean Dooley. Menudo error, ¿eh?

—Pero ¿qué dice? ¿Piensa que tenía otras razones?

—Eso creemos. Usted sabía que Abby O'Malley necesitaba el diario de Lacey. Toda su vida gira a su alrededor. Pero usted también sabe que ella no mataría ni a una mosca —Walter soltó una carcajada, lo cual hizo que Devereaux se sintiese bastante incómodo, ya que ignoraba la razón de aquel brote de hilaridad—. Abby enviaría a un tontorrón, a usted no le cabía la menor duda. Y eso hizo usted. Pero lo último que usted deseaba es que consiguiese el documento, pues lo quemaría de inmediato. De hecho, estaba seguro de que yo podría enfrentarme a cualquier imprevisto, así que se limitó a jugar con nosotros.

—¿Podría ponerme un poco más?

—¿Quién se cree que es, loco de mierda? ¡Un poco más! ¡Deje el puto vaso ahí y preste atención!

—Yo sólo...

—Louie. Eh, Louie. Escúcheme. Esto no es una simulación. No es una clase sobre cómo afrontar un interrogatorio. Esto es importante. ¿No se da cuenta? Volvamos a Holanda. Cuando Harry y yo nos largamos, usted no supo qué hacer. Le explicaré adónde fuimos, si es que le interesa —Walter le relató su viaje por Bélgica, España y México hasta llegar a Ciudad Juárez y cruzar por El Paso—. Luego, compré un coche y nos fuimos hasta la cabaña, en Nuevo México.

—Bonita elección.

—¿Qué?

—El coche, el coche. La idea de comprar el coche. Excelente.

—Como usted estaba al tanto de todo lo que sabía Abby O'Malley, también se enteraría de que había vuelto a Saint John. Ella se lo dijo. Íbamos a vernos allí. Por eso me envió a Tucker Poesy de nuevo. Le ordenó que diera conmigo, cogiese el documento y se marchase. Pero había algo, algo muy importante, que no le contó.

—¿Qué?

—Yo no tenía el documento. Era evidente. No me lo habría llevado desde Nuevo México. Estaba claro y usted pensaba aprovechar la ocasión. Me había separado de Harry, y de la confesión de Lacey, y se acercaba el momento en el que usted debía dar el tiro de gracia. Mientras tanto, yo me desharía de una pieza que ya no le servía para nada.

—No me diga —Devereaux mantenía la calma a duras penas—. ¿Y de quién podía tratarse?

—De Tucker.

—Ah, Bambino.

—¿Cómo? —le preguntó perplejo. Devereaux se limitó a sonreír—. Tiene razón: es muy buena persiguiendo a alguien, pero la sutileza no es una de sus mejores armas. Cuando la envió, usted sabía que yo la mataría. De hecho, eso es lo que usted quería. Una parte más del juego. Necesitaba deshacerse de ella. Ya no le servía y se había enterado de demasiadas cosas.

—Bien. ¿Acaso no habría hecho ella lo mismo? ¿Y usted, no la habría matado? No, claro, usted no podría. Usted es un lobo solitario. No le hace falta limpiar sus huellas porque nunca se mancha. Mire, Walter, se lo aseguro, usted y yo jugamos en ligas distintas.

—A lo que estamos. Usted envía a alguien. Alguien muy bello, muy misterioso. Alguien que se hace pasar por Aminette Messadou. Alguien realmente bueno. No sé de dónde la sacó. Quizás se tratase de uno de sus agentes. Espero no haberle contado demasiado, porque, de lo contrario, me imagino que ya estará muerta. Me explicó una historia muy pintoresca y, a través de ella, me lanza un señuelo y espera a que vaya a por él. De ese modo, me distraigo y me olvido de Harry. Entonces me envía a otro de sus agentes, un tío que se hace llamar Christopher Hopman. Demasiado para Isobel Gitlin. Le dio justo entre los ojos. La pobre no tenía ni idea de lo que se le venía encima. Vale, puedo asumirlo. Ya me he dado cuenta de que usted tiene mucha información acerca de lo que ocurrió con Leonard Martin. Pero no hizo bien manipulando a Isobel de aquella manera. Delató a Harry sin saberlo. No sabía nada de nada —Walter se detuvo, respiró hondo y lo miró fijamente—. Usted envió a alguien para que matase a Harry Levine y le arrebatase el documento. Y ahora ya lo tiene.

—¿Eso es una pregunta?

—No, no lo es. Lo tiene y está aquí. En esta casa.

—¿Y qué hará? ¿Torturarme hasta que le diga dónde lo escondo? ¿Rebanarme el cuello? No, claro, me olvidaba, usted sólo hace eso con adolescentes a los que les falta una pierna. Venga, Walter. Ahora puede hacerlo. Golpeeme, rájeme, hágalo —rió. Daba igual lo que pensase, aquella carcajada revelaba el miedo y la desesperación que Devereaux sentía.

—No voy a tocarle, Louie. Podría matarlo, pero no voy a hacerlo. No torturo a la gente. No es preciso que me explique dónde está el documento. Lo encontraré. Recuerde que soy el Localizador. ¿O lo ha olvidado?

—¿Cuándo? —Devereaux no tardó en arrepentirse por eso. «No soy más que un gilipollas melodramático», se reprochó—. Si no conoce toda la historia. No, estoy seguro de que no la conoce. Le falta la pieza más importante, señor Sherman.

—No, no me falta —volvió a tomar aire del mismo modo que suele hacerse cuando se debe afrontar una situación terrible—. Lo sé todo sobre ella. ¿Por qué lo hizo? ¿El oro del zar? ¿Para qué lo necesita?

—Vaya, es usted más listo de lo que creía —Louis Devereaux se dio cuenta de inmediato de que acababa de cometer un grave error—. No, no. No era eso lo que pensaba. Siempre he estado convencido de que no hay nadie mejor que usted, el Localizador. Pero, aun así, me parece que ha perdido algo. No demasiado. Sólo un poco. Mediana edad, retiro... Pero usted no... no... —sonrió, esta vez con verdadera delectación—. Hijoputa... Le subestimé sin darme cuenta. Un error. Lo siento.

—Todavía no me ha dicho por qué. ¿Por qué ella? ¿A qué viene todo esto?

—Ya lo sabe, Walter. Lo que pasa es que aún no lo ha descubierto. No necesita que se lo explique. El oro. Siempre ha sido el oro. Desde la primera vez que hablé con ella sobre Lacey, su suegro y el oro del zar, se mostró interesada por la cuestión, hasta el punto de obsesionarse con esos tipos, los georgianos. Le llevé incluso cigarrillos rusos. Pero no cesaba de preguntarme y de fumar. Quería el oro. Todo es por el oro.

—No existe tal oro.

—Oh.

—Ni una onza.

—¿Nada?

—No hallará la respuesta en la confesión de Lacey porque no existe. Ni tampoco el escondrijo ni las toneladas de monedas de oro.

—Usted... —las carcajadas de Devereaux se convirtieron en tos—. Lo siento —le dijo tras reponerse. Se limpió la nariz y cerró los ojos. Sonrió de nuevo—. Veo que ha hablado con Roy Rogers. «¡Pero si sólo me dedico a las finanzas!» Y usted lo creyó. ¡Usted! ¡Mierda! —y rió de nuevo—. Hay más oro del que usted podría soñar. Y era para ella. Todo para ella. Y usted... ¡Idiota!

Walter se levantó de su asiento, cruzó la habitación hacia donde estaba Louis Devereaux y colocó una nueve milímetros sobre la mesilla que tenía delante.

—Usted asesinó a Harry. Usted es el único responsable. Ahora debe escoger, Louie. Puede empuñar la pistola y disparar. Sólo hay una bala. El resto del cargador está vacío. Inténtelo, tenga un gesto de dignidad, aunque sea el último. Sólo un disparo. Si no, lo haré yo. Usted decide —Devereaux contempló la pistola, después miró a

Walter y luego se fijó de nuevo en el arma—. Sé lo que está pensando. Yo también lo he hecho. Permítame advertirle de que, en el caso de que intente apuntarme con ella, Tucker Poesy le meterá dos tiros en la cabeza. Probablemente en ese punto que queda en la parte baja del cráneo, donde nace la nuca. Y le juro que las dos balas entrarán por el mismo agujero. Es muy buena.

—¿Siempre recurre al mismo truco? —se burló Devereaux—. ¿Que Tucker Poesy está ahí detrás? ¡Ésta sí que es buena! —y sonrió como nunca lo había hecho antes. Daba la impresión de que el diablo había hecho acto de presencia.

—Hola, Louie —le saludó la joven.

Louis Devereaux empuñó el arma. Sabía que no había ninguna huella. Walter llevaba unos finos guantes de algodón. En el mango tan sólo encontrarían las suyas. No volvió a mirarlo. A fin de cuentas, Walter había cerrado los ojos. Colocó el cañón contra la sien, a la altura de la oreja derecha, y apretó el gatillo.

Cincuenta y siete

La casa pertenecía a Linda Morales. Se encontraba lo suficientemente apartada de Ponce como para considerarla un retiro, tal como le gustaba llamarla. Sólo algunos sabían de su existencia y muchos menos conocían las señas exactas. La vivienda en sí no tenía nada de especial: era bonita, como otras muchas. Quizás las vistas fuesen lo más atractivo, pues se erguía en lo alto de una colina y, al igual que la pequeña mansión de Walter en Saint John, desde allí podía contemplarse el Caribe. Walter Sherman había dedicado toda su vida a encontrar lo que para otros era imposible, por lo que no le costó demasiado dar con la residencia secreta de Conchita Crystal en Puerto Rico gracias a la gran cantidad de gente dispuesta a darle la información que buscaba. Recurrió a los servicios de alguien que se apostó en las inmediaciones de la finca para avisarlo en cuanto la actriz apareciese. Unas horas después, recibió el aviso. A diferencia de su propia casa, a la que se llegaba por una carretera sinuosa, en ésta el coche podía estacionarse enfrente de la puerta principal. Para evitar sospechas, Walter aparcó en un lugar apartado de la ladera, tras unos matorrales, y ascendió a pie. Una vez allí, llamó al timbre y aguardó.

—Walter —lo saludó, como si lo estuviese esperando para cenar—, adelante. Tiene un aspecto estupendo. Se ha hecho algo, ¿verdad? Está muy bien.

—Una pequeña operación.

—¡No! Usted no es de esos.

—Un *bypass* coronario.

—Oh —se llevó una mano a la boca, aunque sus dedos no llegaron a rozar sus deliciosos labios para no mancharse.

—Hace maravillas. Debería probarlo.

—¿Cuándo? ¿Qué le ocurrió?

—No se preocupe. He venido a saludarla y a presentarle mi más sincero pésame.

—Oh, vaya —una leve tensión pudo apreciarse en el nacimiento de su pecho y en las comisuras de su sensual boca—. ¿De qué...? ¿Quién ha muerto?

—Louis Devereaux. Estoy seguro de que ha oído hablar de él. Dicen que se pegó un tiro. Con una Glock de nueve milímetros. Lo encontraron con la pistola en la mano. Como sabrá, si alguien se dispara en la sien, muere tan rápidamente que los dedos no tienen tiempo de soltarla. Se lo aseguro —Chita no dijo nada. Se quedó quieta, como si esperase alguna indicación del director. ¡A la derecha, a la izquierda, una patada y arriba, sonríe, sonríe!—. Una buena arma, la Glock. La compré yo, en una calle de Washington. Unas cuantas horas antes de que se suicidase. ¿Usted no podría decirme algo al respecto?

—Yo, yo...

—Lo sé todo, Chita. Estoy al tanto de lo suyo con Devereaux: sus llamadas, el número de su móvil... Dígame: ¿cómo?, ¿cómo ocurrió todo? ¿Acaso usted y Devereaux...?

Conchita sonrió de aquella manera tan cálida y atractiva que la había hecho tan famosa, la misma que había enloquecido a Walter en otras ocasiones.

—Me telefoneó. Del mismo modo que hizo con usted, aunque no exactamente. No buscaba a Conchita Crystal. Tan sólo dijo: «Hola, me llamo Louis Devereaux y soy un gran admirador suyo. ¿Le apetecería cenar conmigo?». No era la primera vez que oía una proposición como aquélla, pero en esa ocasión necesitaba ayuda y él estaba allí.

—Jamás se me habría ocurrido, pero ya veo. De todos modos no entiendo por qué Harry. Era su... ¿Quién era realmente? ¿Por qué él?

—No suelo trabajar como hace usted. ¿No se lo expliqué? Debería haberme prestado más atención.

—¿El dinero? ¿Las monedas de oro del zar? ¿El dinero era para usted?

—Por supuesto. Míreme. Ésta es mi pequeña cabaña, mi palacete más modesto. Conchita Crystal es una marca de empresa, por no decir una industria, y por desgracia no rinde mucho últimamente... —vio cómo Walter la observaba. No tenía ninguna duda de su aspecto, tan atractivo, pues a fin de cuentas vivía de él y aún lo conservaba bastante bien. Pero debía mantener sus ingresos y Conchita Crystal necesitaba cada vez más dinero. Su estilo de vida ya no se ajustaba a su situación económica. Así de sencillo.

—Devereaux tenía dinero —repuso, sorprendido al verla tan preocupada por su futuro, hasta el punto de ser capaz de asesinar a un familiar en aras de su seguridad—; usted no tenía por qué... —la actriz lo interrumpió con una sonora carcajada.

—Usted no sabe nada de dinero, ¿verdad, Walter? Louis me habló de Lacey unos años atrás. También me explicó algunos detalles sobre los Kennedy y, en especial, el oro.

—Aun así, yo...

—Usted no se imagina los costes que debo asumir.

—Pero... pero... esto es absurdo.

—Ya está al tanto de mi relación con Louis. Estábamos hechos el uno para el otro, de verdad. Lo amaba, y él a mí, de una manera como nadie es capaz de hacerlo. Jamás podría imaginarse lo que se siente —Conchita Crystal estalló en lágrimas. Esta vez Walter no tuvo a mano ni un puñetero pañuelo para darle—. Louis sabía que Lacey había dado instrucciones muy precisas para que se abriese su testamento cuatro días después de su muerte. Un sábado, aunque podría haber sido otro día. Louis se habría encargado de ello. Pero tuvimos suerte, gracias a Harry.

—¿Y qué me dice de la embajada de Estados Unidos? ¿Qué hubiera pasado si se hubiese depositado allí el testamento?

—¿No lo ve? ¡Venga, hombre, que usted es el puto Localizador! No me diga que no lo ve...

—¿Ver qué?

—Louis lo sabía, como muchos otros. No era el único que estaba al tanto de que Frederick Lacey había preparado el asesinato del presidente Kennedy. ¿Cómo, si no, conocía la existencia del documento? Su querida amiga, Abby O'Malley, le puso sobre la pista. Como ya habrá comprobado, Louis tenía una habilidad especial para encontrar cosas que ni siquiera se echan en falta. ¿No busca usted gente? Pues él buscaba información, datos en los que nadie había pensado antes. Y siempre acertaba. Siempre.

—¿Me está tomando el pelo? Toda esta porquería...

—No, no, querido. Louis sabía cosas que nadie conocía y que, ahora, jamás saldrán a la luz. El asesinato era una de tantas y su confesión, una parte de su diario. Estaba en lo cierto, ¿verdad? ¿Me comprende? No volverá a encontrarse con otra persona como él. Creía que, cuando se abriese el testamento, dentro encontrarían la confesión y, entre sus páginas, la localización exacta del tesoro. Quienes la buscaban no ponían en duda que la custodiaba su abogado, probablemente en un lugar seguro. Louis intimó con él. En una ocasión, éste le contó que deseaba echarle una ojeada al documento para saber si su viejo amigo había acabado con John F. Kennedy. Al parecer lo hizo, y por eso se lo ofreció al gobierno estadounidense.

—¿Desde cuándo ustedes...?

—¿Desde cuándo? Años. Bastantes años —rió—. Quince, tal vez. Me habló de Lacey por primera vez hace unos quince años.

—¿Y usted...?

—¿Yo? Usted tenía razón. Por una de esas casualidades sin sentido, tenía un sobrino, un chico al que sólo había visto unas cuantas veces. Su madre era mi hermana, pero nunca logré conocerla. Harry Levine. Trabajaba en la embajada de Londres. Tenía muchas ganas de vivir allí y Louis se ocupó de todo. Según él, era un trozo de pan e hizo las gestiones necesarias para que, algún día, pudiera devolverle el favor. Louis podía lograr lo que otros ni siquiera imaginan. Cuando el viejo se murió, el martes, hacía tiempo que Harry estaba allí, ya era un funcionario veterano, y así, el sábado, cuando se abrió el testamento, él fue el único que podía ocuparse del asunto y, ¡bingo!, el abogado le entregó la confesión. Qué coincidencia, ¿verdad?

—Y a usted sólo le interesaba el oro. Lo de Kennedy, nada.

—Oh, no, Walter. Subestima a Louis. Él era un leal patriota. Lo daría todo por mí, al igual que por Abby O'Malley, su gran amiga. Después de averiguar dónde se encontraba el oro, destruiría el documento. Primero el oro y luego, la amistad. Estoy segura de que usted jamás daría con él —rió—. *No podría* —reiteró, esta vez en español.

—*Lo hallé. No problema. Fácil* —respondió Walter, también en español.

—No le creo.

—En el salón de su casa hay un pequeño bar. Lo ha visto, ¿verdad? Estoy seguro de que sí. En la parte baja, junto al desagüe del fregadero, a mano derecha, hay un botón. Si lo pulsa, se abrirá una portezuela. La vitrina que hay delante parece maciza. No lo es. Tras ella hay un pequeño compartimento, una especie de caja fuerte. No hace falta ninguna combinación; ni tampoco una clave. Tan sólo hay que tirar. Louis jamás se imaginó que alguien la descubriría, pero no me llevó más de media hora dar con ella. Lo tenía ahí dentro.

—Miente.

—Roosevelt se cagó en los pantalones cuando estaba en Yalta. ¿Lo sabía? ¡No, claro, cómo podría! La peste era insoportable. Churchill apenas podía soportarla, pero Stalin no parecía darse cuenta.

—¿Qué?

—Eso afirma Lacey en su diario. Hay un montón de cosas además del asesinato de Kennedy. Pero no dice nada del oro, Chita.

—¡Lo tiene! ¿Dónde está el oro?

—¿Y Sir Anthony Wells? —Walter pasó por alto la pregunta—. ¿Y el embajador estadounidense? ¿Qué les pasó?

—Exceso de celo.

—¡Exceso de celo! —aulló—. ¿Eso es todo? Sólo eso —Conchita Crystal se encogió de hombros.

—Y, entonces, decidió contratarme. Harry se había escondido y ustedes querían conocer su paradero.

—No fui yo, Walter. Jamás había oído hablar de usted. Louis. Louis me dijo que no me preocupase. Conocía a alguien que podría encontrar a Harry allá donde estuviese. Y me envió a verle. Me explicó que ya no trabajaba, que se había retirado, pero estaba seguro de que usted aceptaría el encargo —aquella sonrisa y el brillo de los ojos hacían inútil cualquier excusa—. *Fácil, ¿eh?* No se imagina cuánto.

Walter se pasó la mano por la nuca, movió la cabeza y respiró hondo. Tuvo una intuición.

—Ya lo entiendo. Su encargo era real: debía hallar a su sobrino tan pronto como fuese posible. Lo que nos ocurriese luego a Harry y a mí sería... bueno, un error, gajes del oficio. Ustedes ya se imaginaban dónde podíamos refugiarnos. «Quiero que se lo lleve a algún lugar seguro.» Eso me dijo, ¿verdad? Pero también sabían cómo dar con él. Devereaux lo consiguió por medio de Isobel Gitlin. Pero fue usted quien viajó a Nuevo México, fue usted quien lo asesinó y fue usted quien se llevó el documento.

—No tengo nada que ver con eso. Louis jamás me habló de los asesinatos, ni en Londres ni en Nuevo México. Alguien trabajó más de la cuenta. No había ningún motivo para matar a Harry. Me dolió. Lo siento. Lo siento mucho, por Sadie Fagan también, pero no puedo retroceder en el tiempo. No puedo reparar esa desgracia.

—¿Tiene algo para beber? Algo frío.

—Sí, claro. Seguro que tengo algún refresco de cola.

—¿Diet Coke?

—Ah, pero ¿hay otra? —se dio una palmada en su vientre plano, perfectamente protegido por unos vaqueros muy ceñidos y una blusa de seda verde que parecían hechos a medida. Le sonrió, como siempre, con esa mezcla de deseo y magia que solía ofrecer. Por un momento, Walter pensó que bastaría una de aquellas sonrisas para fundir todo el oro del zar. Fueron a la cocina, mucho más pequeña de lo que podría pensarse.

—¿Por qué mató a Harry? —le preguntó mientras ella le servía la bebida en un vaso lleno de cubitos de hielo.

—Yo no lo maté, ya se lo he dicho. Las cosas se nos fueron de las manos, pero no sé cómo. Yo no estaba allí.

—Chita, estoy seguro de que sí estaba. Usted era la única que estaba allí y usted fue la única que le disparó. Usted mató a Harry.

—Venga ya, Walter —se deshizo de la acusación como quien se enjuga el sudor con un pañuelo—. ¿De veras piensa que lo hice yo? ¿Que fui hasta la cabaña, disparé el arma y que, tras pegarle un tiro, cogí los papeles de Lacey y me fui? ¿Cree que ocurrió todo de esa manera?

—No, no fue así.

—¿Entonces qué le hace pensar que yo estuve allí? ¿Cómo podía haber estado? —Walter echó un vistazo al vaso que le había ofrecido, dio un largo trago y lo dejó sobre el banco de la cocina.

—Lo sé. Pero aún queda otro detalle por aclarar y usted me ayudará —Chita se lo quedó mirando, con un mohín de desaprobación que la hacía aún más encantadora—. Ha mencionado la cabaña, ¿no es cierto? Lo ha dicho. ¿Cómo sabía que se trataba de una cabaña? ¿Y por qué ha hablado de papeles y no de un diario, un cuaderno o, incluso, un documento? Ha dicho *papeles*. ¿Cómo podía saber que se trataba de un legajo si usted no lo hubiera cogido, si usted no lo hubiera arrebatado de la mano de su sobrino, que yacía muerto en el suelo? —Conchita Crystal no tenía nada que decir. No podía valerse de ningún guión—. Tampoco tuvo demasiado cuidado que digamos. Los cigarrillos rusos, las *papiroses*... Iguales a los que fumaba cuando apareció en Saint John. ¿Recuerda la colilla que usted pisó en el bar? ¡Qué manera más dramática de hacerlo! Quizás tenga incluso un paquete en su bolsillo o un par de cartones en la despensa. Cuesta mucho encontrarlos. Desde luego, no se pueden comprar en el supermercado del barrio. Se los proporcionaba Devereaux. Tiene la mala costumbre de tirar las colillas al suelo y, a veces, también las cajetillas. Si un hombre las pisa, las aplasta sin más, pero si lo hace una mujer... una mujer que, como usted, calza zapatos con tacón... tan sólo hace el trabajo a medias. Fíjese en el detalle. La parte trasera de la cajetilla estaba en perfectas condiciones.

—¡Qué imaginación tiene, Walter! ¡Incluso observa la manera en que piso una vulgar colilla...!

—Lo hizo del mismo modo que en Billy's. La misma marca de tabaco. La misma manera de pisar. ¿Qué le hace pensar que estoy equivocado? —Conchita Crystal lo miró en silencio—. ¿Sabe de qué estoy seguro? De que usted sabía perfectamente que, tarde o temprano, lo averiguaría. ¿No es así? ¿No creía que podría deducir quién había sido desde el mismo momento en que hallase el cuerpo de Harry? ¡Responda, por lo que más quiera!

—No, no lo pensé.

—A Harry le dispararon a bocajarro, a una distancia tan corta que la pólvora quemó su camisa y dejó unas marcas de una anchura mayor que la propia bala, como la del cañón. Usted lo abrazó. Lo atrajo hacia sí, muy cerca, sacó una pistola de calibre pequeño, no más grande que un cigarrillo, la colocó sobre su corazón y apretó el gatillo —Walter hizo una pausa para tomar aire y dar un largo y lento trago. Conchita Crystal hizo lo mismo, con la naturalidad estudiada de siempre, pues no en vano se comportaba de aquel modo desde que tenía quince años.

—Ya sé lo que quiere —le espetó mientras comenzaba a desabrocharse la blusa y sacaba los faldones por fuera del pantalón. Con la suavidad venenosa de una serpiente, sus manos se deslizaron por el escote para mostrarle los pechos y la sedosa curva de su vientre. Sin que apenas Walter pudiese darse cuenta, la prenda se escurrió por sus brazos hasta caer al suelo—. Tómeme, Walter. Soy toda suya. No se avergüence: tóqueme, acaríceme. Soy y seré suya: hoy, mañana, siempre... Usted y yo... —sabía muy bien lo que hacía: ¿qué hombre podría resistirse? ¿Cuántas veces habría sucedido durante los últimos treinta años? *Fácil*. Lo miró a los ojos, le sonrió tal como se esperaba y, con un ligero pellizco, desabrochó los vaqueros y bajó la cremallera muy poco a poco. No dijo nada más, ni en inglés ni en español. Walter Sherman recibiría lo que había deseado desde hacía tanto tiempo, y ella, también—. Walter... —le susurró mientras se le acercaba. Le acarició la nuca. Sus dedos se ensortijaron entre el pelo—. Walter... —cada vez lo abrazaba con más fuerza. Su cuerpo pugnaba por amoldarse al de aquel hombre que no parecía responder. Conchita sabía que todo podía resolverse de aquella manera. El calor y el aroma que exhalaba aquella mujer estuvo a punto de enloquecerlo. De pronto, como si formase parte de su relación, Conchita posó sus labios en los suyos con un leve roce. Su lengua se abrió paso dentro de su boca y sus ojos buscaron alguna señal de rendición. La tenía más cerca de lo que nunca hubiera soñado.

—¿Devereaux le habló alguna vez de Leonard Martin? ¿Mencionó su nombre?

—No —repuso un tanto desconcertada.

—Lo haría, seguro.

Walter disparó a Conchita Crystal a bocajarro, en pleno corazón. La pequeña pistola que apoyó sobre aquel pecho, moreno y cálido, disponía de una sola bala que, al ser de un calibre tan pequeño, no logró abrir una salida. Durante una fracción de segundo, la mujer pareció darse cuenta de todo. Luego, cayó al suelo, muerta.

Final

Al final, siempre te toca bailar solo.
JACKSON BROWNE

Cincuenta y ocho

No está mal morir un jueves.

Para los judíos, así como para todos aquellos que comparten las mismas creencias acerca de la muerte y la manera en que han de afrontarla los vivos, es mejor celebrar el funeral antes del fin de semana. En el caso de que la fe dicte lo contrario, como, por ejemplo, dedicar más tiempo a las ceremonias, o de que no se profese ninguna religión pero se prefiere que la despedida sea lo más aparente posible, tampoco pasa nada si se muere en jueves. El finado, con un aspecto magnífico tras una intensa sesión de maquillaje y bien acomodado en un lujoso féretro tapizado de seda, hace su última comparecencia el viernes o el sábado y todo el mundo tiene la oportunidad de contemplarlo y despedirse de él en la capilla ardiente. No cabe duda: el jueves es un buen día para morir. De todos modos, cabe tener en cuenta que las exequias se celebran el sábado, se echa a perder el fin de semana. En el caso de que se haga el domingo, la situación cambia, ya que en ciertas ocasiones es preciso emprender un largo viaje de vuelta, de ahí que la mejor opción sea, sin ninguna duda, morir en jueves, pues al día siguiente se da sepultura al difunto y no se molesta a nadie.

A pesar de todo, no es raro que alguien, aun habiendo fallecido en jueves, deba esperar al lunes para su funeral. Cuando se tienen muchos familiares y amigos o se vive muy lejos, se necesitan dos días para que todos puedan acudir. De hecho, si se programa todo minuciosamente y se celebra la ceremonia a primera hora, no hay por qué perder todo un día. Lo peor, como puede verse, es fallecer en lunes, martes o miércoles, pues ocasiona numerosas molestias.

—Un hombre respetuoso siempre se muere en jueves —comentó Ike a Walter y Billy tiempo atrás después de haber asistido al funeral de un primo lejano de su esposa, celebrado entre semana. Venía directamente del cementerio, justo a la hora del almuerzo, vestido con su traje negro, y pidió el menú de siempre—. El jueves es el mejor día para irse.

Aquel día, Walter se anudaba la corbata para acudir a algo que jamás deseó que ocurriese. Recordó de nuevo la frase de Ike. Siguiendo su propio consejo, los había abandonado un jueves.

Su corazón se detuvo cuando estaba solo en casa. Había hecho tanto calor que Ike se vio obligado a dejar su sitio de siempre, casi en la calle.

—Volveré luego —les dijo—. Bueno, si hace más fresco.

Su nieto Roosevelt acudió para recogerlo. Sabía que hacía demasiado calor como para que alguien tan mayor se pasase todo el día al sol. Billy, que tantas veces le había regañado por su afición al tabaco, le rogó que entrase.

—Siéntate aquí —le señaló una mesa cercana al ventilador— o al lado de Walter si te ves capaz de trepar al taburete sin romperte las pelotas, pero apártate del sol, joder.

—No. Ésta es mi mesa. Lo ha sido durante mucho tiempo. No pienso cambiarla. Además, siempre te estás quejando del humo. Ya lo sabes.

Y para dar más énfasis a su decisión, Ike sacó del bolsillo de su camisa un cigarrillo arrugado y se lo puso en la boca. Después, encendió una de aquellas largas cerillas de madera. Daba la impresión de que su cabeza estaba ardiendo.

—¿Cuándo dejarás esa mierda?

—Nunca —y tosió. Unos segundos después, prosiguió—: Walter, ¿me oyes?

—Sí —dobló su ejemplar del *New York Times* y lo dejó en la barra, delante de su bebida—, te oigo.

—Bien, quiero que recordéis algo —se inclinó mientras se aferraba con fuerza a la mesa. Tras cerciorarse de que le prestaban atención, les gritó—: El día en que yo me muera...

—¡Oh, venga ya! —gruñó Billy mientras agitaba un paño.

—No, no —aulló el anciano—. Oídme bien. Esto es importante. Quiero que no lo olvidéis. No me enterréis sin tabaco ni cerillas. Espero fumar a gusto en el cielo, seguro que el buen Jesús me lo permitirá —y sonrió a sus camaradas del mismo modo que lo había hecho en los últimos noventa años.

—Dalo por hecho —le aseguró Walter.

—Tonterías —repuso Billy, mientras buscaba algún sitio libre en el bar. Helen, que se encontraba bastante cerca de Ike, lo miró y le dijo:

—Así será, te lo aseguro —Ike se descubrió ante ella. Era jueves. Al día siguiente, ya no estaba.

La funeraria Hayes se ocupó de todo, tal como solía hacer con los miembros de la comunidad negra de Saint John. Así había sido durante cinco generaciones. Por razones profundamente arraigadas en la psique de los estadounidenses, raramente ofrecía sus servicios a los blancos. En aquella ocasión, se volcaron con Ike. Noventa años dan para mucho, y más en una isla tan pequeña. En los funerales suele encomiarse la figura del difunto, lo mucho que se lo apreciaba, pero a juzgar por lo visto, no cabía duda de que era verdad. No sólo acudió todo Saint John, sino que también vinieron gentes de Saint Thomas e, incluso, de más lejos. Walter se despidió de él por última vez, dio el pésame a sus parientes —varias docenas— y estuvo con ellos en la capilla ardiente durante todo el sábado así como en la iglesia el domingo. Billy y Helen también lo acompañaron.

Henry y Willie Hayes realizaron un excelente trabajo. No intentaron darle a Ike un aspecto distinto al que había tenido en vida, como hacían algunos. En más de una ocasión, Walter había podido comprobar que el finado tenía un aspecto extraño, lo cual no solía gustar demasiado a nadie. Muchos maquilladores se empeñaban en captar el último aliento del difunto, algo a todas luces imposible, y el resultado era mucho peor de lo que se esperaba. Ike aparecía como siempre y Walter no pudo menos que agradecérselo a los hermanos Hayes.

Walter pasó en casa el resto del fin de semana. No fue al bar. El lunes Billy dejó su mesa libre, como si Ike fuese a sentarse en cualquier momento. Había colocado un crespón negro en la puerta principal. Era la única vez que el local había cerrado.

El funeral, no obstante, se convirtió en un motivo de celebración. Una vida tan larga merecía una buena despedida. Un grupo formado por sus tres hijos y dos de sus nietos entonó su canción favorita, «The Closer You Are», escrita y grabada en la primera mitad del siglo pasado por Earl Lewis and The Channels. Walter sonrió. Sabía que el anciano lo había pedido así. De hecho, la había cantado con él en más de una ocasión, si bien aquel día prefirió limitarse a escuchar.

Cu-an-do más cer-ca de mí es-táaaas,
máaaas bri-llan las es-tre-llas en el cieeeeeelo.

Billy miró a Walter y los dos sonrieron emocionados. Por un momento, sintió la tentación de correr hacia el bar y escribir aquellos versos en la pizarra. El coro prosiguió con «Going Up Yonder» como si no fuesen a cantarla nunca más. El público se apresuró a responder. Gritos como «Bendito sea el Señor», «Oh, Dios» y «Cantemos todos juntos» reverberaron por toda la nave, como si estuviesen en una iglesia baptista de Alabama o Mississippi y no en una sencilla iglesia episcopaliana. Walter sintió cómo vibraban los cimientos. Muchos se unieron al canto.

Allá voy para estar con el Señor.

Un pequeño grupo, no más de una docena, se dirigió al féretro para despedirse de Ike. Walter era uno de ellos. Se detuvo unos segundos para verlo por última vez. Sin saber por qué, aguardó a que el anciano le hiciese una mueca. Una lágrima resbaló por su mejilla e hizo un esfuerzo por librarse del nudo que le atenazaba la garganta. Como el resto del séquito, le colocó una flor entre las manos y, con la mayor naturalidad del mundo, introdujo un par de cigarrillos y una caja de cerillas en el bolsillo de su camisa.

Unas semanas después, Walter se apostó en el sitio de siempre. Un puñado de turistas charlaba animadamente en una de las mesas. A juzgar por su alegría, celebraban algo, tal vez un cumpleaños o el aniversario de algo. Al otro lado de la plaza, en el muelle, otro contingente recién desembarcado se disponía a pasar unos días de aventura. Algunos tomaron taxis y la mayor parte, en parejas o pequeños grupos, se dirigieron a pie hacia Cruz Bay para hacer algunas compras.

—¡Qué pasa, Tucker! —la saludó sin volver la cabeza.

—Qué guapo verte de nuevo, Walter —le respondió mientras trepaba al taburete de al lado para girar luego suavemente de un lado a otro hasta dar con la postura más cómoda. Walter sonrió.

—Ya se ha terminado todo. Ahora ya puedes volver a odiarme.

—A ti y a Billy. Razones no me faltan.

—Bueno, es lo que hay.

—¿Tienes fuego? —apenas podía contener la risa.

—Pero si no fumas...

—Ya lo sé, pero pensaba que te haría gracia —Tucker Poesy iba vestida con el mismo biquini amarillo que llevó en Puerto Rico. Sus pantalones cortos apenas le ocultaban las nalgas. Sin saber cómo, Walter se descubrió pensando que si aquel trasero le parecía increíble, sus piernas eran sencillamente espectaculares.

—Viendo lo que has hecho con esos pantalones, me imagino que te habrán salido tirados de precio.

—Te gustan, ¿eh? —le sonrió con una voluptuosidad que jamás había visto antes en ella. No pudo resistirse. Aquella mujer lo excitaba y ella lo sabía. Miró de nuevo a los pantalones. ¿Acaso le daba a entender con su mirada lo que Walter ansiaba escuchar?—. He pensado en tomarme unas vacaciones. Las pasaré en el Caribe. Esta isla puede ser un buen lugar. Quizás incluso me quede durante una temporada.

—¿Qué es lo que quieres?

—Woody Allen y Mariel Hemingway —Helen se encontraba en el centro de la barra, reordenando las botellas de vodka y tequila—. Una mezcla explosiva.

—Ya lo sé —le replicó Tucker Poesy—: *Manhattan*.

—Eso mismo. Un poco... desagradable, ¿no te lo parece? —le preguntó Helen.

—No la he visto —terció Billy desde la otra punta. Cuando se dio cuenta de que la joven estaba allí, se dirigió a Walter y, luego, observó a Tucker. Sus miradas se cruzaron. Todavía se sentía incómodo en su presencia.

—¿Ya has pagado lo que debes? —masculló.

—Nunca —Tucker le lanzó una sonrisa triunfal—. *Nun-ca*.

Billy se dio la vuenta y pasó su brazo por detrás de Helen, la besó con dulzura en los labios y repuso:

—Sonny y Cher.

—¿Te gusta Cher? —Helen parecía divertirse—. Siempre había pensado que preferías las mujeres mansas y sumisas, pero... —rió— jamás podría imaginar que eras gay.

—Nadie lo sabe tan bien como tú, ¿verdad? —Billy soltó una carcajada.

—Bueno, a decir verdad, mis favoritos son Julia Roberts y Lyle Lovett. Una gran pareja.

—Dispar, pero no extraña —sentenció Walter—. Y Lyle Lovett tiene su encanto. A su manera, claro —volvió a mirar a Tucker—. No sabía que las chicas como tú dispusiesen de tiempo para ver películas y escuchar música.

—Si no fuese así, me convertiría en una sosa, ¿no crees?

—¿Y qué me dices de Michael Jackson y esa nosequé, la hija de Elvis?

—¿Priscilla? —inquirió Billy.

—Ésa era su mujer —le corrigió Helen—. Walter se refiere a Lisa Marie.

—Claro —asintió Walter—. ¿Qué me decís de ellos? Más raros, imposible, ¿no?

—No pegan ni con cola —concluyó Helen.

—Hay personas que suelen sentirse atraídas por otras que no se les parecen en nada —le aclaró Tucker. Helen parecía convencida.

—Bueno, esto es demasiado —Billy estaba a punto de perder la paciencia—. Elige ya y déjanos tranquilos —vio que su amigo comenzaba a ponerse nervioso. En la esquina, la mesa de Ike continuaba vacía. Era la primera vez que miraba hacia allí desde que el anciano los dejó—. Llévate a uno, pero sólo a uno.

—Vale —dijo Walter—. Voy a...

—Hey, tíos, ¿y qué me decís de Marilyn Monroe? Marilyn Monroe y Arthur Miller.

—¿Quién es ése, Helen? ¿Arthur qué?

—Un dramaturgo, Billy —le aclaró Tucker mientras daba un sorbo al vaso de Walter—. Ya sabes, *Vidas rebeldes* y todo eso. Todos somos un poco rebeldes, ¿no crees?

Billy murmuró algo que nadie pudo entender. Walter intentó zanjar la discusión.

—Vale, yo digo Ingrid Bergman y Humphrey Bogart. ¿Qué pudo ver esa mujer en él? ¿Os habéis fijado en el careto de Bogart? ¡Está lleno de viruelas!

—Genial —sentenció Billy, quien se apresuró a tomar la tiza—. Tú dices Bergman y Bogart, y yo, Sonny y Cher —y acto seguido escribió sus nombres en la pizarra.

—¿Ike y Tina? —Tucker comenzó a reír.

—No le veo la gracia —repuso Helen—. Ésa mujer se casó con el mismísimo diablo. Que Dios la bendiga.

—Necesitamos a alguien más. ¿Lo apunto o no? —Billy miró a los demás con los brazos en jarras.

—No, no —Tucker lo detuvo. Había abrazado a Walter y, cada vez más mimosa, anunció—: Ahora estoy con él.

—¿Que qué? —le preguntó. Parecía divertirse tanto como ella.

—Sólo bromeaba —chilló Tucker—. Jamás se me habría ocurrido. Podría joderte ahora mismo. Matarte incluso. O las dos cosas. Bueno, Walter, ¿dónde está la confesión de Lacey?

—¿Eso querías? Podría decírtelo —se echó hacia atrás, sonrió y le besó en la mejilla—. Pero, entonces, tendría que acabar contigo. ¿Qué hacemos?

—¿Helen? —dijo Billy—. ¿Se te ocurre otra pareja más o apunto estas dos?

—Para el carro, querido —le respondió—. Esto aún no ha terminado.